Zarya et le Grimoire de Trotsky

LES ÉDITIONS DES INTOUCHABLES
512, boul. Saint-Joseph Est, app. 1
Montréal (Québec)
H2J 1J9
Téléphone : 514 526-0770
Télécopieur : 514 529-7780
www.lesintouchables.com

DISTRIBUTION : PROLOGUE
1650, boul. Lionel-Bertrand
Boisbriand (Québec)
J7H 1N7
Téléphone : 450 434-0306
Télécopieur : 450 434-2627

Impression : Imprimerie Lebonfon inc.
Conception graphique : Marie Leviel
Mise en pages : Mathieu Giguère
Illustration : Polygone Studio
Direction éditoriale : Marie-Eve Jeannotte
Révision : Patricia Juste, Élyse-Andrée Héroux
Correction : Élaine Parisien

Les Éditions des Intouchables bénéficient du soutien financier du
gouvernement du Québec — Programme de crédit d'impôt pour l'édition de
livres — Gestion SODEC et sont inscrites au Programme de subvention
globale du Conseil des Arts du Canada.

Nous reconnaissons l'aide financière du gouvernement du Canada par
l'entremise du Fonds du livre du Canada (FLC) pour nos activités d'édition.

Membre de l'Association nationale des éditeurs de livres.

Dépôt légal : 2011
Bibliothèque et Archives nationales du Québec
Bibliothèque nationale du Canada

ISBN : 978-2-89549-439-3

JP Goyette

Zarya

3 Et le Grimoire de Trotsky

Prologue

Elle trébucha sur une racine et s'affala de tout son long dans une boue noirâtre et glissante. Elle était exténuée. Cependant, il était hors de question que la jeune Laurie reste une seconde de plus dans cette bourbe nauséabonde. Elle se releva de peine et de misère, sortit du petit fossé marécageux et reprit sa course pour échapper aux « choses » qui la poursuivaient. L'orpheline de treize ans jeta un regard derrière elle, s'efforçant de percer la lugubre obscurité. Seule la silhouette de l'orphelinat, qu'elle venait de quitter, se découpait vaguement sur cette sinistre toile, à laquelle la lueur rougeâtre de la lune donnait un aspect terrifiant. Laurie continua son difficile parcours, traversant une forêt brumeuse en direction de la petite maison abandonnée qui se trouvait près du lac.

Elle n'était plus qu'à quelques mètres de l'entrée lorsque des faisceaux lumineux lui frôlèrent la tête. Elle se tourna vers ses mystérieuses poursuivantes qui flottaient entre les arbres et constata avec stupéfaction qu'elles avaient gagné du terrain. Effrayée, l'adolescente respira un grand coup et se précipita vers la maison. Un dernier regard par-dessus son épaule et elle poussa la porte pour y pénétrer. Laurie se retrouva alors dans une petite pièce, assombrie par les arbres géants qui se dressaient autour de la maison. Elle scruta ce qui l'entourait pour trouver un endroit où se cacher. Une grande armoire était placée juste à côté de la cheminée en pierres des champs. La pauvre jeune fille jugea que ce devait être un bon refuge. L'une des créatures passa à toute vitesse devant une fenêtre, et Laurie se contorsionna pour se faufiler entre plusieurs caisses en bois poussiéreuses. Alors qu'elle s'apprêtait à ouvrir l'armoire, un vrombissement infernal retentit et une lumière éclatante se répandit dans la pièce. Apeurée, elle poussa un cri de désespoir :

— Elliott !

Un bruit sec et saccadé se fit entendre derrière elle, semblable à un éclat de verre brisé. Pourtant, il n'y avait pas de fenêtre de ce côté !

Les entités pénétrèrent dans la maison et constatèrent que la jeune orpheline s'était volatilisée comme par magie !

La Sphère d'Agapè

Québec, Saint-Jean-sur-Richelieu, 16 h 42

À mesure qu'avançait le mois de juin, la végétation du parc municipal devenait plus dense, plus verdoyante, malgré l'été qui tardait à s'installer. L'explication était fort simple : il pleuvait pratiquement tous les jours depuis un mois. Heureusement, ce jour-là, le soleil rayonnait dans toute sa splendeur. Les oiseaux gazouillaient, les fleurs s'épanouissaient et on pouvait même apercevoir deux écureuils cabriolant de gauche à droite, à côté d'une fille qui se balançait nonchalamment, en touchant son pendentif du bout des doigts : c'était Zarya Adams.

Cette adolescente aux magnifiques yeux bleus et aux longs cheveux noirs qui s'échappaient de tous côtés et portant une robe de la même teinte de style gothique avait l'apparence d'une fille tout à fait normale aux yeux des gens qui marchaient sur le sentier du parc. Elle semblait plongée dans ses rêveries, demeurant insensible à ce qui se passait autour d'elle, et fixait cet étrange bijou en or qu'elle portait autour du cou. Les personnes qui remarquèrent son air absent supposèrent que son esprit vagabondait dans un autre monde. Et elles avaient raison ! La pensée de l'adolescente était dans une dimension différente de la leur, celle d'Attilia. Tout bien considéré, Zarya n'était pas aussi normale que les gens le pensaient ! En vérité, elle était mage. Et on peut même ajouter qu'elle possédait du sang de sorcière, celui de sa grand-mère Martha. Elle en avait eu la confirmation au mois de décembre dernier, durant une exposition sur la sorcellerie qui s'était tenue dans la ville de Vonthruff. Elle avait eu l'occasion d'essayer une vraie baguette magique. Habituellement, un mage ne peut en utiliser une malgré ses puissants pouvoirs, à moins de posséder des gènes de sorcière. Pour Zarya, le résultat avait été positif.

Du revers de la main, elle essuya ses yeux qui s'étaient remplis de larmes alors que lui revenait un douloureux souvenir : elle avait fait cette visite avec son amoureux, Jonathan. Son estomac était tout retourné par cette pensée. Et pour cause : ce dernier avait dû utiliser une magie très ancienne, celle de « l'Auto-Lusis du Guerrier », pour échapper à l'emprise que Malphas avait sur lui à ce moment-là. Cela avait eu pour effet de le faire sombrer dans un profond coma. Le coma des comas, comme Gabriel Adams avait dit à sa petite-fille. Celui-ci avait ajouté que l'endroit où se trouvait l'âme de Jonathan s'appelait les limbes. Et que personne, à sa connaissance, n'en était revenu.

Depuis qu'elle était rentrée chez elle, Zarya appelait son grand-père le plus souvent possible pour avoir des nouvelles de Jonathan. Mais, malheureusement, son état n'avait pratiquement pas changé depuis le jour où il s'était sacrifié pour sa bien-aimée. Elle se rappelait tout ce qui s'était réellement passé sans oser y croire. « Pourquoi la vie m'inflige-t-elle ce lourd fardeau ? » pensa-t-elle avec amertume. Depuis son retour dans ce monde sans magie, cette question lui trottait sans cesse dans la tête. Il ne se passait pas une journée sans qu'elle pense à Jonathan. Mais elle gardait espoir qu'il revienne un jour de ce lieu lointain !

Un sifflement aigu la tira de ses pensées. Elle leva les yeux vers le ciel.

— Des Rodz ! chuchota-t-elle.

En effet, après les événements tragiques du jour de l'An au pays de Dagmar, plus précisément au château de Sakarovitch dans la ville de Vonthruff, Gabriel Adams avait insisté pour que des sentinelles veillent sur la sécurité de sa petite-fille et de son amie Abbie. « Il ne faut pas oublier que Malphas est en fuite », avait-il dit aux deux jeunes filles. Cette surveillance s'imposait d'autant plus depuis la tentative d'enlèvement orchestrée par l'homme que Zarya avait surnommé « l'inconnu du parc ». Ce dernier, étant lui-même un mage noir, savait qu'elle possédait le fabuleux pouvoir de Torden et que le Fortitudo était latent en elle. Il était par conséquent prêt à tout pour s'emparer de ses pouvoirs exceptionnels.

Zarya avait même cru apercevoir, à quelques reprises, des hommes vêtus de noir qui la suivaient discrètement ; elle se doutait bien qu'il s'agissait de Maîtres Drakar. Évidemment, elle n'était pas à l'aise avec les mesures de sécurité dont elle était l'objet. Cependant, après tout ce qui s'était passé, elle devait admettre que son grand-père avait raison d'être vigilant et d'instaurer une surveillance accrue autour d'Abbie et elle. Gabriel savait que sa petite-fille ne voulait pas que des Maîtres Drakar la protègent en permanence, ni qu'une colonie de Rodz lui tourne autour de la tête indéfiniment. Il lui avait donc proposé une autre solution : « Tu devras quitter l'autre monde pour venir vivre à Attilia. » Et il avait ajouté : « Comme nous ne pourrons te protéger de cet individu éternellement, il faudrait que tu aies la possibilité de le faire par toi-même ! » Zarya avait été subjuguée par cette proposition. Voyant son air interrogatif, son grand-père lui avait déclaré simplement :

« Si tu le désires, bien entendu, tu pourras t'inscrire à la formation des Maîtres Drakar. »

C'était presque l'heure du souper, et Zarya, qui n'avait mangé que quelques bouchées de son sandwich, avait hâte de prendre un vrai repas. En rentrant chez elle, elle trouva sa mère en train de faire les dernières boîtes pour le déménagement.

— Zarya ! l'interpella Kate. As-tu bientôt terminé tes valises ? Il ne faut pas oublier que le camion de déménagement arrive très tôt demain matin.

— Oui, j'ai pour ainsi dire terminé. Il me reste seulement deux ou trois objets, mis à part mon linge qui est dans la salle de lavage.

— Très bien, ma chérie.

— Tu veux que je t'aide pour ces dernières boîtes ? demanda l'adolescente.

— Merci, tu serais gentille.

Voyant sa fille palper du bout des doigts son pendentif, Kate lui demanda avec une rare délicatesse, connaissant l'histoire tragique de Jonathan :

— Est-ce que ça va ? Ton moral tient bon ?

— Oui, ça va, répondit Zarya, peu convaincante.

Sa mère la regarda avec des yeux navrés.

— Je sais que ça doit être particulièrement difficile…

— Ne t'en fais pas, maman. Je sais qu'il va revenir. Je peux le sentir.

— Mais, ma chérie… ton grand-père nous a dit…

— Je sais ce qu'il a dit, l'interrompit Zarya qui fixait une des boîtes empilées dans le coin de la pièce, n'osant pas regarder sa mère dans les yeux. Mais j'ai bon espoir de le retrouver un jour… un jour prochain.

Kate lui sourit en souhaitant de tout son cœur que sa prédiction s'accomplisse, même si elle semblait irréaliste.

— À vrai dire, maman, je suis inquiète pour toi…

— On en a déjà parlé, Zarya.

— Mais… mais tu es obligée de quitter ton emploi à cause de moi. Tu aimais ton travail plus que tout.

— Oui, tu as raison, j'aimais mon travail. Cependant, c'est toi que j'aime plus que tout ! précisa Kate en posant sa main sur l'épaule de sa fille. À présent, on doit passer à autre chose. Et pour tout simplifier, ton grand-père m'a gentiment trouvé un excellent travail en Europe. Et c'est justement tout près de son manoir, à quelques kilomètres à peine.

— Et pourquoi ne viens-tu pas avec moi à Attilia ?

— Ne t'en fais pas, Zarya, on va se voir toutes les fins de semaine au manoir de ton grand-père. Et en plus, je ne serai pas loin de Paris. Ainsi, je vais avoir la chance de rendre visite à ton père à ma guise. Vois-tu ? Un autre point positif pour moi.

L'adolescente sourit en pensant à son père. Depuis son arrestation, il lui écrivait pratiquement toutes les semaines. Par ailleurs, elle avait appris tout récemment qu'il serait libéré dans quelques mois pour avoir subi avec succès une cure de désintoxication, accompagnée d'une psychothérapie. Selon les psychiatres, John Adams était guéri et il était prêt à retrouver une vie normale dans la société. Finalement, ce fut dans la bonne humeur que la fille et la mère dégustèrent sans la moindre modération le bon repas commandé à la pizzeria du coin.

Après avoir emballé les dernières pièces de vaisselle avec sa mère, Zarya alla dans sa chambre pour finir ses valises. Assise confortablement sur son lit, elle fit léviter, grâce à ses pouvoirs surnaturels, chacun de ses vêtements pour les ranger dans sa grosse valise. Toutefois, il y avait deux choses qu'elle prit la peine de déposer avec soin dans une boîte spécialement conçue pour les objets fragiles. L'une était sa boule du Savoir : une technologie attilienne qui était utilisée comme instrument d'apprentissage par les mages ; c'était un objet très précieux à ses yeux, un présent que son grand-père lui avait donné durant son premier séjour à Attilia. L'autre était une amulette magique égyptienne représentant la tête du dieu Bès ; sa grand-mère Martha la lui avait offerte lorsqu'elle lui avait rendu visite à la Montagne sacrée de Mocktar. Avant de l'emballer dans la boîte, la jeune fille prit le temps de l'examiner en pensant à ce que sa grand-mère lui avait dit en la lui remettant : « Lorsque tu désireras me voir, et peu importe le motif, tu n'auras qu'à prendre l'amulette dans tes mains et à le souhaiter de tout cœur. » C'est avec un petit sourire que Zarya la mit délicatement dans la boîte.

Après avoir arpenté sa chambre dans tous les sens et constaté qu'elle avait terminé, elle revint s'asseoir sur son lit, en caressant machinalement son pendentif. Cet objet en or qu'elle affectionnait tout particulièrement était une Sphère d'Agapè. C'était du moins ce qu'avait dit un vieux mage tibétain à Jonathan lorsqu'il lui en avait fait cadeau pour le remercier de lui avoir sauvé la vie. Le jeune Maître Drakar l'avait offerte par la suite à Zarya en lui déclarant son amour. Il lui avait alors clairement expliqué sa propriété magique et unique en son genre : « Quand le mage tibétain me l'a donnée, il y avait seulement une étoile à l'intérieur. Et il m'a dit que lorsque je rencontrerais mon âme sœur, l'amour de ma vie, une autre étoile naîtrait. » En effet, quand il la lui avait tendue, il y en avait deux qui brillaient de tout leur éclat. Donc, selon ce bijou magique et les dires du mage tibétain, Jonathan et Zarya étaient faits l'un pour l'autre. Cependant, une chose avait malheureusement changé depuis : l'une des étoiles avait disparu le jour où Jonathan s'était sacrifié.

Alors que l'adolescente regardait l'unique étoile scintillante dorée qui valsait au centre de la sphère, une présence près de la porte la fit sortir de sa rêverie.

— Tu m'as fait peur, Abbie ! lança-t-elle en remettant son pendentif sous son chandail.

Son amie remarqua son geste, mais ne fit aucun commentaire. Elle présumait que Zarya avait eu son lot de paroles de sympathie telles que « je suis vraiment désolé », « je suis triste pour toi », « le temps va arranger les choses ». Elle ne voulait pas en rajouter.

— Ta mère m'a dit que tu finissais tes valises. Alors, je suis venue te donner un coup de main.

— Merci, mais j'ai fini. Et toi, as-tu terminé les tiennes ?

— Oui, répondit Abbie en s'asseyant sur le lit avec un air triomphant, comme si elle voulait vraiment que son amie lui pose la question qui sortit justement de sa bouche :

— Tu as quelque chose à me dire, n'est-ce pas ? lança Zarya en fronçant ses petits sourcils noirs.

— Ça paraît tant que cela ?

— Oh oui !

— D'accord, je vais tout t'expliquer, dit Abbie avec un petit sourire de satisfaction. Tante Mary a finalement décidé de m'accompagner à Attilia et on va demeurer ensemble dans la maison que mes parents m'ont léguée.

— C'est merveilleux ! Je suis vraiment contente pour vous deux, fit Zarya avec sincérité. Mais, dis-moi, pourquoi a-t-elle changé d'idée ?

— Tu sais, elle avait peur de s'ennuyer en restant seule ici. Ta mère qui déménage en Europe, toi et moi à Attilia…

Zarya regarda Abbie d'un œil attentif et lui demanda :

— J'ai l'impression qu'il y a autre chose ! Est-ce que je fais erreur ?

— Non, tu ne te trompes pas, on ne peut rien te cacher ! déclara Abbie en se tournant vers son amie. En fait, ma tante m'a confié une chose qui va sûrement t'étonner autant que moi !

— Tu m'intrigues. Vas-y, lâche le morceau !

— Ma tante m'a avoué qu'elle est une mage !

— Quoi !? Ta tante Mary… une mage ! En es-tu bien certaine ?

— Oh oui ! Et elle me l'a prouvé, aucun doute !

— Mais pourquoi n'a-t-elle rien dit plus tôt ?

Cette question eut pour effet de faire disparaître instantanément le sourire d'Abbie.

— C'est la première chose que je lui ai demandée, tu peux me croire ! Pourquoi me cacher ce *petit* détail ? admit-elle avec un air bourru. Mais quand elle me l'a expliqué, j'ai compris immédiatement pourquoi elle avait tenu cette information sous verrou.

Zarya regarda Abbie avec des yeux interrogateurs.

— Elle a vécu une expérience douloureuse à Attilia ! confia Abbie sur un ton grave.

— Pauvre elle. Mais que s'est-il passé ?

— Peu avant la mort de mon oncle Achille, elle avait découvert, par un curieux hasard, qu'il était un mage noir, un adepte de…

Abbie hésita un instant, craignant d'attrister davantage sa meilleure amie, mais, réalisant qu'elle avait déjà trop parlé, elle reprit :

— Il était un adepte de ton père quand celui-ci était possédé par Malphas.

Zarya éprouva une sensation intolérable de brûlure à l'estomac en entendant ces paroles.

— Je suis vraiment désolée, Abbie…

— Mais ce n'est pas ta faute, répliqua immédiatement Abbie en voyant le visage déconfit de son amie. Et ce n'est pas la faute de ton père non plus. C'est Malphas, le vrai coupable dans cette histoire.

— Mais c'est mon père qui l'a…

— Ça fait heureusement partie du passé, Zarya, l'interrompit Abbie en constatant qu'un certain malaise s'installait.

Elle m'a confié que lorsqu'elle est partie d'Attilia pour venir s'établir ici, juste après la mort de son mari et de mes parents, elle s'est promis de ne plus utiliser aucune incantation, aucune magie. Les pouvoirs magiques lui avaient enlevé les trois personnes qu'elle aimait. Elle était donc dégoûtée par la magie. Je peux très bien la comprendre après ce qui lui était arrivé.

— Ouais ! Je comprends aussi, admit Zarya, attristée par cette histoire.

— Elle qui n'avait jamais eu d'enfant… et, là, une petite Abbie de trois ans qui faisait soudainement son apparition dans sa vie ! Ma tante m'a confié qu'elle m'avait vue comme une bénédiction, que j'étais devenue sa nouvelle raison de vivre. Grâce à l'amitié de ta mère, qui était très importante pour elle, soit dit en passant, et au soutien précieux de ton grand-père, ma tante a pu passer au travers de ce moment sombre de sa vie.

— Mais ça ne m'explique pas pourquoi elle a changé d'avis au sujet de la magie ?

— En me voyant utiliser mes pouvoirs, elle a compris à quel point ces nouvelles facultés me rendent heureuse. Il y a eu aussi ma rencontre avec un jeune mage, mon Olivier ! s'exclama Abbie avec un petit sourire en coin. Et également mon déménagement à Attilia, dans cette magnifique ville magique ! Je crois que mon bonheur présent est parvenu à éclipser son malheur du passé.

— Je suis contente pour elle. C'est courageux de sa part d'avoir fait un trait sur son passé.

— Tiens ! en parlant d'Olivier, ça me fait penser : il m'a envoyé une autre lettre par la poste et je l'ai reçue ce matin.

— Et puis, que dit son message, cette fois ? demanda Zarya avec empressement.

— Il dit qu'il a quelque chose de très important à m'annoncer et que je dois être patiente, puisqu'il me le dira seulement à mon arrivée à Attilia. Il veut me faire la surprise !

— As-tu une petite idée de quoi il peut s'agir ?

— Pas du tout. En fait, peut-être… Enfin, je crois ! Mais il m'a donné seulement un petit indice !

— Ah oui ! Lequel ?

— Ç'a un lien avec son avenir. La seule chose qu'il a daigné me dire, c'est qu'il ne sera plus commissionnaire pour ton grand-père !

— Mais il aimait ce travail ! Je ne comprends pas !

— Ça m'a étonnée aussi… mais, à voir la joie que dégage son message, je crois qu'il a trouvé quelque chose qui lui plaît davantage.

◊ ◊ ◊

La fin de la soirée fut pénible pour Zarya ; elle se retrouvait de nouveau seule avec ses pensées confuses. Heureusement, plus les heures passaient, plus la fatigue la plongeait dans une sorte de torpeur qui l'empêchait de songer à ce passé accablant. En fait, elle n'était ni triste ni joyeuse. Bien entendu, la seule chose qui lui donnait le goût de sourire, c'était l'engouement contagieux qu'Abbie avait démontré lorsqu'elle était venue lui rendre visite. Elle était contente pour elle : tout allait pour le mieux pour son amie. Sa tante Mary qui l'accompagnait à Attilia, Olivier qui lui donnait une attention des plus délicates, le plus grand respect qu'un adolescent plein d'amour puisse prodiguer à sa jeune bien-aimée. Et puis, aussitôt qu'elle arriverait dans le pays de Dagmar, Abbie commencerait à étudier dans le domaine de la gemmologie physique à l'Université Rockwhule. En même temps, elle suivrait un cours sur les pierres et les cristaux magiques avec le professeur Trevor Razny, et un autre sur les préparations médicamenteuses liquides, c'est-à-dire les potions magiques, avec la professeure Vaena Molidor, au Temple des Maîtres Drakar.

Allongée sur son lit, les yeux anxieusement fixés sur le plafond assombri par les premières traces de la nuit, Zarya essayait désespérément de glisser lentement vers le sommeil, en souhaitant faire des rêves agréables et doux, reposer son âme des idées effrayantes et bizarres qui la hantaient depuis la disparition de son amoureux. Cependant, lorsqu'elle ferma enfin les yeux et renversa la tête sur son oreiller moelleux et tiède, elle sursauta en entendant un bruit sec et saccadé : une dizaine de coups frappés rapidement. La jeune fille crut, pendant un instant, que des grêlons claquaient contre le rebord de sa fenêtre. Elle fit léviter sa robe de chambre dans sa direction, se leva, l'enfila et se dirigea d'un pas hésitant, malgré l'obscurité complète qui régnait dans sa chambre, vers l'endroit d'où provenait ce bruit insolite. Elle était tout près de la fenêtre lorsque le bruit se fit entendre encore une fois. Zarya se figea ! Elle prit une profonde inspiration et put ainsi avancer encore un peu. Les coups saccadés, semblables au bruit que produisent des pics-verts picorant sur un tronc d'arbre, retentirent de nouveau ! Même si elle n'y voyait rien en cette nuit sans lune, Zarya crut apercevoir une branche d'arbre qui frappait contre la fenêtre. Une chose insensée, voire impossible, pensa-t-elle, abasourdie, puisqu'il n'y avait aucun arbre de ce côté de la maison. Soudain, elle comprit ! Elle se précipita vers la fenêtre, ouvrit le battant à l'aide de la manivelle et enleva la moustiquaire pour faire entrer son petit compagnon ailé.

— Mitoïd ! murmura-t-elle pour ne pas réveiller sa mère qui dormait à poings fermés dans la chambre voisine.

— *Bonsoir, Zarya !* fit le Rodz par la pensée.

— Je suis contente de te voir.

Zarya devina, puisqu'elle ne pouvait le voir, que Mitoïd tournoyait à une vitesse stupéfiante autour de la pièce. Elle se dirigea vers la porte et appuya sur l'interrupteur. Elle vit alors le Rodz faire du surplace au-dessus de son lit, face à elle. Ce petit être de trente centimètres avait deux ailes transparentes qui longeaient son corps argenté en forme de bâton.

— On ne s'est pas vus depuis l'attaque du loup-garou ailé, dit Zarya, ravie de la visite surprise de son petit héros. Je suis si heureuse de te revoir, Mitoïd !

— *Moi aussi, Zarya.*

— J'aimerais te remercier de m'avoir sauvé la vie…

— *Il n'y a pas de quoi !*

— Si tu n'étais pas intervenu, je ne serais pas ici en train de te parler, insista l'adolescente, pleine de gratitude.

Même si Mitoïd avait une petite figure argentée, elle crut pendant un instant qu'il rougissait.

— Puis-je te poser une question ?

— *Bien sûr.*

— Peut-on utiliser un autre moyen que la télépathie pour communiquer ?

— *Oui, mais ma voix n'est pas forte comme celle des humains. Nos cordes vocales sont minuscules comparativement aux vôtres.*

— J'aimerais tout de même entendre ta voix, s'il te plaît ?

— *D'accord, mais approche-toi de moi.*

Le petit Rodz posa son corps longiligne près du téléphone, en position assise. C'est du moins ce que l'adolescente présuma. En fait, Mitoïd était à plat sur la table de chevet en arquant son dos, tout en appuyant ses petites ailes sur la surface, sa tête face à celle de Zarya, à quelques centimètres. La jeune humaine pouvait ainsi examiner à loisir le visage du Rodz, doté de deux minuscules yeux jaune serin. C'est alors qu'il ouvrit sa petite bouche vermeille et dit :

— J'espère que je ne t'ai pas réveillée ?

— Non, ne t'en fais pas, répondit Zarya sans pouvoir s'empêcher d'esquisser un petit sourire, visiblement ébahie par cette petite voix très particulière. Mais que fais-tu dans cette dimension ?

— Nous avons reçu l'ordre d'inspecter la région.

— En réalité, c'est pour me protéger, n'est-ce pas ?

— On ne m'a pas donné de précisions… Peut-être ! En réalité, je dois avertir mon supérieur s'il y a des choses psychiquement anormales.

— C'est-à-dire ?

— Des choses insolites. Comme ce démon qui a essayé de traverser la barrière interdimensionnelle la semaine dernière ! déclara le Rodz d'un ton grave.

— Un démon ?! s'exclama Zarya.

— Oui. Je me suis retrouvé face à face avec lui, raconta Mitoïd, ses petits yeux exorbités. Je n'ai jamais vu un démon qui dégageait autant de haine de toute ma vie. Je n'arrête pas d'y penser !

— J'ai la forte impression que c'est de Malphas que tu me parles, ai-je raison ?

— Tu as deviné, c'était en effet Malphas. Il me fait peur, ce suppôt de Satan, Zarya.

L'adolescente comprenait très bien son angoisse, puisque elle-même tremblait de tous ses membres en entendant ce nom damné.

— Et comment avez-vous fait pour l'empêcher de traverser la barrière interdimensionnelle ?

— Nous avons la possibilité de créer un bouclier hédonistique !

— Un quoi ?

— Un bouclier hédonistique… ou, si tu préfères, une barrière positive, expliqua le Rodz en voyant le regard interrogateur de son amie humaine. Ces êtres répugnants ne peuvent en aucun cas résister à quelque chose qui peut émettre une énergie positive, quelque chose qui dégage du bonheur.

Zarya se souvint que, juste avant son départ pour Attilia, au mois de décembre précédent, elle avait reçu la visite des Erliks. Ceux-ci étaient venus lui livrer un message troublant signé Malphas. Pour leur échapper, elle avait dû courir à travers les rues désertes de sa ville et avait trouvé refuge sur un parvis d'église, endroit où il y avait suffisamment d'ondes positives pour les tenir à l'écart.

— Promets-moi d'être prudent, Mitoïd, dit-elle.

— Ne t'en fais pas pour moi, Zarya, je suis trop rapide ! De toute façon, il cherche désespérément un corps à posséder. Alors, comme je ne suis pas intéressant pour lui, je ne crains rien.

Ces mots firent sourire l'adolescente. Effectivement, elle voyait mal Malphas emprunter le corps minuscule de Mitoïd pour semer la terreur à Attilia !

— Par contre, il y a une situation insolite qui pourrait être très inquiétante, poursuivit le Rodz d'une voix anxieuse. Nous l'avons surpris à deux reprises en train de sortir de l'édifice ministériel d'Attilia. L'un de mes partenaires croit qu'il a probablement un contact au sein du gouvernement attilien !

— En effet, ce n'est pas rassurant ! répondit Zarya en fronçant les sourcils, pensant immédiatement au ministre Hamas Sarek.

Peut-être se trompait-elle à son sujet, mais elle trouvait qu'il avait le profil parfait pour être un mage noir. Elle le soupçonnait depuis que sa grand-mère Martha lui avait raconté qu'elle avait malencontreusement fait une démonstration de son pouvoir de Torden devant cet homme qui était à l'époque un Maître Drakar, et que, par la suite, il lui avait tendu un piège avec trois de ses semblables — également des adeptes du côté obscur de la magie. Ils voulaient s'approprier son fabuleux pouvoir. Mais, heureusement, ils n'avaient pas réussi.

— Maintenant, je dois partir, lança Mitoïd en s'élevant au-dessus de la table de chevet. Je dois ratisser la région au grand complet avant le lever du soleil.

— J'espère qu'on se reverra…

— Mais bien sûr, répondit-il en s'approchant de la fenêtre toujours ouverte. Zarya… sois prudente !

— D'accord.

— Alors, à bientôt !

— À bientôt, mon ami ! dit la jeune fille en le regardant s'éloigner.

En émettant un sifflement perçant, Mitoïd s'envola à une vitesse vertigineuse vers un ciel inquiétant, obscurci par de sombres nuages. Après avoir fermé la fenêtre et la lumière, Zarya retourna se coucher. Elle s'emmitoufla dans sa couverture ouatée et se remit à fixer le plafond en pensant à ce que Mitoïd venait de lui dire à propos de Malphas. Pour ne pas sombrer dans d'affreux cauchemars, elle dut se concentrer sur un souvenir qui la rendait joyeuse : l'agréable visite de sa grand-mère Martha le jour de Pâques, deux mois plus tôt. Zarya ne lui avait rien dit à propos de Jonathan et des choses horribles qui s'étaient passées à Vonthruff. Elle trouvait inutile de l'embêter en lui racontant de tels événements, auxquels, de toute façon, même une puissante sorcière comme Martha ne pouvait rien changer. Par contre, elle lui avait glissé un mot au sujet du lien magique qui les unissait. La vieille dame avait été ravie d'apprendre que sa petite-fille partageait le même sang de sorcière ; ça ne pouvait que renforcer les liens déjà existants.

Ces souvenirs ramenèrent Zarya au jour où elle avait visité l'exposition de la sorcellerie, à Vonthruff, avec Jonathan. Elle tourna lentement la tête vers sa lampe de chevet, là où était accroché le pendentif en or que le jeune homme lui avait offert. Brusquement, son cœur bondit dans sa poitrine. Elle poussa un cri d'espoir :

— Jonathan !

Une deuxième étoile était apparue dans la Sphère d'Agapè. Zarya s'empressa de la prendre dans sa main, mais, aussitôt, l'étoile disparut de nouveau !

L'orphelinat

Quelques jours avant la disparition de Laurie

Pendant que tout le monde autour de lui mangeait, discutait et riait, Elliott passa l'heure du petit-déjeuner assis seul dans son coin. Même lorsqu'il ne regardait pas les nombreux orphelins qui l'entouraient, il savait pertinemment qu'ils le dévisageaient. Ce comportement grossier venait sûrement du fait qu'il était nouveau à l'orphelinat Kloetzer. Le jeune garçon aux cheveux châtains, aux yeux bruns et au petit nez fin et droit, parsemé de taches de rousseur, venait d'avoir treize ans lorsqu'on l'avait amené dans cet endroit qu'il trouvait hospitalier malgré tout.

Il faisait tourner sa cuillère dans son bol de céréales, essayant de toutes ses forces de se rappeler comment il était arrivé dans cet établissement. Mais aucun souvenir ne lui revenait. En fait, les souvenirs de son passé proche, et même lointain, étaient confus, comme un rêve enfoui au plus profond de son esprit. Alors qu'il mordait dans sa tranche de pain grillé, une jeune fille accompagnée d'un garçon s'approcha.

— Bonjour ! Pouvons-nous nous asseoir à ta table ? demanda-t-elle avec gentillesse.

— Euh… oui, bien sûr, dit Elliott, surpris.

L'adolescente avait les cheveux roux, longs et bouclés, de grands yeux verts, pensifs et doux, et un joli sourire. Elle s'installa en face d'Elliott et déposa son plateau sur la table, imitée par son ami.

— Je suis Laurie Marion, et lui, c'est Yanis Dosseman.

— Moi, c'est Elliott, Elliott Holan.

Laurie lui sourit en prenant une bouchée de sa tartine à la confiture de fraise. Elliott remarqua que les autres orphelins les regardaient en chuchotant. Alors, il se tourna vers la jeune fille et lui demanda à son tour :

— Qu'est-ce qu'ils ont tous à nous regarder comme ça ?

— Bah ! ne t'en fais pas, fit-elle en fixant son assiette, on a l'habitude.

— L'habitude de vous faire épier ?! s'exclama le nouveau bien fort en lançant aux autres un regard mauvais.

Elliott avait une force de caractère formidable pour un garçon de son âge.

— Calme-toi, Elliott ! On va se faire avertir par madame Delmas.

— Qui ?

— Madame Delmas, c'est la surveillante de l'orphelinat. Tu ne la connais pas ? s'étonna Laurie.

— Non. Je suis arrivé tard hier soir. En fait, je devais être très fatigué, car mes souvenirs sont vagues ce matin.

— OK, j'imagine, fit l'adolescente en haussant les épaules.

— Et d'où viens-tu, Elliott ? demanda Yanis.

— Je ne sais pas, répondit-il en continuant de faire tourner sa cuillère dans son bol. En fait, je pense…

— Vous savez quoi ? l'interrompit un autre garçon qui venait de se joindre précipitamment à eux.

— Non, répondit la fille.

— Ah ! salut, dit-il en regardant Elliott.

— Salut !

— Ils ont retrouvé Jacye !

— Où était-elle ?

— Dans la petite maison abandonnée, près du lac. Quand ils l'ont retrouvée, elle était morte de peur !

— Elle est morte ?! répéta Yanis, les yeux écarquillés.

— Non, c'est une expression. En fait, elle était terrorisée…

— Qui est Jacye ? demanda Elliott en posant sa cuillère.

— La mascotte de l'orphelinat. C'est une chatte un peu déboussolée, expliqua Laurie.

— Oui, c'est vrai, je peux te le confirmer, fit Yanis en esquissant un sourire. On a toujours l'impression qu'elle miaule après des spectres.

— Je crois qu'elle en voit vraiment, déclara l'autre garçon.

Laurie se tourna vers Elliott et fit les présentations.

— Lui, c'est Tommy. Il est sans aucun doute le garçon le plus intelligent de l'orphelinat, mais il a aussi *beaucoup* d'imagination !

— Non, je vous le dis, insista Tommy, légèrement agacé. Un jour, je l'ai surprise en train de…

Il s'arrêta subitement de parler lorsqu'il aperçut une dame dans la cinquantaine à la coiffure soignée, vêtue d'une robe dont la couleur pourpre tranchait bizarrement sur la blancheur de la porte de la salle à manger. Elle marchait vers eux, entre les rangées de tables, d'un pas serein, l'air parfaitement placide, sous les regards d'une vingtaine d'orphelins qui gardaient un silence respectueux.

— Qui est-ce ? murmura Elliott à Laurie.

— C'est madame Welser, la directrice.

— Bonjour, Laurie, bonjour, messieurs, lança la dame en regardant Yanis et Tommy. Et bienvenue à toi, monsieur Holan.

— Merci, madame !

— Pardonne-moi de ne pas avoir été présente lors de ton arrivée la nuit passée. J'étais, disons… fort occupée à régler un problème comportemental des plus compliqués avec l'une de mes orphelines, expliqua-t-elle avec un léger sourire qui semblait au premier abord sincère. Mais maintenant que tout est rentré dans l'ordre, j'aimerais m'entretenir quelques instants avec toi, dans mon bureau, si tu le veux bien.

— D'accord, madame.

Elliott se leva et emboîta le pas à madame Welser. En s'éloignant, il regarda Laurie par-dessus son épaule et celle-ci lui adressa un petit sourire.

Alors qu'il marchait dans un étroit couloir voûté, l'adolescent sentit une forte odeur d'encens. On en brûlait sûrement en grande quantité pour purifier cet endroit plein de rideaux en dentelle qui devaient avoir plus de cent ans. Suivant toujours madame Welser qui marchait lentement, il avait tout le loisir d'observer la décoration vieillotte de l'établissement, avec ses tableaux champêtres, ses vieux meubles sobres en acajou et ses nombreuses fenêtres en bois foncé, là où jaillissaient les premiers rayons du soleil. La directrice s'immobilisa devant une porte, au bout du long couloir, certainement celle de son bureau. Elle fouilla dans sa poche, qui semblait d'une profondeur irréelle, et en sortit une clef argentée. Elle déverrouilla la porte, dont la serrure, curieusement, était fermée à double tour.

« Il doit y avoir des objets de grande valeur dans cette pièce », pensa Elliott.

La femme entra la première. Le jeune orphelin fut surpris de voir une impressionnante collection d'horloges de toutes sortes qui envahissait la pièce. Madame Welser contourna son immense bureau et prit place dans son fauteuil de velours cramoisi. Elliott s'assit sur une chaise recouverte de soie verte, en face d'elle. Son regard fut attiré par une horloge à l'allure peu commune, pourvue d'un balancier de cuivre sur lequel étaient gravés des marmousets et de jolies étoiles. Il tourna légèrement la tête vers la gauche et en vit une autre entièrement faite de verre : il pouvait apercevoir son mécanisme au travers. Mais la plus insolite, et de loin, c'était celle qui était posée sur la cheminée de pierre. Une horloge dont le cadran comportait non pas douze, mais treize symboles indéchiffrables, cela sortait certes de l'ordinaire !

— Comme tu peux le remarquer, monsieur Holan, j'adore les horloges, dit madame Welser en voyant son visage étonné. Je les collectionne depuis fort longtemps. Disons que le temps m'obsède un peu !

— Le temps ?

— Exactement… le temps. Nous savons qu'il est là, mais on ne peut le toucher. Il est mystérieux et très simple à la fois. L'instant est le présent, et chaque instant correspond à un présent accompli. Donc, le présent lui-même est cependant à son tour… en retour ! Alors, il est d'une évidence même que nous ne vivons jamais dans un réel présent.

Le jeune garçon resta bouche bée devant les paroles de madame Welser. Il se contenta de l'écouter.

— Et le passé est sans aucun doute une accumulation des temps précédents, selon des rapports chronologiques. Finalement, et de loin le plus mystérieux des trois : le futur. Il est l'ensemble des présents à venir. Et que nous réserve cet avenir ? Personne ne peut le dire ! C'est un mystère de chaque instant. Tu me comprends, monsieur Holan ? demanda la femme avec un léger sourire.

— Pas vraiment.

— Ce n'est pas grave. Ce qui est important pour toi, pour l'instant, c'est naturellement le présent.

— Oui, le présent, répondit Elliott.

— L'orphelinat Kloetzer a une très bonne réputation, et ce, depuis plusieurs siècles. Nos… orphelins deviennent de très bonnes personnes après avoir habité en ce lieu. En fait, j'ai même la fierté de dire que le premier ministre lui-même a vécu ici.

Elliott fit de gros yeux impressionnés, même s'il n'avait jamais entendu parler de ce personnage.

— J'espère que tu vas préférer ta nouvelle demeure à la précédente, n'est-ce pas, monsieur Holan ?

— Oui, je l'espère aussi… En fait, madame, pour vous dire la vérité, dit le garçon, un peu mal à l'aise, je ne me souviens de rien, je n'ai aucun souvenir de mon passé !

Étrangement, la dame ne parut nullement surprise. Elle sortit un objet de son tiroir et le déposa en face d'Elliott, sur le bureau, près d'un gnomon en or. Le jeune orphelin fixa le coffret en bois ouvragé. Sous les yeux interrogateurs du garçon, madame Welser l'ouvrit d'un geste lent et en sortit une petite figurine en terre cuite à l'aspect fort étrange. Elliott, sans le vouloir, était sous l'emprise de cet objet bizarroïde. Il se sentit tout à coup étourdi et ferma les yeux pendant un bref instant. Lorsqu'il les rouvrit, la figurine avait disparu, le coffret également.

— Mais… où est le coffret, madame ?

— Quel coffret, monsieur Holan ?

— Mais… mais le coffret en bois…, bredouilla Elliott, encore un peu étourdi. Il y avait une figurine… Comme c'est étrange !

— Qu'y a-t-il d'étrange, jeune homme ?

— Je me souviens de mon passé !

— Oui. Maintenant, tu as un passé, monsieur Holan !

3

La docteure Drius

L e ciel était assombri par de gros nuages entassés les uns sur les autres et sillonnés par de vifs éclairs sinueux et ramifiés, produits par le terrible orage qui s'abattait sans relâche sur cette région européenne. La limousine de monsieur Adams s'enfonça loin dans la forêt. Pendant que Mary discutait avec Gabriel, et Abbie avec Olivier, Zarya regardait, à travers la vitre du véhicule, les arbres qui défilaient à toute vitesse sous ses yeux rêveurs. Elle affichait un demi-sourire en pensant au phénomène étrange qui s'était produit la nuit précédente. Elle était persuadée que c'était un signe positif, que Jonathan essayait de revenir dans son propre corps. Évidemment, comme toute bonne confidente, Zarya s'était confiée à Abbie. Elle lui avait raconté l'histoire sans négliger le moindre détail, de la visite de Mitoïd jusqu'à l'apparition de l'étoile dans la Sphère d'Agapè. Abbie partageait son enthousiasme et son optimisme. Naturellement, après cette manifestation, Zarya avait immédiatement appelé son grand-père pour lui faire part de ce phénomène troublant. Celui-ci avait communiqué avec l'infirmière en chef du Temple, là où reposait le corps de Jonathan, pour lui demander si elle avait remarqué des changements dans l'état de santé du jeune Maître Drakar. Elle lui avait rapporté qu'il y avait eu effectivement des hausses sur le diagramme de rythme alpha, révélant une activité électrique du cerveau hors norme pour un patient comateux. Cette oscillation électroencéphalographique irrégulière prouvait hors de tout doute qu'il y avait eu une manifestation astrale de Jonathan. Lorsque Gabriel avait rappelé Zarya pour lui donner ces dernières nouvelles, il l'avait encore exhortée à rester positive, sans toutefois se créer de faux espoirs : il ne voulait surtout pas la voir retomber dans un désespoir douloureux. Zarya en avait glissé un mot à sa mère et celle-ci s'était contentée de la serrer dans ses bras en lui conseillant de garder le moral. L'adolescente avait même cru apercevoir dans son regard non pas une lueur d'espoir, mais plutôt de la pitié. Elle était presque certaine que sa mère ne croyait pas que ce simple pendentif puisse être connecté à une âme qui se trouvait aux confins des limbes, contrairement à Abbie, qui avait une foi totale en cet objet magique. Mais ce qui était important pour l'instant, c'est que Zarya y croyait de tout son cœur.

Le bleu électrique de ses yeux brillait de mille feux alors qu'elle se rappelait son arrivée à l'aéroport Roissy-Charles-de-Gaulle. Olivier et Gabriel, accompagné de son garde du corps personnel, les avaient accueillies chaleureusement. Ils s'étaient ensuite rendus à la nouvelle demeure de Kate qui était située à quelques kilomètres à peine du manoir de son beau-père. Zarya était heureuse pour sa mère. Manifestement, cette dernière aimait sa nouvelle résidence.

Une bonne partie de la journée, ils avaient aidé Kate à emménager, même si Gabriel Adams avait pris les dispositions nécessaires en envoyant une équipe de nettoyage quelques jours auparavant. Pendant qu'Olivier et le garde du corps plaçaient les meubles dans le salon, Gabriel faisait léviter, sous le regard admiratif des adolescentes, la commode jusqu'à l'autre côté de la pièce, là où Kate voulait qu'elle soit placée. Zarya et Abbie étaient toujours ébahies quand elles voyaient le vieil homme utiliser la magie.

◊ ◊ ◊

La limousine s'arrêta devant l'imposante grille en fer forgé, dont les battants s'ouvrirent automatiquement pour la laisser passer. Quelques mètres plus loin, Zarya, Abbie et Mary virent apparaître, au fond du terrain, un gigantesque manoir avec trois énormes cheminées.

En descendant de la voiture, parapluie à la main, les jeunes filles entendirent des sifflements aigus provenant du ciel surchargé de nuages noirs. Des Rodz par dizaines, devinèrent-elles. Sous les ordres du premier ministre d'Attilia, Gabriel avait renforcé la sécurité autour de la porte interdimensionnelle. « Il est primordial que Malphas ne franchisse pas cette dimension pour aller du côté de l'Europe. Je ne veux surtout pas créer une panique au sein de l'autre gouvernement », avait-il déclaré durant une assemblée spéciale. Bien entendu, le ministre Sarek était présent à cette réunion, et il en avait profité pour jeter tout le blâme sur Gabriel et ses Maîtres Drakar.

Cela faisait une éternité que Mary n'était pas venue en ces lieux. Elle fut surprise de constater qu'ils n'avaient pratiquement pas changé après toutes ces années. En fait, une seule chose était différente, à part les arbres qui avaient considérablement poussé : c'était la quantité impressionnante de plantes et d'arbustes ornementaux qui croissaient en un désordre méticuleusement étudié autour du manoir. Gabriel invita ses visiteurs à entrer dans le bâtiment, préférant éviter d'utiliser les chaloupes durant cet orage qui sévissait de plus belle.

— Pourquoi prendre un tel risque, quand on peut attendre paisiblement au sec avec une bonne tasse de thé ? lança-t-il.

C'est avec un sourire radieux qu'Adèle, accompagnée du majordome Jules, accueillit les distingués invités. En voyant le temps qu'il faisait, les deux domestiques avaient deviné que monsieur Adams n'oserait pas s'aventurer sur le lac. Ils avaient donc pris l'initiative de préparer de délicieux petits plats, des pichets de jus pour les adolescents et du thé pour Gabriel et Mary. Ceux-ci étaient maintenant confortablement assis devant la cheminée, un verre ou une tasse à la main, et discutaient joyeusement.

— Je suis très heureux de votre retour dans notre monde, Mary, et de vous compter de nouveau parmi nos concitoyens, déclara Gabriel en levant sa tasse de thé en son honneur.

Mary leva également sa tasse en lui souriant.

— Comme je vous l'ai dit antérieurement, poursuivit-il, j'aurai cet emploi que vous occupiez juste avant votre départ d'Attilia : le poste d'assistante en phytologie avec madame Wynen au Temple des Maîtres Drakar. Et je peux même vous dire que j'ai déjà parlé avec cette charmante dame de votre éventuel retour et qu'elle en est ravie.

— Merci beaucoup, Gabriel, répondit Mary, heureuse de cette belle proposition. J'accepte avec la plus grande joie.

— Tu vas travailler au Temple, tante Mary ?! s'exclama Abbie, estomaquée.

— Comme tu le sais, Abbie, j'adore les plantes…

L'adolescente acquiesça d'un signe de la tête en prenant une gorgée de son jus, sans quitter sa tante des yeux. Il était vrai qu'au Canada celle-ci travaillait dans une pépinière.

— Alors, monsieur Adams m'a gentiment proposé de travailler à la serre expérimentale du Temple.

— Ah oui! Une serre? fit Abbie, étonnée. Pourtant, durant mon séjour au Temple, je n'ai pas remarqué qu'il y avait une serre expérimentale.

— Elle est située derrière le Temple, dans la forêt, ma chère Abbie, répondit Gabriel. Et j'ai la fierté de dire qu'elle est très sophistiquée et pourvue d'un équipement des plus modernes.

— Mais pourquoi des plantes dans un endroit comme celui-là? demanda sa petite-fille, qui ne comprenait pas le rapport entre l'entraînement des Maîtres Drakar et les plantes.

— Le Temple n'est pas seulement une académie militaire, expliqua le vieil homme d'une voix sereine, après avoir déposé sa tasse de thé sur la table basse du salon. Nous avons la chance d'avoir, parmi nos employés, de distingués érudits en science et en technologie. Tout comme le professeur Razny, qui est un spécialiste des pierres et des cristaux, et que vous connaissez fort bien, soit dit en passant, dit-il en regardant Abbie en particulier. Le professeur Ruper est un grand expert en biotechnologie végétale. Il se spécialise dans la conception des produits pharmaceutiques et agroalimentaires et, naturellement, la création des nombreux ingrédients qui entrent dans la composition des potions magiques.

Un peu plus tard, assise douillettement dans un fauteuil, près de la cheminée de pierre, Zarya regardait les autres discuter, sans vraiment les écouter. Elle réalisa soudainement qu'après cette réunion amicale et familiale elle quitterait cette dimension pour celle de Dagmar. Elle se retrouverait dans un monde où elle pourrait utiliser sa magie en toute liberté, parmi ses semblables. Depuis le jour où elle avait découvert ses pouvoirs, il y avait de cela un an, le temps avait filé à une vitesse vertigineuse. La jeune fille venait tout juste de terminer son secondaire, et voilà que maintenant elle devait s'inscrire pour trois ans au Temple des Maîtres

Drakar, dont son grand-père était le directeur. Évidemment, elle en était ravie, mais elle devait admettre que ce qu'elle craignait le plus, dans cette nouvelle vie, c'était de ne plus voir sa mère à son retour de l'école. « Pourtant, quitter la maison familiale est une chose tout à fait normale, peu importe le monde où l'on vit, se dit-elle en esquissant un petit sourire. Le choc sera moins difficile pour Abbie », pensa-t-elle en regardant son amie rire aux éclats d'une plaisanterie d'Olivier. Incontestablement, le changement serait moins radical pour cette dernière, étant donné qu'elle continuerait de vivre avec sa tante Mary. Zarya, elle, habiterait avec madame Phidias et son grand-père. Comme Gabriel le lui avait mentionné, elle ne serait pas souvent à la maison, puisqu'elle résiderait la semaine dans les dortoirs du Temple avec les autres académiciennes. Heureusement, Kate viendrait la voir ici au manoir, tous les dimanches. Elle avait aussi promis de lui rendre visite à Attilia une fois par mois, même si elle détestait par-dessus tout franchir la barrière interdimensionnelle, car cela provoquait de pénibles nausées.

Zarya eut une pensée affectueuse pour ses amis attiliens qu'elle allait retrouver : Karine, Élodie et, bien sûr, ce cher Jeremy. Elle se demandait si les parents de ce dernier lui avaient enfin donné l'autorisation de s'inscrire au cours des Maîtres Drakar. Elle le souhaitait sincèrement.

Elle avait hâte de commencer sa nouvelle vie. En fait, tout aurait été parfait… si Jonathan n'avait pas disparu. Cette pensée la remplissait d'une extrême tristesse. Elle aurait tant aimé qu'il soit là, pour l'accueillir avec son sourire craquant, son regard doux et sa grande délicatesse qui faisaient de lui un être si merveilleux à ses yeux. Malgré sa disparition, Zarya ne pouvait s'empêcher d'imaginer Jonathan l'invitant dans les plus beaux restaurants d'Attilia, et elle-même dansant dans ses bras jusqu'au petit matin au fameux pub *Le Bartiméus*. Tant de doux instants qu'elle n'aurait plus la chance de partager avec son amoureux !

Il était l'heure de partir pour nos hôtes. Par chance, les éclairs avaient cessé, par contre, la pluie tombait de plus belle. Tous se dirigèrent vers les embarcations d'un pas rapide, vêtus d'un imperméable que les domestiques leur avaient gentiment apporté pour les protéger de la pluie diluvienne. Avant d'embarquer dans la chaloupe, Zarya se tourna vers le manoir et aperçut Adèle et Jules sur la terrasse : ils la saluèrent d'un signe de la main ; elle en fit autant. Puis elle lança à son amie, d'une voix étranglée par l'émotion :

— Le réalises-tu, Abbie ? Nous quittons ce monde… pour toujours !

— Oui, mais ne t'inquiète pas, Zarya, répondit Abbie en voyant son visage déconfit, nous pouvons revenir quand bon nous semble.

— Tu as raison. Mais ça fait tellement bizarre de le quitter après toutes ces années.

— Ouais ! Mais on le quitte pour Attilia, il ne faut pas l'oublier. Je peux te dire qu'on ne perd pas au change ! Il y a tellement de choses à découvrir, à visiter et…

— Et beaucoup plus encore, je vous assure ! ajouta Olivier en tendant deux gilets de sauvetage à ses amies.

Un lourd et impénétrable rideau jeté entre ciel et terre recouvrait le lac Hylas, donnant des frissons d'angoisse à Zarya et à Abbie. On ne pouvait voir le brouillard magique en son centre. Non seulement parce que l'obscurité était totale, mais aussi parce que la pluie ne cessait de tomber. Malgré tout, les chaloupes quittèrent le quai du manoir et se dirigèrent quasi à l'aveuglette vers la porte interdimensionnelle. Les deux adolescentes, se tenant par la main, regardèrent le manoir, derrière elles, s'éloigner pour finalement disparaître complètement.

◊ ◊ ◊

Après avoir accompagné Abbie et sa tante à leur nouvelle demeure, Zarya et son grand-père se dirigèrent vers le numéro 10 de la rue Adams. Olivier, lui, était retourné chez lui après avoir discuté en tête-à-tête quelques instants avec sa bien-aimée. Il lui avait dit qu'il devait aller se coucher, car il voulait être en pleine forme pour son nouvel emploi. Il n'avait pas soufflé mot à propos de ce travail. Abbie avait essayé par tous les moyens d'en savoir davantage, mais, même avec son plus beau sourire, elle n'y était pas parvenue. Olivier voulait préserver son secret le plus longtemps possible. Abbie nageait littéralement dans le bonheur, tout lui réussissait. Entre autres, elle avait hérité de la résidence familiale, la maison que ses parents lui avaient léguée. Légalement, toutefois, la propriété ne lui appartenait pas encore. Abbie en deviendrait propriétaire seulement à l'âge de vingt ans, selon la loi d'Attilia. Pour l'instant, la maison revenait à sa tutrice légale, en l'occurrence sa tante Mary.

Zarya marchait aux côtés de son grand-père, dans un silence contemplatif que ce dernier décida soudain de rompre :

— Est-ce que tu es heureuse d'être ici, à Attilia, Zarya ?

— Oui, très, grand-père.

— Alors, je suppose que ton silence vient du fait que tu es fatiguée à cause du décalage horaire…

— Oui, c'est vrai, je suis épuisée.

— Je comprends, je suis moi-même exténué, dit Gabriel avec un sourire. Cependant, je présume que ton silence a une autre cause… qu'une pensée t'obsède depuis ton arrivée en Europe, n'est-ce pas, ma chère Zarya ?

L'adolescente s'arrêta de marcher et fixa son grand-père dans les yeux, ne sachant quoi répondre.

— Tu as une envie folle de le voir ?

— Oui, grand-père, je le souhaite de tout mon cœur !

— Je ne peux pas t'en empêcher, je le crains. Pourtant, tu risques de retomber dans une douloureuse tristesse.

— Je sais.

— Alors, demain je vais t'y emmener.

Zarya regarda le vieil homme avec des yeux brillants et lui dit d'une voix reconnaissante :

— Merci, grand-père !

◊ ◊ ◊

Lorsque, le lendemain matin, elle se réveilla dans sa chambre, Zarya était prête à affronter toutes les situations que lui réservait sa première journée à Attilia. Un soleil pâle flottait déjà juste au-dessus de l'horizon. « Il ne doit pas être très loin de 8 h », pensa l'adolescente en s'étirant paresseusement.

Après s'être habillée à la hâte, elle suivit l'odeur agréable du café qui l'emmena directement à la cuisine, où elle trouva Mitiva Phidias debout devant le comptoir.

— Bonjour ! fit la vieille dame.

— Bonjour, madame Phidias ! répondit aimablement Zarya en regardant les belles crêpes aux fruits attiliens sur la table. Mon grand-père n'est pas levé ?

— Si, bien sûr. Cependant, monsieur Adams a dû partir tôt pour régler une affaire urgente. Mais ne vous en faites pas, mademoiselle Zarya, ajouta la vieille dame en voyant celle-ci baisser les yeux en signe de déception, votre grand-père m'a dit de vous rappeler qu'il vous avait fait une promesse et qu'il tenait à la respecter. Alors, après votre déjeuner, vous devez vous rendre à son bureau.

— D'accord, fit la jeune fille qui venait de retrouver sa bonne humeur.

Bien que le petit-déjeuner fût délicieux, Zarya s'empressa de finir son assiette. Après avoir aidé madame Phidias à laver et à ranger la vaisselle, elle sortit enfin de la maison.

À sa gauche, non loin de là, se dressait une bâtisse sensiblement de la même grosseur que celle où elle habitait : c'était la demeure d'Abbie et de Mary. Ces dernières ayant exprimé le désir de passer leur première journée à défaire leurs valises et à aménager l'intérieur de la maison à leur goût, Zarya décida de ne pas les déranger. Tout en se dirigeant vers le transmoléculaire, elle se rappela la conversation qu'elle avait eue au télépat avec son amie la veille au soir, alors que Gabriel venait de lui dire qu'il l'emmènerait voir Jonathan. Abbie comprenait parfaitement son désir intense de le revoir après ces longs mois d'attente. « Je ferais la même chose à ta place », lui avait-elle dit. Par contre, elle lui avait recommandé de ne pas se faire d'illusions tout en restant optimiste, et de laisser les choses s'arranger par elles-mêmes.

Zarya pénétra dans le hall d'entrée du Temple d'un pas timide, comme si c'était la première fois qu'elle y mettait les pieds. Elle eut un coup au cœur en réalisant qu'elle était dans le même bâtiment que Jonathan. Sept longs mois s'étaient écoulés depuis la disparition tragique du jeune Maître Drakar, et elle avait de la difficulté à croire qu'elle était sur le point de le revoir. Un frisson d'angoisse lui parcourut l'épine dorsale. L'adolescente commençait à se sentir véritablement nerveuse. Lorsqu'elle vivait au Canada, elle essayait par tous les moyens de ne pas trop penser à ce qui s'était passé. Heureusement, elle était très occupée avec ses études, et ses nombreux devoirs monopolisaient presque toutes ses soirées, tout comme, évidemment, les visites quotidiennes de sa meilleure amie. Zarya ne l'avait jamais vue aussi souvent de toute sa vie ! Elle se doutait bien qu'Abbie venait lui tenir compagnie pour la soutenir : elle lui en serait éternellement reconnaissante.

Le simple fait qu'elle habitait à des milliers de kilomètres de Jonathan, à plus forte raison dans une dimension différente, l'avait probablement aidée à passer au travers de cette épreuve plus facilement. Mais, là, alors qu'elle était tout près de lui, dans la même dimension, la même ville, à cet instant précis dans le même bâtiment, son estomac lui fit mal. Zarya souffrait de l'absence du garçon qu'elle aimait, elle était de nouveau désemparée. Elle réalisa soudain que son grand-père avait certainement raison. « Peut-être que je suis en train de me torturer inutilement », se dit-elle, le cœur battant à tout rompre. Elle secoua la tête pour dissiper ces mauvaises pensées et décida de poursuivre sa route malgré son angoisse.

La porte du bureau du directeur était entrouverte. Zarya vit que son grand-père était là, avec un jeune homme aux cheveux foncés et vêtu de noir, de grandeur moyenne. Son cœur tressaillit ! Le Maître Drakar pivota sur ses talons et passa à côté d'elle en la gratifiant d'un sourire poli. Pendant un instant, la jeune fille avait cru que c'était Jonathan qui lui faisait dos.

— Bonjour, Zarya !

— Bonjour, grand-père !

— Excuse-moi pour mon absence de ce matin, dit le vieil homme d'une voix douce. J'aurais aimé être présent pour ton premier petit-déjeuner dans notre belle dimension, Zarya ! Mais, comme tu peux l'avoir remarqué à quelques reprises, mes fonctions de ministre et, par le fait même, de directeur de ce Temple me tiennent très occupé.

— Ne t'en fais pas, grand-père, je peux comprendre.

Gabriel se leva, prit sa canne en acajou ornée d'un cristal vert émeraude, s'approcha de sa petite-fille et lui dit :

— Maintenant, allons-y !

Zarya remarqua que son grand-père marchait d'un pas lent, comme s'il cherchait à gagner du temps. Il se dirigeait vers l'infirmerie la tête basse, l'air songeur ; peut-être cherchait-il un prétexte pour la faire changer d'idée ou espérait-il qu'elle le fasse par elle-même.

Après avoir parcouru silencieusement les longs couloirs éclairés par dix fenêtres ouvrant sur la forêt, ils arrivèrent enfin. Le ministre ouvrit la porte vitrée et, d'un geste de politesse, pria Zarya d'entrer la première. C'était un endroit d'une propreté méticuleuse. Une pièce de grande dimension, aux murs peints d'un jaune pâle, duquel émanait une grande quiétude. Une douce musique de fond, légère et idéale pour un endroit comme celui-là, enveloppait la salle d'une atmosphère agréable. Trois personnes vêtues d'une blouse bleu ciel y travaillaient et l'un d'elles passa à côté de Gabriel et de l'adolescente en les saluant affablement.

— Maintenant, Zarya, je vais te laisser y aller seule, fit le vieil homme en posant sa main sur l'épaule de sa petite-fille.

Cette dernière cherchait la chambre du regard.

— C'est celle-là, précisa Gabriel en pointant une porte du doigt. Le personnel est au courant de ta visite de ce matin. Alors, tu peux prendre le temps qui t'est nécessaire. Et si tu le souhaites vraiment, tu peux revenir autant qu'il te plaira. La docteure Drius est une personne hautement compétente et intègre. Donc, si tu cherches des réponses à tes questions, je te conseille fortement de les lui poser. Je suis certain qu'elle se fera un plaisir de te répondre.

Le ministre tourna les talons en laissant Zarya avec son anxiété croissante. Celle-ci regarda la porte devant elle et, après avoir pris une profonde inspiration, s'avança vers elle d'un pas traînant. Elle se retrouvait seule avec elle-même. Ses genoux se ramollissaient dangereusement. Son cœur voulait sortir de sa poitrine, et ses paumes étaient toutes moites. Celle-ci s'étonnait toujours que son cœur n'explose pas sous cet énorme fardeau qui l'oppressait péniblement. La pauvre jeune fille avait de la difficulté à reprendre sa respiration normale. En raison de la crainte qui occupait son esprit pratiquement en permanence depuis ces derniers mois, déchiré par son profond chagrin et le désespoir sans borne du départ prématuré de son amoureux, son moral s'en trouvait considérablement affaibli.

Tout en marchant, Zarya crut pendant un instant que tout le monde la regardait. Elle se tourna vers les membres du personnel, et constata qu'en réalité personne ne semblait prêter attention à elle.

Elle s'arrêta devant la porte, étira le bras, saisit la poignée et l'ouvrit. En entrant, la jeune fille fixa le sol volontairement ; elle n'osait pas lever son regard vers lui. Elle ferma la porte derrière elle, se tourna de nouveau dans sa direction et leva finalement les yeux. Il était là, couché dans un lit blanc. Son corps inerte était recouvert d'une enceinte semi-circulaire stérile et transparente. Zarya avança vers Jonathan avec lenteur, une main sur son pendentif et l'autre sur sa bouche. Malgré le globe de verre translucide qui le protégeait, son corps était recouvert d'un drap blanc jusqu'au cou. Ses yeux étaient fermés, ses bras posés de chaque côté de son corps et ses cheveux soigneusement lissés et peignés vers l'arrière. Il était plus beau que dans ses rêves. Il semblait dormir d'un sommeil léger. L'adolescente avait la forte impression qu'il allait se réveiller d'un instant à l'autre.

— Bonjour, Jonathan, dit-elle alors qu'une larme, longtemps réprimée, glissait sans effort sur sa joue rosée. Je suis désolée de ne pas être venue avant aujourd'hui… La distance rendait ma présence impossible ! Mais maintenant je suis là, près de toi.

Elle prit une grande inspiration avant de continuer :

— Tu sais… nous avons vécu de merveilleuses choses ensemble. Pas longtemps, certes, mais… mais ce sont les plus beaux souvenirs de toute ma vie…

Cette fois, il y eut un long silence ému. Zarya leva son regard triste vers les nombreuses fleurs posées sur une commode. Elle secoua la tête en comprenant qu'elle venait de libérer le monstre aux ongles crochus qui était dissimulé en elle : une douleur d'une intensité incroyable venait de lui couper le souffle. La jeune fille ferma les yeux un instant, se ressaisit et reprit :

— J'ai parlé de toi à ma mère. Elle t'aurait adoré…, fit-elle en baissant les yeux, essayant tant bien que mal de ne pas se laisser submerger par le désespoir.

Elle essuya du revers de la main les larmes qui lui brouillaient la vue. Elle ne savait plus si c'étaient des larmes de tristesse ou de colère. Une colère contre lui, jamais ! Plutôt de l'exaspération envers le destin, certes ! Le ciel était couleur d'encre dans son univers.

— Je ne comprends pas… Pourquoi t'a-t-il laissé partir ? Pourquoi nous a-t-il séparés ? Tu es mon âme sœur… tu es censé être à mes côtés !

Zarya grelottait, même si elle n'avait pas froid. Elle était perdue dans une sorte de brume, une sorte d'engourdissement qui l'empêchait de saisir ce qu'elle refusait obstinément de comprendre.

— Je ne sais pas si tu peux m'entendre d'où tu es. Si c'est le cas, je veux que tu saches que je t'aimerai toute ma vie…

Elle s'efforça de respirer plus lentement pour calmer les battements de son cœur, puis reprit :

— Je veux que tu me reviennes, Jonathan. Je t'en prie, fais-moi un signe si tu peux m'entendre !

Zarya regardait sa Sphère d'Agapè entre ses doigts : une seule étoile brillait en son centre ; aucun signe de sa part. Alors qu'elle posait ses mains sur la paroi translucide, elle entendit la porte s'ouvrir.

— Vous êtes sûrement Zarya Adams ? lança une voix derrière elle.

— Oui, madame. répondit l'adolescente en se tournant vers la jeune créature aux étranges yeux argentés qui venait d'entrer.

— Moi, je suis la docteure Drius, se présenta la nouvelle venue en s'approchant pour lui serrer la main. Mais vous pouvez m'appeler Raïa.

Zarya dévisagea avec étonnement l'elfe hyperboréenne aux longs cheveux ivoirins lui tombant jusqu'au bas du dos. Celle-ci se dirigea vers la tête du lit et appuya sur l'un des boutons qui se trouvaient sur le mur. La paroi translucide s'éleva alors à la hauteur du plafond, sous les yeux étonnés de l'adolescente.

Pendant que la docteure vérifiait les mesures des signes vitaux du patient affichées sur le bizarre appareil attilien, Zarya ne put s'empêcher de s'approcher de Jonathan et de prendre sa main tiède, tout en jetant un regard en biais à Raïa. Tournant la tête vers elle à cet instant, celle-ci remarqua son geste de tendresse envers le jeune Maître Drakar et lui dit avec un sourire de compassion :

— Mon travail consiste à maintenir son corps en parfaite santé, au cas où il déciderait de revenir parmi nous.

Zarya la regarda avec de gros yeux.

— Croyez-vous qu'il va revenir ? demanda-t-elle, désorientée par cette remarque.

— Pour vous dire la vérité, répondit Raïa, ça dépasse mes compétences et celles de mes confrères. Mais je crois que tout dépend de lui !

— De lui ?!

— Pour des raisons d'éthique professionnelle, je me dois de vous divulguer seulement les renseignements liés à son état de santé physique et mental. En outre, je n'ai vraiment pas le droit de vous donner de faux espoirs.

Zarya, un peu découragée par le manque de coopération de la jeune docteure, reporta son regard vers Jonathan.

— Mais étant donné que votre grand-père m'a gentiment donné cet emploi sans le moindre préjugé à l'égard de mes origines, reprit Raïa en s'approchant de Zarya, c'est avec un grand plaisir que je vais vous dire tout ce que je sais sur l'endroit étrange où se trouve Jonathan. Mais, bien sûr, cela ne reste qu'une hypothèse.

— Merci, fit Zarya en s'appuyant contre le lit pour l'écouter attentivement.

— Mon peuple croit que les limbes sont une dimension irréelle, un lieu de réflexion dans lequel une pensée profonde ou même un souvenir heureux nourrissent les âmes qui l'habitent avec de fausses vérités. Dès lors, votre ami ne peut plus faire la différence entre la réalité que l'on connaît ici et cet endroit qui projette dans son esprit un rêve chimérique. En conséquence, l'endroit où évoluerait son âme serait devenu sa propre réalité. Imaginez un instant que vous pourriez créer un monde avec vos plus profonds désirs. Même s'ils étaient totalement faux, puisque vous en ignoreriez les artifices, vous ne voudriez certainement pas le quitter. Et c'est là qu'est le danger pour lui, mademoiselle Adams…

Zarya avait peur de comprendre.

— C'est malheureusement cette raison, indépendante de sa volonté, qui pousse Jonathan à y demeurer !

❖4❖

L'étrange jardin

Le trajet entre le bureau de la directrice et le réfectoire n'était pas assez long pour qu'Elliott parvienne à élucider ce qui s'était passé durant cette insolite rencontre avec madame Welser. Le jeune garçon ignorait totalement comment ses souvenirs, qui jusque-là étaient perdus, s'étaient retrouvés dans sa tête comme par magie. Un fait restait indéniable, le coffret en bois et la figurine en terre cuite que la dame avait posés sur son bureau étaient bien réels. « Mais pourquoi nie-t-elle leur existence ? » se demanda le jeune orphelin, perplexe.

En pénétrant dans le réfectoire, il remarqua que la moitié des orphelins l'avaient quitté. Il fut flatté de voir que Laurie, Yanis et Tommy étaient toujours assis à sa table, attendant patiemment son retour. À tout le moins, il voulait le croire, car il devait s'avouer qu'il éprouvait de la sympathie pour ses trois nouvelles connaissances.

Retournant à sa place, Elliott se laissa choir sur sa chaise en poussant un léger soupir.

— Que voulait-elle ? l'interrogea Laurie, curieuse.

— Elle voulait me souhaiter la bienvenue.

— C'est tout ?

— Euh… elle m'a aussi parlé de son obsession pour le temps !

— Ah oui ! Le présent qui est en retour, et tous ces trucs ? récita la jeune fille sans enthousiasme.

— Elle m'a fait le coup à moi aussi quand je suis arrivé, dit Tommy.

— Et il y a longtemps que tu es arrivé ici ?

— Comme tout le monde. Depuis environ trois semaines.

— Exactement trois semaines et deux jours ! précisa Laurie.

— Alors, je ne suis pas le seul à être nouveau à Kloetzer, dit Elliott, étonné.

— C'est normal, l'orphelinat a rouvert ses portes il y a un mois à peine, expliqua Laurie.

— Il a été fermé pendant deux ans, selon la directrice.

— Savez-vous pour quelle raison il a été fermé si longtemps ?

— Je ne sais pas, répondit l'adolescente en haussant les épaules.

— Certains disent qu'il y aurait eu des disparitions d'enfants, chuchota Tommy d'un ton dramatique.

— Ce sont des idioties, si tu veux mon avis, grogna Laurie en levant les yeux au ciel.

— Et d'après certains, ils auraient été enterrés dans la forêt près de la petite maison, poursuivit Tommy, ignorant la remarque de sa camarade.

Elliott regarda Laurie et comprit, à sa mine renfrognée, qu'elle était agacée par les bêtises que pouvait débiter Tommy.

— Naturellement, c'est justement là qu'ils ont trouvé la chatte morte de peur, ajouta Yanis en fixant Laurie avec un sourire moqueur.

À cet instant, une cloche se fit entendre…

— Qu'est-ce que c'est ?! s'écria Elliott, qui faillit tomber de sa chaise.

— C'est le temps d'aller au travail !

— C'est-à-dire ?

— Madame Welser ne t'a rien dit à ce sujet ?

— Non !

— Elle nous a assurés que ça fait partie de notre éducation. Mais je crois plutôt qu'elle veut économiser sur les coûts de main-d'œuvre.

— D'accord avec Laurie, fit Tommy en se levant à contrecœur.

— C'est quel genre de travail au juste ? insista Elliott.

— S'occuper de son jardin et de ses ridicules plantes bizarroïdes, répondit Yanis.

Tout en suivant ses nouveaux camarades d'un pas traînant vers une porte qui se trouvait au fond de la salle, Elliott n'arrivait pas à chasser la sensation étrange qu'il avait éprouvée lorsque la directrice lui avait montré l'étrange figurine. Il avait l'impression que ce petit personnage en terre cuite lui avait soufflé des mots à une vitesse inouïe et, le plus curieux, lui semblait-il, c'est qu'il avait tout assimilé facilement.

Elliott fut surpris lorsqu'il pénétra dans une immense pièce aux murs constitués principalement de verre et au plafond surélevé permettant aux arbustes de pousser à leur convenance. L'air de la serre était imprégné d'une humidité contrôlée, indispensable aux plantes tropicales que l'on pouvait voir partout. Le garçon continua à suivre machinalement Laurie et ses amis. Un homme aux longs cheveux grisonnants et à la mine peu sympathique se tenait là, debout en face d'un petit comptoir, et distribuait aux orphelins les outils dont ils auraient besoin pour leur travail d'horticulture. Elliott prit la paire de ciseaux que l'homme lui donna, sans trop savoir quoi en faire. Laurie, armée d'une petite pioche, se dirigea vers un arbuste aux magnifiques feuilles orangées. Trop impressionné par cet endroit qui regorgeait de plantes plus bizarres les unes que les autres, Elliott ne remarqua pas tout de suite les nombreux oiseaux au plumage noir comme de l'encre, aussi gros que des goélands, qui vivaient en harmonie dans ce lieu artificiel. Quand il les vit, il les trouva plutôt antipathiques, car ils regardaient les enfants d'un air mauvais. Il ne leur accorda cependant qu'un fugace coup d'œil, préférant concentrer son attention sur Laurie. Il lui montra sa paire de ciseaux et lui demanda :

— Que dois-je faire avec ça ?

Avant même que Laurie ait eu le temps de lui répondre, une vieille dame s'approcha.

— Vous devez cueillir les magnifiques pétales de cette *Clerodendrum heterophyllum* et les mettre dans ce pot de céramique, dit-elle en déposant le pot en question près de lui.

— Et qu'allez-vous faire avec ces pétales, madame ?

La femme regarda Elliott avec un sourire aimable et lui répondit :

— On va en faire une bonne salade.

— De la salade ! répéta-t-il à voix basse en regardant la dame s'éloigner.

En haussant les épaules, Elliott prit délicatement la première fleur, en coupa la tige et la déposa dans le pot.

— J'adore la *Clerodendrum heterophyllum*, dit Laurie en continuant de piocher la terre. Mais je préfère l'anis étoilé. C'est plus joli !

— Le quoi ?!

— Le fruit qui provient de l'*Illicium verum*, la plante près de Tommy, expliqua l'adolescente en la pointant du doigt.

— Mais comment fais-tu pour retenir ces noms aussi facilement ?

— C'est très simple, répliqua Laurie avec un petit sourire malicieux. Ouvre tes yeux, Elliott, tu peux lire le nom de chaque plante sur le petit écriteau qui est planté en dessous.

— Ah bon ! fit le garçon, un peu mal à l'aise, car il n'avait pas remarqué ce détail.

Tandis qu'il coupait les petites fleurs blanches avec dextérité et que son pot était sur le point de déborder, Elliott sursauta en entendant le cri de douleur que poussa un garçon, près d'une plante à l'aspect fort étrange. Le pauvre orphelin, les larmes aux yeux, tenait sa main ensanglantée. La vieille dame se dirigea vers lui au pas de course, le prit par le coude et l'emmena avec elle en lui psalmodiant à voix basse des paroles étranges : curieusement, le garçon arrêta subitement de pleurer !

— Encore lui ! lança Tommy avec dépit.

— Ça fait deux fois en dix jours qu'il se fait mordre par la même plante ! renchérit Yanis.

Elliott regarda le garçon blessé quand il passa à côté de lui et vit qu'il lui manquait un doigt.

— Poursuivez votre travail pendant que je conduis monsieur Beyly à l'infirmerie, ordonna la dame avant de fermer la porte derrière elle.

Elliott, médusé par ce qu'il venait de voir, resta immobile et silencieux pendant quelques instants. Regardant autour de lui, il vit que trois adultes surveillaient les adolescents. Pourquoi les regardaient-ils ainsi ? L'homme aux longs cheveux gris, la femme qui se tenait près de la porte d'entrée et celle qui était assise près de la fameuse plante carnivore ayant avalé le doigt du pauvre Beyly épiaient leurs moindres gestes. Le garçon n'en était pas certain, mais il pensa que ces adultes les étudiaient.

Quelques instants plus tard, le jeune Beyly revint dans la serre, accompagné de la vieille dame, et retourna immédiatement à sa tâche. Elliott fut stupéfait de constater que le garçon

souriait après avoir perdu son doigt d'une façon aussi tragique…
mais il le fut encore beaucoup plus quand il vit que le doigt avait
repoussé !

Grabtos grillé et sammael à volonté

Abbie venait d'apparaître dans l'encadrement de la porte de la maison de Gabriel. Derrière elle se tenait Olivier, rayonnant.

Zarya les fit entrer.

— J'ai bientôt terminé de ranger la vaisselle, leur dit-elle. Asseyez-vous au salon, je vous rejoins dans deux minutes.

Abbie se dirigea vers le fauteuil moelleux qu'elle affectionnait tout particulièrement. Alors qu'elle était sur le point de s'asseoir, Mitiva Phidias entra dans la pièce.

— Bonjour, madame Phidias ! s'écria la jeune fille en s'approchant d'elle pour l'étreindre cordialement.

— Bonjour, ma belle Abbie ! Si tu savais à quel point je me suis ennuyée de toi !

— Moi aussi, vous pouvez me croire !

Mitiva, flattée par les dernières paroles d'Abbie, lui fit un sourire si radieux que la pièce sembla s'illuminer.

Elle se tourna vers le jeune homme.

— Bonjour, Olivier. J'espère que vous aimez toujours votre nouvel emploi ?

— Oh oui, madame Phidias ! Toujours !

Sachant qu'Olivier ne voulait rien dire aux jeunes filles à propos de son nouveau travail, Mitiva décida de changer immédiatement de sujet de conversation, d'autant plus qu'Abbie la dévisageait en espérant qu'elle dise le mot de trop qui lui permettrait enfin de découvrir le secret de son amoureux.

— Donc, vous vous rendez chez les Vernet ?

— Oui. J'ai reçu un télépat d'Élodie ce matin, répondit Abbie. Et je crois qu'elle t'a téléphoné aussi, Zarya, ou plutôt télépaté…

Mitiva et Olivier s'esclaffèrent.

— Tu lui as parlé, n'est-ce pas ? insista Abbie en gloussant.

— Oui, c'est ça, répondit Zarya avec un sourire moqueur, elle m'a… *télépaté.*

Une fois qu'ils eurent retrouvé leur sérieux, Olivier dit à Mitiva :

— Élodie ne nous a pas dit pourquoi elle nous invitait. Mais elle nous a demandé de lui réserver une bonne partie de la journée.

— Ça prouve qu'elle vous aime bien, répliqua la vieille dame en regardant tour à tour Zarya et Abbie. Et, de toute évidence, elle est impatiente de vous revoir.

— C'est réciproque ! s'exclama Zarya en jetant un coup d'œil à son amie qui approuva d'un signe de tête. Et nous avons aussi très hâte de revoir Karine et ce cher Jeremy.

— Monsieur Adams n'est pas là ? demanda Abbie qui venait de remarquer l'absence du grand-père de Zarya. J'aurais aimé lui dire bonjour.

— Il est parti tôt ce matin, expliqua Mitiva. Il devait se rendre dans l'autre dimension pour rencontrer le chef du gouvernement français. C'est une réunion cruciale pour nos deux gouvernements.

— Monsieur Adams est très important pour rencontrer ce genre de personnalité, dit Abbie, très impressionnée.

— C'est normal, il est ministre des Relations interdimensionnelles. Et sa fonction première est justement d'être en relation avec les hauts dirigeants des autres dimensions.

— Ça veut dire que les autres gouvernements sont au courant de l'existence… d'Attilia ? demanda Zarya avec stupéfaction.

— Oui, et depuis fort longtemps !

◊ ◊ ◊

Les trois adolescents quittèrent la maison de Gabriel et se rendirent au transmoléculaire qui se trouvait près de la rue Adams. Se tenant par la main, ils traversèrent le rideau cristallisé et disparurent dans un léger crépitement.

Quelques microsecondes plus tard, ils ressortirent d'un autre transmoléculaire, à plusieurs kilomètres de là. Zarya et Abbie étaient fébriles à l'idée de revoir leurs amis. Olivier, pour sa part, connaissait bien ce trajet, puisqu'il le faisait régulièrement depuis quelques mois pour rendre visite à Jeremy, à Élodie et à Karine. C'était la première fois qu'Abbie venait à Amalthée, le petit village où habitait la famille Vernet. La population de cette localité, située à une vingtaine de kilomètres de la ville d'Attilia, était principalement constituée de cultivateurs et d'éleveurs de grabtos. Le transmoléculaire était posé au coin d'une rue, à quelques mètres d'un bâtiment qui ressemblait à un petit café, et devant lequel était garé un véhicule aux lignes arrondies et d'un bleu céleste, avec des vitres teintées jaune qui lui donnaient une allure avant-gardiste. C'était la fourgonnette de monsieur Vernet. À son bord, Jeremy attendait ses amis, un grand sourire aux lèvres.

Pendant qu'ils roulaient en direction de la ferme, Zarya pensa à ce que Mitiva avait dit à propos de Gabriel et de ses relations avec les gouvernements de l'autre monde. Comment ces derniers pouvaient-ils cacher au reste du monde l'existence de cette dimension magique et de ses habitants si particuliers ? Quelque chose l'intriguait encore plus : pourquoi certains pays de l'autre dimension n'avaient-ils pas tenté de conquérir le pays de Dagmar ? L'histoire ne mentait pas ! L'adolescente connaissait la réputation de plusieurs de ces pays et leur désir absolu de tout posséder. Peut-être qu'ils avaient déjà essayé, songea-t-elle, mais qu'il leur était totalement impossible de franchir la barrière interdimensionnelle magique. Ou bien ils avaient tout simplement peur de la puissance extraordinaire des mages.

Abbie fut la première à descendre de la camionnette.

— Waouh ! J'adore cet endroit ! s'exclama-t-elle, émerveillée par la beauté des lieux. C'est vraiment joli comme tu me l'avais décrit, Zarya. Il y a de la verdure partout ! Et ça sent bon !

Zarya prit une profonde inspiration en regardant autour d'elle.

Outre la jolie petite maison fleurie et les magnifiques arbres qui poussaient autour, il y avait, près de l'immense grange, un petit étang qui accueillait par dizaines des oiseaux verts dont la partie ventrale était d'un rouge flamboyant.

— Salut, les filles ! Salut, Olivier ! cria Élodie en se précipitant vers ses amis, suivie de Karine qui arborait un magnifique sourire.

— Salut !

— Avez-vous fait un bon voyage ? demanda Karine.

— Oui ! Un peu long, mais très bien ! On avait tellement hâte d'arriver ! fit Zarya, ravie de revoir ses amis attiliens.

Une femme et un homme dans la quarantaine s'approchèrent des adolescents tout doucement, si silencieusement que ceux-ci ne les entendirent même pas arriver. Lorsqu'elle tourna la tête et qu'elle les vit, Zarya les reconnut immédiatement.

— Bonjour, madame et monsieur Vernet ! s'écria-t-elle, ravie de les revoir.

— Bonjour, Zarya ! dit la femme en s'avançant vers la jeune fille pour lui serrer la main. Et vous, vous êtes sûrement mademoiselle Abbie…

— Oui, je suis Abbie Steven.

— Jeremy, Élodie et Karine ne cessent de nous parler de leurs amies de l'autre monde.

— En bien, j'espère ? lança Zarya avec humour.

— Oh oui ! Ne vous en faites pas, ma jolie, s'empressa de dire madame Vernet avec un petit sourire aimable.

Sur l'invitation de monsieur Vernet, ils se dirigèrent tous vers la grange. L'homme ouvrit l'immense porte et demanda à Zarya et à Abbie d'entrer les premières. Celles-ci restèrent stupéfaites en voyant une banderole rouge vif qui faisait la largeur de la grange et portait l'inscription suivante :

Bienvenue à Zarya et à Abbie, nos charmantes amies attiliennes !

Muettes d'étonnement, les adolescentes regardaient partout autour d'elles. Des guirlandes de fleurs multicolores pendaient entre les poutres de bois. Des lanternes sculptées et dorées étaient accrochées aux murs de rondins. Une table magnifiquement dressée, qui pouvait recevoir une vingtaine de personnes, avait été installée temporairement au centre de la grange. Par la grande porte arrière qui était entrouverte, Zarya et Abbie aperçurent un grabtos qui lévitait par magie à quelques centimètres au-dessus d'un feu de braises, cuisant ainsi tranquillement. Elles étaient émues d'être l'objet de tant d'attentions. Madame Vernet s'approcha avec un plateau d'argent sur lequel étaient posés huit verres remplis à ras bord de sammael, cette fameuse boisson d'un bleu azur dont raffolaient les adolescents.

— On ne sait vraiment pas quoi dire ! fit Zarya en se tournant vers Karine, Olivier et la famille Vernet.

Olivier, depuis le début, était de connivence avec les organisateurs de cette fête-surprise.

— Alors, ne dites rien ! lança Jeremy, toujours pince-sans-rire.

Tous s'esclaffèrent.

— Allons, les amis ! ajouta le jeune homme en levant son verre. Buvons à la santé de nos deux amies canadiennes, qui sont désormais des Attiliennes à part entière.

Zarya se sentait dans un état de parfaite béatitude, de paix intérieure, qu'elle n'avait plus connu depuis la disparition de son bien-aimé. En fait, grâce à la gaieté communicative de ses amis et à l'attention qu'ils lui donnaient, elle n'avait pas le temps de s'apitoyer sur son sort.

Abbie fut surprise de voir arriver un couple de kobolds accompagnés de leur enfant. Ils entrèrent dans la grange d'un pas joyeux. Les parents mesuraient à peine un mètre de haut, avec de grands yeux tendres et des oreilles de chauve-souris pointées vers l'avant.

— Bonjour, Igna ! Salut, Niako ! s'écria Jeremy en tapant dans les petites mains de l'enfant kobold. Salut, Modok !

— Salut, Jeremy ! répondit Modok d'une voix aiguë. Félicitations, jeune humain ! Ton père nous a dit...

— Chut ! mes amies ne le savent pas encore...

— Ah bon ! fit le kobold en haussant ses petites épaules.

— Mais ils portent tous des salopettes ! chuchota Abbie à Olivier.

— Je t'expliquerai plus tard, si tu veux bien, dit le garçon en faisant de gros efforts pour ne pas éclater de rire.

Il était trop tôt pour commencer le bon repas qu'avait cuisiné madame Vernet.

— De toute manière, le grabtos n'a pas atteint son point de cuisson idéal, lui indiqua son mari.

Celui-ci s'occupait du gibier, et prenait grand soin de l'arroser régulièrement avec une sauce qu'il avait préparée selon la recette de grand-mère Vernet elle-même. Elle contenait de l'ail, des fines herbes et les petits fruits des champs qu'Élodie avait cueillis la veille.

Tandis que Jeremy discutait avec Zarya, et Olivier avec Modok, Élodie et Karine firent visiter les lieux à Abbie. En sortant de la grange, celle-ci fut impressionnée en voyant, dans le vaste pâturage qui s'étendait le long de la forêt verdoyante à cent mètres de la maison, une magnifique jument blanche ailée. Élodie lui raconta l'histoire de Féeria. La nouvelle Attilienne fut attristée d'apprendre que la sleipnir avait été abandonnée dans la forêt par sa mère, quand elle était toute jeune. Depuis, elle refusait de voler. Selon le vétérinaire, la cause de cette incapacité n'était pas physique ; Féeria avait subi un grave traumatisme.

Pendant ce temps, dans la grange, Jeremy lança joyeusement à Zarya :

— Ils ont accepté !

— Accepté quoi ?

— Je me suis finalement inscrit à l'Académie des Maîtres Drakar.

— Waouh ! Jeremy, je suis tellement contente pour toi !

— La semaine prochaine, mon père et moi allons acheter les bouquins et le matériel nécessaires pour ma première année.

— Tes parents n'ont pas été trop réticents ?

— Un peu, bien sûr. C'est ma mère qui a été la plus difficile à convaincre.

— Ah bon ? J'aurais cru le contraire. Surtout parce que ton père voulait tant que tu travailles à la ferme et que tu prennes un jour sa succession.

— Je pensais la même chose. Mais disons que ton grand-père a été très persuasif, comme tu l'avais prédit, Zarya.

— Vois-tu, Jeremy, mon grand-père négocie parfois avec des gens plus coriaces que ton père. C'est son métier !

— Il va toujours m'épater, ce monsieur Adams ! dit Jeremy d'une voix pleine d'admiration.

— Moi aussi. Et qui va te remplacer à la ferme pour le travail de tous les jours ?

— Modok ! répondit le garçon en regardant le kobold qui discutait avec Olivier. Il va travailler à temps plein pour mon père.

— Et ta mère, comment prend-elle tout ce changement ?

— Elle, elle a surtout peur qu'il m'arrive quelque chose…

Jeremy baissa les yeux. Il éprouvait un terrible malaise en songeant à l'histoire tragique du plus grand Maître Drakar de sa génération, qui était, par la même occasion, l'amoureux de son amie. Il ne voulait surtout pas remuer de pénibles souvenirs qui pourraient la rendre triste.

En voyant un malaise s'installer, Zarya s'empressa d'ajouter :

— Je suis si heureuse pour toi ! Tu vas enfin réaliser ton rêve.

— Ouais ! Et toi, que vas-tu faire ? lui lança-t-il avec une petite hésitation.

— Moi ? Je vais m'inscrire aussi.

Jeremy prit un air inquiet en voyant son amie perdre peu à peu son sourire.

— Si tu savais comme je suis désolé, Zarya…

— Ça va aller, partenaire, dit la jeune fille en tenant son pendentif entre ses doigts.

— Olivier, les filles et moi, on est allés le voir… On lui a apporté des fleurs.

— C'est gentil.

— Si je peux faire quelque chose pour toi…

— Personne ne peut rien faire, je le crains, soupira Zarya en fixant le sol. C'est à lui seul de décider s'il reviendra.

— Si quelqu'un peut revenir de ce lieu, c'est bien lui !

L'adolescente esquissa un sourire et lui demanda :

— Et quand commences-tu ton entraînement ?

— Dans trois semaines. J'ai tellement hâte !

— Je peux comprendre.

D'un pas précipité, madame Vernet s'approcha d'eux.

— Jeremy ! Peux-tu aller me faire une petite commission ? dit-elle en lui adressant un clin d'œil discret.

— Oh oui, bien sûr, maman ! J'y vais immédiatement.

Sur ces mots, il tourna les talons à une vitesse qui surprit son amie.

Le regardant s'éloigner, Zarya se sentit tout à coup mal à l'aise. Elle frémissait à l'idée d'empoisonner l'univers ensoleillé de son ami avec son moral chancelant. Après toutes ces années, il était sur le point de réaliser son rêve le plus cher, et elle ne voulait en aucune façon ternir son bonheur du moment pour une chose qui était hors de son contrôle. Elle connaissait Jeremy depuis peu, mais elle devait admettre qu'elle l'aimait comme un frère. Et puis, cette journée était trop belle, se dit l'adolescente, pour y laisser entrer la moindre note de négativité.

Zarya alla se servir un peu de sammael. Elle jeta un regard aux parents de Jeremy : ils discutaient avec les kobolds et Olivier. Ce dernier se tourna vers elle et lui fit un sourire qu'elle lui rendit. Elle décida alors d'aller rejoindre les filles à l'extérieur. En sortant, elle passa à côté du gibier et put sentir l'agréable arôme qui s'en dégageait. Là-bas, dans la forêt qui longeait le champ de mureuillais, les cimes des arbres oscillaient sous une légère brise. Zarya baissa son regard à la hauteur de l'horizon et aperçut ses trois amies tout près de la jument ailée. Tenant un sac de promnites, Élodie et Karine nourrissaient la sleipnir pendant qu'Abbie la caressait doucement. D'une façon très élégante, Féeria déploya ses immenses ailes. Les rayons ambrés du soleil les illuminèrent de telle manière qu'elles parurent dorées.

— J'ai l'impression qu'elle t'aime bien, Abbie, fit remarquer Karine.

— Moi, je l'adore ! répondit Abbie en touchant les plumes brillantes de ses grandes ailes. Est-ce que je peux en avoir une comme celle-là ?

— Pourquoi pas ! Tu pourras même lui construire une petite niche derrière ta maison, dit Zarya avec humour.

— Bonne idée ! s'exclama Abbie en riant.

Zarya prit une promnite dans le sac, et la jument s'approcha d'elle pour manger son fruit préféré au creux de sa main. La jeune fille en profita pour lui caresser le nez.

— Où sont les garçons ? demanda Élodie.

— Olivier discute avec tes parents et les lutins. Et ta mère a demandé à Jeremy d'aller lui faire une commission.

— La commission ! souffla Karine à Élodie, pendant qu'Abbie ramassait une plume qui était tombée sur le sol.

— À défaut d'avoir ta propre sleipnir, lança Zarya à Abbie en posant une main amicale sur son épaule, tu peux garder cette plume en souvenir et la rapporter chez toi.

Les jeunes filles s'esclaffèrent.

— Une chose, Zarya, lui conseilla Karine sans malice, ne prononce jamais le mot « lutin » devant les kobolds.

— Oh non ! Sinon tu vas les insulter, ajouta Élodie avec un petit rire. Ils se disent beaucoup plus intelligents que les lutins.

— Ce ne sont pas des lutins ?

— Pas tout à fait, répondit Karine. Ils font partie de la famille des gobelins.

— En fait, ils ont raison quand ils disent qu'ils ne sont pas de la même famille que les lutins, expliqua Élodie. Les lutins qui vivent dans les forêts sont plus petits que les kobolds.

Ils ont une allure plus fluette, avec une barbe verte comme de la mousse.

— Ça les aide à mieux se camoufler dans leur habitat naturel, précisa Karine. Disons que ce sont des choses que nous apprenons dans la boule du Savoir. Pour vous dire la vérité, personnellement, je n'en ai jamais vu en vrai.

— Ah non ?! fit Abbie, surprise.

— Non, pour la simple raison qu'ils vivent dans le monde des sorciers…

— Dans le monde des sorciers ?! répéta Zarya, intriguée.

— Oui. Certains sorciers les emploient comme domestiques dans leur maison. Les lutins adorent travailler pour eux. Mais la plupart vivent dans la nature. Il y en a dans les forêts, comme Karine l'a expliqué, mais aussi dans les montagnes, et certains même vivent sous terre !

— Ceux-là sont, et de loin, plus sauvages que les autres, ajouta Karine.

Alors qu'elle enjambait la petite clôture de planches peintes en blanc qui séparait le champ de Féeria de la grange des Vernet, Karine demanda à Abbie :

— Olivier nous a dit que tu allais t'inscrire à l'Université Rockwhule, est-ce que c'est vrai ?

— Oui, répondit Abbie avec un large sourire, caressant la plume de Féeria du bout des doigts. Madame Phidias devrait m'accompagner pour que je fasse mon inscription. Et j'ai l'intention également de m'inscrire au Temple des Maîtres Drakar pour le cours de potions magiques et, par la même occasion, de suivre le cours sur les pierres et cristaux que donne le professeur Razny.

— Alors, si ça ne te dérange pas, dit Élodie, un peu gênée, j'aimerais vous accompagner, madame Phidias et toi, à l'université. Je dois aller m'inscrire au cours de pathologie animale.

Abbie s'immobilisa subitement et la regarda d'un air ravi.

— Mais certainement ! Je suis très heureuse de ne pas être seule à y aller.

Elles avaient toutes regagné la grange. Alors que madame Vernet venait de servir les premiers plats, Zarya se tourna en entendant le puissant déclic de la grande porte avant. Elle vit alors Jeremy entrer. Elle faillit avaler sa bouchée de travers lorsqu'elle aperçut les deux personnes qui le suivaient.

— Grand-père ! Madame Phidias ! Quelle belle surprise !

Ils lui sourirent.

— Bonjour, monsieur Adams ! Bonjour à vous, madame Phidias ! s'écria madame Vernet en se dirigeant vers eux. Je suis contente que vous soyez venus !

— Soyez rassurés, monsieur et madame Vernet, tout le plaisir est pour nous ! Nous n'aurions manqué ce souper de bienvenue pour rien au monde ! déclara Gabriel sur un ton d'une courtoisie extrême.

Une atmosphère conviviale et chaleureuse s'installa dans la grange, le brouhaha des conversations n'étant interrompu, de temps à autre, que par des éclats de rire surexcités. Les plats de madame Vernet étaient délicieux, et le grabtos grillé de son mari, excellent. Sans contredit, c'était une journée magnifique pour Zarya et Abbie. Elles n'étaient pas près d'oublier cette belle rencontre organisée par des personnes qui les appréciaient au plus haut point.

Zarya, appuyée contre un pilier de bois, savourait cette ambiance exceptionnelle et regardait avec émerveillement le spectacle magique qui se déroulait sous ses yeux. En effet, ce n'était pas tous les jours qu'on pouvait assister à de tels phénomènes paranormaux. Des pichets de sammael passant tout seuls parmi les convives, un grabtos lévitant au-dessus d'une braise bleutée, un air de musique classique joué avec une habileté peu commune par un kobold d'un mètre de haut aux oreilles de chauve-souris, et des papillons scintillant autant que mille cristaux et volant au-dessus de leur tête.

Un crépuscule tiède envahissait lentement la région campagnarde d'Amalthée, dont les collines dominaient les hauts arbres de la forêt environnante et se noyaient dans une ombre croissante. Après avoir soigneusement installé leurs chaises respectives autour d'un tas de bois en forme pyramidale, les adolescents et les adultes s'assirent confortablement. En ce début de soirée, il ne manquait plus qu'un feu de joie.

— Va chercher une pierre de citrine, Jeremy, dit madame Vernet. Ces morceaux de bois sont trop gros pour que nous les allumions nous-mêmes.

— D'accord.

— Attends un peu, Jeremy ! lança Gabriel en se levant. Je crois que je peux m'en occuper.

Jeremy s'arrêta net et regarda le vieil homme lever sa main droite alors qu'il tenait sa canne dans la gauche. Sous les yeux ébahis de tous, une flamme sortit de sa main libre et alla allumer les bûches sans difficulté.

— Merci, monsieur Adams, fit madame Vernet.

— Il n'y a pas de quoi ! Et je t'en prie, Donna, comme je te l'ai dit plus tôt, appelle-moi Gabriel.

Elle lui fit un sourire timide. Ce n'était pas évident pour elle d'appeler le ministre Adams par son prénom. En effet, pour les personnes de sa génération, qui connaissaient très bien les prouesses qu'avait accomplies par le passé cette légende vivante, cet homme si important du pays de Dagmar, même le tutoyer tout bonnement n'était pas chose facile.

Intrigué et ébahi, Jeremy demanda à Gabriel :

— J'imagine que vous pouvez réaliser tous les sortilèges possibles avec votre canne, monsieur Adams…

— Presque tous, Jeremy !

Entendant ces paroles, Abbie se tourna vers eux pour en savoir davantage. Cela l'intéressait personnellement, pour la simple et bonne raison que c'étaient ses défunts parents qui avaient conçu cette canne.

— Et par un heureux hasard, mon cher ami, poursuivit Gabriel en fixant le jeune homme qui le regardait avec de grands yeux admiratifs, qui dit feu de joie… dit petite histoire !

Tous se turent pour écouter le vieil homme avec attention.

— Elle n'a pas de nom précis, commença-t-il en montrant sa canne en acajou ornée d'un magnifique cristal vert émeraude. Elle est indestructible !

Sur ces mots, il prit sa canne et la fit léviter au travers des flammes ardentes. Un halo bleuté la recouvrait entièrement. Devant cette démonstration insolite, même pour des mages, tous restèrent bouche bée de stupéfaction. Gabriel fit ensuite léviter la canne vers Jeremy qui la prit dans sa main. Il se passa alors une chose très étrange.

— Je dois vous la rendre ! s'écria le garçon, mal à l'aise, en se levant d'un bond pour donner la canne au ministre.

Ce dernier lui sourit.

— Comment t'es-tu senti lorsque tu avais la canne entre tes mains ?

— Très mal ! Comme si j'avais commis un vol et que je le regrettais amèrement. Je me sentais coupable !

— En effet, c'est la sensation que cela procurerait à toute personne qui aurait l'idée de me la dérober.

— Un système antivol très efficace, dit Zarya à son grand-père.

— Oui, ma chère. Les compagnies d'assurances de l'autre monde seraient très contentes d'avoir ce genre de protection, déclara Gabriel avec un petit gloussement amusé. Mais c'est un sortilège très répandu dans cette dimension. Du moins, pour les objets inestimables.

— Si cette canne est si puissante, pourquoi les Maîtres Drakar n'en ont-ils pas tous une ? demanda Jeremy, intrigué.

— Pour la triste raison que les concepteurs de ce chef-d'œuvre sont décédés prématurément, répondit le vieil homme en regardant discrètement Abbie, qui lui fit un doux sourire. Ils ont quitté notre monde en emportant avec eux le secret de sa fabrication.

— Personne ne peut la reproduire ? l'interrogea Élodie.

— Non, je le crains. La canne que vous voyez ici est unique !

— Unique ?!

— Exactement, Karine, unique. Vous voyez ce cristal en forme d'œil de cyclope ? Selon le grand maître des pierres et des cristaux, le professeur Trevor Razny, il serait constitué de quatre-vingt-dix-sept shaïmans de cristaux différents !

Abbie, qui connaissait très peu la fusion shaïmanatique, savait tout de même qu'il était très difficile, voire impossible, d'exécuter ce genre de fusion avec une quantité aussi phéno-ménale de cristaux.

— Mais il y a une chose encore plus surprenante, et de loin ! déclara Gabriel en prenant tout à coup un ton plus énigmatique. Une chose qui restera un mystère insoluble…

Tous se regardèrent, intrigués.

— Plusieurs scientifiques ont étudié ce cristal, et ils sont tous d'accord sur un point : il serait possédé par une conscience étrangère… une entité autonome qui se trouve dans un lieu inconnu de tous !

6

L'arbre
de l'Unus cornu

Tôt ce matin-là, alors que les autres orphelins dormaient encore, Elliott était assis sur son lit, baignant dans les premiers rayons de soleil qui pénétraient par la grande fenêtre du dortoir et le forçaient à plisser ses yeux encore voilés par les brumes du sommeil. Le garçon se demandait toujours comment le doigt de Beyly avait pu repousser. Il essayait de comprendre ce qui s'était passé, mais rien ne lui vint à l'esprit qui puisse expliquer un phénomène si abracadabrant. Cela tenait peut-être de la magie !

« Mais voyons, ne sois pas ridicule ! Ça n'existe pas... la magie ! » se dit-il en levant les yeux au ciel.

En regardant les cinq autres garçons qui dormaient à poings fermés dans le même dortoir, Elliott réfléchissait à un détail qui le tracassait depuis la veille. En effet, durant le petit-déjeuner, il avait fait remarquer à Laurie que les orphelins présents dans la salle à manger devaient tous avoir le même âge, c'est-à-dire treize ans. Était-ce une coïncidence, ou y avait-il une raison précise ? Bien qu'elle trouvât aussi cela fort étrange, la jeune fille croyait davantage à un pur hasard.

Au cours de l'après-midi, après avoir effectué son travail quotidien, Elliott se promenait tranquillement dans l'immense corridor menant à la bibliothèque quand il vit un tableau suspendu au-dessus d'une table en bois foncé. Il s'arrêta et examina avec la plus grande attention la peinture, qui représentait un jeune garçon d'une dizaine d'années au visage déformé par la peur, curieusement assis dans une poussette centenaire uniformément noire. L'enfant tenait dans sa main une branche d'arbre d'un mètre de long et la pointait vers un ciel obscurci par de terribles nuages menaçants : un éclair venait foudroyer la pointe du rameau. En arrière-plan, il y avait un bâtiment lugubre. Elliott trouva qu'il ressemblait à l'orphelinat Kloetzer.

En entendant des bruits de pas derrière lui, il se retourna.

— Mais que fais-tu ici, Elliott ? demanda Laurie d'une voix douce et joyeuse qui contrastait étonnamment avec l'étrange toile qu'il venait d'observer.

— Je regardais ce tableau. Il est bizarre, n'est-ce pas ?

— Beurk ! Il me donne la chair de poule.

C'est alors qu'Elliott remarqua un détail qui lui avait échappé jusque-là. Un symbole apparaissait sur le côté de la poussette. L'adolescent aurait pu jurer qu'il l'avait déjà vu quelque part ! Mais où ? Il ne pouvait le dire. Il se tourna vers Laurie pour lui faire part de sa découverte, mais celle-ci prit la parole avant lui :

— Tommy, Yanis et moi, nous allons faire un tour dans la forêt. Est-ce que tu te joins à nous ?

— Ouais ! Pourquoi pas ? fit Elliott, heureux de cette charmante invitation.

Il jeta un dernier coup d'œil au tableau et suivit avec plaisir sa nouvelle amie. Dès qu'il sortit de la bâtisse, il ferma naturellement les paupières en humant gloutonnement l'air campagnard : un petit vent frais à l'odeur de feuilles et de gazon fraîchement coupé pénétra dans ses narines. Lorsqu'il rouvrit les yeux, Elliott aperçut Tommy et Yanis assis sur le bord d'une fontaine, où une eau limpide jaillissait de la bouche d'une statue représentant une licorne blanche à corne dorée.

— Salut ! dirent les garçons à l'unisson.

— Salut, les gars !

— Alors, on y va ! lança Laurie, impatiente.

Tous suivirent l'adolescente qui faisait office de guide. Vu l'allure à laquelle elle avançait vers la forêt, ce n'était pas la première fois qu'elle prenait cette direction, devina Elliott. Alors qu'il marchait près de la jeune rouquine, il se sentait submergé par sa bonne humeur communicative. La regardant discrètement, il eut une drôle d'impression : il était presque certain de l'avoir déjà vue quelque part avant son arrivée dans cet orphelinat.

Après avoir franchi approximativement un kilomètre dans une forêt dense, marécageuse par endroits, les quatre marcheurs arrivèrent finalement en face d'un immense lac.

Laurie se tourna vers la droite et regarda la petite maison abandonnée qui se trouvait au pied d'une falaise crayeuse, à quelques mètres du rivage.

— C'est là qu'ils ont trouvé le chat ? demanda Elliott.

— Tu veux dire : la chatte Jacye ? Oui, c'est là, répondit Laurie. Allons voir de plus près, les amis.

Elle fit le tour de la maisonnette pour se rendre à l'entrée principale.

— Venez, les gars, entrons !

— C'est sûrement verrouillé, dit Tommy en espérant que ce serait le cas, car il n'avait guère envie de pénétrer dans cette maison qui semblait avoir été abandonnée depuis fort longtemps.

Laurie tourna la poignée, et la porte d'entrée s'ouvrit avec un grincement sinistre. Elliott, mal à l'aise, regarda les alentours pour s'assurer que personne ne les épiait.

La jeune fille entra la première.

— Waouh ! c'est vraiment joli !

— Tu rigoles ?! lança Tommy qui la suivait de près. Cet endroit me donne froid dans le dos. Il y a des toiles d'araignées partout.

— Ça lui confère un charme d'antan, vous ne trouvez pas ?

Les garçons se regardèrent ; ils étaient tous d'accord sur un point : cette maison tombait en ruine.

— Oh ! regardez, s'exclama Laurie, il y a une belle cheminée en pierre !

— Oui, elle est très belle, fit Elliott pour lui faire plaisir, mais se doutant bien, à voir les bouts de bois blanchis de fientes, qu'une famille de chauves-souris y avait élu domicile.

— Je n'oserais pas y faire un feu, dit Tommy qui avait remarqué la même chose. Sinon ça risque de sentir très mauvais !

— Voyons, les garçons, vous ne voyez que le côté sombre des choses. Je vous le dis, il n'y a même pas un rongeur qui vit dans cette maison.

Yanis contourna une caisse poussiéreuse et se dirigea vers la porte qui devait donner sur la chambre principale. Chemin faisant, il trébucha sur une vieille carpette miteuse étalée sur le sol, recouverte d'une épaisse couche de poussière. Agacé, il lui donna un coup de pied et la fit voltiger à l'autre bout de la pièce.

— Fais attention, Yanis ! cria Tommy en voyant la poussière étouffante qui l'enveloppait entièrement. Tu vas finir par blesser quelqu'un.

— Oh ! regardez, fit remarquer Yanis sans tenir compte de la plainte de son ami, le tapis dissimulait une trappe.

— C'est sûrement l'entrée de la cave.

— Attends, je vais l'ouvrir, proposa Yanis en se penchant pour prendre l'anneau de métal.

Il avait levé le couvercle de la trappe d'à peine quelques centimètres lorsque… bing ! bang ! des bruits retentirent en dessous d'eux, comme si des objets métalliques étaient tombés dans la cave.

— Qu'est-ce que c'est ? demanda Laurie d'une voix inquiète en reculant de deux pas.

— Il y a sûrement des rongeurs là-dessous ! répondit Yanis en la regardant avec un sourire moqueur.

Un autre bruit se fit entendre.

— Vous avez entendu ? Ce ne sont certainement pas des rongeurs ! s'écria Laurie en agrippant fermement le bras d'Elliott.

— Je suis d'accord, approuva ce dernier, qui sentit le rouge lui monter aux joues.

— Je ne crois pas que des petits rongeurs puissent faire tout ce vacarme !

— Moi, je crois sincèrement qu'on devrait quitter cet endroit ! lança Tommy qui était déjà près de la porte.

Alors qu'Elliott déposait une chaise sur la trappe, son regard fut attiré par quelque chose, sous la table de la cuisine.

Laurie était dans l'encadrement de la porte, prête à sortir avec Yanis et Tommy, lorsqu'elle lui demanda :

— Qu'as-tu trouvé ?

— Un bout de papier !

Toujours troublés par les bruits étranges, les adolescents sortirent sur le perron.

— Y a-t-il quelque chose d'écrit dessus ? fit Laurie, curieuse.

— C'est bizarre ! Regardez…

Elliott tendit à ses compagnons le bout de papier jauni et déchiré par endroits.

... que nous sommes en sécurité dans cette maison, mes amis et moi. Les autres membres du groupe ont disparu. Les choses les ont sûrement tous tués. Nous allons essayer de rester en vie en attendant les adultes. Nous avons découvert une chose vraiment étonnante et nous allons nous en servir contre eux...

— C'est peut-être eux qui sont dans la cave, suggéra Yanis.

— Impossible. Ce bout de papier doit avoir plus de dix ans, dit Elliott.

— Tu as raison, approuva Laurie. On devrait apporter ce bout de papier à madame Welser. S'il y a des orphelins qui ont disparu dans le passé, elle en a sûrement entendu parler.

À cet instant, un courant d'air glacial leur frôla le dos. Ce souffle semblait provenir de l'intérieur de la maisonnette : ils se retournèrent tous en même temps.

— Avez-vous senti ? demanda Tommy, éprouvant désagréablement son estomac se retourner.

— Oui ! s'exclama Elliott, soucieux. Je l'ai senti ! Je me sens épié, si vous voulez savoir !

Les adolescents descendirent d'un seul bond les trois marches du perron et se tournèrent vers la cabane.

— C'est sûrement le vent !

— Quel vent, Laurie ? dit Tommy en regardant le haut des arbres qui ne bougeaient pratiquement pas. Le courant d'air que nous avons senti provenait de l'intérieur !

— Bon, soupira la jeune fille, je crois qu'il serait plus sage de quitter les lieux.

Elliott montra alors du doigt une famille de mammifères sortant par l'un des soupiraux brisés de la cave.

— Et voilà ce qui explique le bruit sous la trappe, déclarat-il avec un sourire de satisfaction.

— Je vous l'avais dit de ne pas vous inquiéter, dit Laurie, qui commençait à reprendre des couleurs.

Ils repartirent vers la forêt, soulagés. Tommy, sûrement le plus froussard des quatre, était enchanté de savoir que ces bruits inquiétants provenaient en réalité de petits animaux inoffensifs. Cela lui éviterait de faire des cauchemars une fois la nuit venue. Pour ce qui était du mystérieux courant d'air, Yanis ne croyait pas qu'il s'agissait d'un phénomène naturel, comme Laurie l'avait affirmé plus tôt. Il pensait qu'une chose invisible les avait effleurés. Ce qui confirmait ce qu'avait dit Elliott quand il avait pressenti qu'on les observait. De toute façon, Yanis préférait oublier cette petite aventure : il n'avait pas l'intention de retourner de sitôt à la maison du lac.

Pendant que Tommy et Yanis s'amusaient à se battre avec des bouts de bois en courant autour des arbres, Elliott marchait à côté de Laurie. Cette dernière sifflotait un air joyeux entre ses dents. Le garçon le connaissait, mais il était incapable d'y mettre un titre, ni de se rappeler où il l'avait déjà entendu.

Depuis son étrange rencontre avec madame Welser dans son bureau, Elliott se souvenait qu'il avait été envoyé d'une maison d'accueil à une autre, pour finalement aboutir dans cet orphelinat. Cependant, certaines choses restaient vagues dans son esprit. Mis à part cette mélodie que sifflotait Laurie, il ne se souvenait de rien, pas même de l'existence de ses parents.

Néanmoins, pour l'heure, il se sentait heureux. Il avait de nouveaux amis, et l'orphelinat Kloetzer semblait être un endroit où il faisait bon vivre. Et puis, il y avait cette drôle d'attirance qu'il éprouvait pour Laurie. Il n'y pouvait rien, c'était plus fort que lui : il se sentait bien à ses côtés.

À mi-chemin, une jeune fille aux cheveux bouclés, qui vivait également à l'orphelinat, passa à toute vitesse devant eux.

— Quel moustique l'a piquée pour qu'elle coure comme ça ? lança Yanis en la regardant s'enfoncer dans la forêt.

— On devrait la suivre, suggéra Elliott, avec sa curiosité habituelle.

Deux autres garçons passèrent à côté d'eux à toute allure. Elliott et ses amis décidèrent d'accélérer le pas.

En très peu de temps, ils arrivèrent au milieu d'une petite clairière parsemée de fleurs multicolores. Venant de parcourir cinq cents mètres à la course, ils durent reprendre leur souffle, les deux mains sur les genoux. Lorsque cela fut fait, ils constatèrent avec stupéfaction que la moitié des orphelins se trouvaient dans la clairière.

« Qu'est-ce qui a pu les attirer comme ça au beau milieu de la forêt ? » se demanda Elliott.

Alors qu'il se tournait vers la gauche, la réponse à son interrogation lui sauta aux yeux. Il n'avait jamais vu quelque chose d'aussi féerique ! Un arbre géant se dressait devant les nombreux orphelins présents au centre de la clairière. Ses feuilles, longues et minces comme des plumes d'oiseau, étaient d'un vert lime. Son énorme tronc était d'une blancheur irréelle. Laurie ne pouvait détacher son regard de l'arbre, à la fois émerveillée et bouleversée. Elle crut voir, l'espace d'un instant, une aura lumineuse qui l'entourait !

Elliott, Laurie, Yanis et Tommy s'approchèrent lentement du groupe et, avant même qu'ils n'aient pu demander à l'un de leurs camarades la raison de cette réunion, une jeune fille se mit à décrire les propriétés particulières de l'arbre.

— C'est l'arbre de l'Unus cornu ! C'est madame Delmas qui me l'a dit. Et elle m'a dit aussi qu'il est magique !

— Magique ?! Et quel genre de magie peut faire un arbre ? demanda une autre fille, ébahie par ce que venait de dire sa copine.

— Il peut réaliser tes souhaits les plus fous.

Elliott, Tommy et Yanis se regardèrent en haussant les épaules. Laurie, elle, regardait l'arbre avec de gros yeux, voulant croire ces paroles de tout son être.

— Que veut dire « unus cornu » ? demanda-t-elle.

— « Unus cornu » signifie « unicorne »… ou « licorne », si tu préfères. Madame Delmas m'a également expliqué la raison pour laquelle cet arbre porte ce nom. C'est vraiment incroyable !

— Et quelle est cette raison ? l'interrogea Laurie, tout ouïe.

D'autres personnes venaient de se joindre à eux.

— Selon la légende, une licorne aurait habité dans cette forêt, il y a de cela trois siècles environ, et des chasseurs sans scrupules l'auraient poursuivie pour finalement la blesser grièvement.

Bien qu'il fût peu réaliste, les orphelins présents semblaient hypnotisés par ce récit mythologique.

— Malgré ses blessures, la licorne aurait échappé à ses poursuivants pour venir mourir exactement à cet endroit.

Laurie, les mains sur sa bouche, trouvait cette histoire tragique.

— Sous cet arbre ? lança un garçon.

— Non, pas vraiment, répondit la fille. Dans ces temps reculés, cet endroit était un marécage. Et la licorne s'est tout simplement enfoncée dans la boue. C'est alors que ses entrailles se sont transformées en racines, et son sang magique, en sève.

— Et alors, l'arbre de l'Unus cornu a poussé et la licorne vit pour l'éternité dans cette belle forêt ! ajouta Laurie, émerveillée par cette histoire.

David Muller, un garçon au gabarit impressionnant, s'approcha de Laurie, suivi de trois de ses copains, et lui dit d'une voix irrespectueuse :

— Ne sois pas aussi sotte, Marion. La magie n'existe pas ! Il faut être nul comme toi pour croire à ce genre de sornettes !

Les quatre garçons se mirent à rire effrontément en regardant Laurie, qui baissa les yeux. Elliott sentit une terrible colère monter en lui, mais il se retint. Il ne voulait pas montrer au reste du groupe, et surtout à Laurie, qu'il pouvait être aussi méchant que ces quatre malappris.

— Viens, Laurie, ça ne vaut pas la peine de discuter avec ce type, lança-t-il en regardant le garçon droit dans les yeux.

— Tu as de l'audace, pour un nouveau ! fit l'autre en lui barrant le chemin.

Cependant, pour une raison que Laurie, Yanis et Tommy ignoraient, Elliott ne semblait pas intimidé par les muscles du garçon qui lui faisait face, puisqu'il l'affrontait sans peur apparente.

— Finalement, lui dit-il, je crois que tu dois des excuses à Laurie.

— Pardon ?! s'écria David en regardant les adolescents qui l'entouraient et en riant à gorge déployée.

Personne autour de lui ne semblait partager son enthousiasme. À part, évidemment, ses trois compagnons.

Cette fois, ce fut Laurie qui tira le bras d'Elliott pour le sortir du piège qui semblait se refermer sur lui. Voyant qu'il perdait son temps, le garçon décida de la suivre. C'est lorsqu'il tourna le dos à David que ce dernier le poussa de toutes ses forces. Elliott tomba face contre terre sous les rires des quatre garçons. Bien qu'il fût étourdi, il se tourna sur le dos et assena à David un grand coup de pied dans le tibia. Celui-ci chuta sur le sol. Elliott se releva le premier et profita de l'instant où le colosse était déstabilisé pour lui sauter dessus. Mais à peine avait-il pris son élan que l'un des comparses de David lui fit une jambette. Elliott se retrouva de nouveau sur le sol. À cet instant, il entendit Laurie crier :

— Je vous en prie, laissez-le tranquille !

Se relevant, David vit Elliott qui était toujours étendu par terre. Il décida alors de lui régler son compte une fois pour toutes : il avait une réputation à préserver. Il se pencha vers son souffre-douleur, mais, au moment précis où il allait lui saisir le bras, celui-ci attrapa une branche légèrement tordue de l'arbre de l'Unus cornu, qui traînait près de lui, et frappa, avec toute la force de sa colère, dans l'estomac du chef de bande. Tous furent stupéfaits de voir David faire un vol plané de quatre mètres pour se retrouver au pied de l'arbre, à demi inconscient. Ses trois compères, bouche bée, décidèrent d'aller à sa rescousse sans oser regarder Elliott. Ce dernier se releva en regardant alternativement son adversaire étendu près de l'arbre et le robuste rameau d'un mètre de long qu'il tenait toujours dans sa main.

— Bravo ! lança Tommy en lui tapant dans le dos, aussitôt imité par Yanis.

— Merci d'avoir pris ma défense, dit Laurie timidement. Je ne suis pas de nature rancunière, mais là, je dois avouer qu'il l'a cherché.

Pendant que les autres adolescents retournaient à leurs occupations premières, Laurie et ses amis reprirent le chemin de l'orphelinat. En marchant, Elliott pensa à ce qui s'était réellement passé durant la bagarre. Il en était sûr, un phénomène anormal s'était produit. De toute évidence, c'était la branche qui lui avait permis d'envoyer David au tapis. Il était sûrement le seul à l'avoir remarqué, et il n'osait en parler à personne, même pas à Laurie, mais lorsqu'il avait frappé son adversaire avec le morceau de bois, une fine étincelle bleutée était sortie de son bout arrondi. C'était pour cette raison qu'Elliott avait discrètement emporté la branche en forme de sceptre qu'il utilisait comme une canne : il voulait absolument élucider son mystère !

Le lourd secret de Gabriel

Durant les semaines qui suivirent, Zarya allait pratiquement tous les jours voir Jonathan à l'infirmerie du Temple. Rien pour la rendre joyeuse, mais peu importe, elle se sentait bien auprès de lui. Elle ne se permettait pas de simplement penser à son bien-aimé, elle voulait le voir de ses yeux, avoir un contact physique avec lui. Pas question de juste l'imaginer dans ses pensées ou même dans ses rêves. L'adolescente avait peur, par-dessus tout, d'oublier la couleur de ses cheveux, l'odeur agréable qu'il pouvait dégager et ses lèvres bien découpées, qu'elle avait senties, jadis, dans un merveilleux contact avec les siennes. Nourrir ainsi ses souvenirs lui donnait de la force, l'aidait à passer plus facilement au travers de ses journées sans lui ; elle savait qu'il était là, près d'elle, « endormi ».

Il n'y avait eu aucun changement notable dans l'état de santé de son amoureux, à son grand désespoir. Zarya n'avait pas vu réapparaître non plus la deuxième étoile dans sa Sphère d'Agapè. Malgré cela, elle devait rester positive, même si cela lui était très difficile.

Heureusement, elle n'avait pas seulement des moments de nostalgie dans sa nouvelle vie. Elle se sentait soutenue par ses amis attiliens. Ceux-ci organisaient des sorties pour son amie Abbie et elle : il y avait tellement de choses à voir et à découvrir dans ce monde féerique ! Zarya avait d'ailleurs fait une découverte qu'elle avait particulièrement appréciée, durant une soirée pluvieuse. Elle était dans sa chambre avec Abbie. Elles feuilletaient un catalogue, s'attardant sur les dernières tendances en lingerie, lorsque Mitiva Phidias était apparue dans l'embrasure de la porte et leur avait demandé, avec la plus grande des gentillesses, de bien vouloir la suivre au salon, ce qu'elles avaient fait sans hésitation. Lorsqu'elles avaient pénétré dans cette pièce, Zarya et Abbie avaient aperçu deux boules du Savoir, posées sur la table basse.

— Voulez-vous nous apprendre quelque chose, madame Phidias ? avait demandé Zarya.

— Non, pas cette fois ! avait répondu la dame avec un léger sourire.

Elle avait alors demandé aux deux jeunes filles de s'asseoir sur les coussins moelleux qu'elle avait elle-même installés sur le plancher de bois, en face des deux encyclopédies interactives permettant de plonger par la pensée dans une réalité virtuelle.

— Et que doit-on rechercher ? avait lancé Abbie, intriguée.

— Absolument rien, ma chère Abbie. Je ne veux pas vous faire travailler ce soir. Je voudrais plutôt vous faire découvrir une activité que vous allez grandement apprécier, j'en suis certaine, avait déclaré Mitiva en déposant un petit cristal de forme triangulaire entre les deux sphères. Maintenant, vous allez poser vos deux mains sur le dessus, comme d'habitude.

— D'accord.

D'un geste parfaitement synchronisé, les deux adolescentes avaient mis la paume de leurs mains sur la boule. Dès que sa peau était entrée en contact avec le verre, Zarya s'était sentie aspirée dans ce monde virtuel qu'elle connaissait bien. Cependant, une microseconde avant de fermer les yeux, elle avait cru apercevoir des filaments fantomatiques sortir du petit cristal triangulaire bleuté pour entrer en contact avec les deux boules du Savoir, de chaque côté.

À présent, c'était l'obscurité totale !

« C'est différent des autres fois », avait songé Zarya.

Cinq secondes s'étaient écoulées : rien. Dix secondes de plus : le néant absolu. Et puis, quelques secondes encore plus tard, une lumière au loin avait jailli. L'adolescente était ébahie et enchantée de ce qui lui arrivait.

« Je suis dans un film ! » avait-elle pensé, abasourdie.

Deux heures plus tard, Zarya et Abbie avaient enlevé leurs mains de la boule en même temps.

— Waouh ! s'était exclamée Abbie.

— C'était incroyable ! avait ajouté Zarya en constatant avec surprise que son grand-père était assis sur le divan en face d'elles et les regardait avec un grand sourire.

— C'était une belle histoire, n'est-ce pas ? avait demandé Gabriel.

— Il y avait de l'action partout autour de moi, avait répondu Abbie, encore sous le choc. J'étais comme deux yeux qui se promenaient parmi les acteurs et les décors.

— Ça, c'est de la téléréalité ! avait blagué Zarya.

À peine une semaine s'était écoulée depuis son arrivée à Attilia et elle ne cessait de découvrir des choses étonnantes ! Justement, deux jours avant de voir ce film surréaliste, elle avait joué, avec Abbie, Mary, Mitiva et son grand-père Gabriel, à un jeu de société très particulier. On le nommait « Soirée Meurtre, Magie et Mystères ». Le but du jeu était fort simple : il fallait découvrir le mage noir qui avait commis un horrible meurtre dans un luxueux manoir. On pouvait voir une reproduction fidèle de ce manoir sous la forme d'un hologramme qui couvrait la table entière. L'un des participants était l'assassin, mais personne, à part lui naturellement, ne savait de qui il s'agissait. Les personnages miniatures du jeu étaient également en trois dimensions. Pour découvrir le plus d'indices possible et ainsi trouver l'identité de l'assassin, les joueurs les faisaient se déplacer dans les nombreux couloirs par simple contact psychique. Gabriel avait remporté la partie après trois heures de travail ardu qui lui avaient permis d'enfin découvrir qu'Abbie était la coupable.

Avec tous ces étranges jeux de société version mage que madame Phidias collectionnait depuis son enfance et la dizaine de films « réalité » qu'elle avait regardés depuis qu'elle connaissait l'existence de cette technologie attilienne, Zarya ne s'était pas ennuyée une seconde.

Elle croyait avoir tout vu et tout entendu. Cependant, trois jours avant qu'elle n'aille s'inscrire au Temple des Maîtres Drakar, elle comprit que ce n'était pas le cas lorsque Gabriel lui demanda de venir à son bureau… en pleine nuit !

Le vent se mit à hurler. Une pluie fine tombait obliquement, rendant le pavé très glissant. Un parapluie ouvert à la main, Zarya se dirigeait d'un pas hâtif vers le pont qui enjambait la rivière Argolide. Elle admira la beauté du Temple, qui était éclairé par de multiples faisceaux lumineux. Lorsqu'elle arriva devant la porte principale, les Maîtres Drakar qui montaient la garde lui demandèrent de décliner son identité. Après avoir vérifié les informations qu'elle leur avait données, ils la laissèrent entrer. L'adolescente était impressionnée : c'était la première fois qu'elle pénétrait dans cette imposante bâtisse à une heure si tardive.

À l'intérieur, c'était le calme plat. La réceptionniste n'était pas au bureau d'accueil. Cependant, connaissant bien l'endroit, Zarya se dirigea sans peine vers le bureau de son grand-père. En suivant les longs couloirs déserts du Temple, elle essayait de comprendre pourquoi Gabriel voulait la voir au beau milieu de la nuit. Elle n'avait pas osé lui poser la question quand il lui avait lancé cette étrange invitation. Le vieil homme lui avait simplement suggéré de bien se reposer pendant la soirée, car, avait-il dit, leur rencontre allait durer une bonne partie de la nuit. La jeune fille avait suivi son conseil ; elle ne voulait surtout pas s'endormir pendant la discussion.

— Tu peux entrer, Zarya, dit le directeur avant même qu'elle n'ait frappé à la porte.

Zarya, connaissant le calme légendaire de son grand-père, fut surprise de constater qu'il semblait un peu nerveux.

— Bonsoir ! Et excuse-moi d'être aussi mystérieux avec toi. Tu peux commencer par t'asseoir.

L'adolescente obtempéra tout en regardant derrière lui. Elle remarqua que les rideaux, habituellement ouverts, étaient fermés.

— Tu dois te demander ce que peut bien vouloir un vieil homme à sa petite-fille au beau milieu de la nuit...

— C'est vrai, répondit-elle. Mais tu n'es pas un vieil homme, grand-père...

— Effectivement, répondit Gabriel avec un petit gloussement amusé, si je me compare à ce vieux temple, je ne suis pas vieux.

Zarya lui sourit.

— Ce que je m'apprête à te dire, ou plutôt à te révéler, Zarya, devra rester totalement confidentiel. Même pour ton amie Abbie.

— D'accord, fit la jeune fille en fronçant les sourcils.

— Je dois te dire que j'ai déjà eu cet entretien avec ton père, lorsqu'il avait ton âge. Et pour une raison que tu connais bien aujourd'hui, j'ai dû lui lancer le sortilège de l'oubli, quand j'ai senti qu'il penchait du mauvais côté de la magie.

Zarya baissa les yeux, comme si elle avait eu honte de son père pendant un bref instant.

— Ne t'en fais pas, ma chère, la rassura Gabriel en voyant l'expression de désarroi qui venait d'apparaître sur son visage. Comme je te l'ai déjà dit, ton père n'était pas totalement responsable de ce qu'il faisait. Il a eu une faiblesse et Malphas en a tout simplement profité.

Il y eut quelques secondes de silence, puis Gabriel poursuivit :

— Mis à part ton père, tu es la seule famille qu'il me reste. Bien sûr, il y avait mon frère...

L'adolescente fut stupéfaite en entendant ces paroles.

— Où est-il à présent ? l'interrompit-elle poliment.

— Malheureusement, Virgil, qui était un très bon Maître Drakar à cette époque, a été sauvagement assassiné par un mage noir bien avant ta naissance. Il était de dix ans mon cadet, je l'aimais beaucoup.

Zarya était triste de voir son grand-père peiné par une perte qui semblait être encore très douloureuse, même après toutes ces années.

— Pourquoi ne m'as-tu jamais parlé de lui avant aujourd'hui, grand-père ? demanda-t-elle, intriguée.

— Je ne sais pas ! J'avais fait un trait sur ce malheur du passé, sûrement. Si tu veux, on pourra reparler de mon frère un autre jour. En fait, ce n'est pas pour ça que je t'ai demandé de venir. De toute façon, on ne peut rien y changer.

Il regarda autour de lui et sembla songeur pendant un court moment.

— C'est plutôt amusant. Moi aussi, j'ai déjà eu cet entretien avec ton arrière-grand-père, quand j'avais ton âge. Eh oui, j'ai déjà eu ton âge, fit-il en voyant sa petite-fille sourire discrètement.

— Bien sûr, grand-père...

— Je blaguais, dit-il en se levant et en s'approchant d'elle. Tu vas commencer ton entraînement dans ce Temple dans quelques jours. Si tu le désires toujours, bien entendu ?

— Oui, grand-père.

— Tu ne le fais pas pour me faire plaisir ?

— Non ! Je tiens vraiment à faire évoluer mes pouvoirs, à aller au maximum de mes compétences et de mes capacités.

— Et tu vas réussir. Tu as beaucoup de potentiel. Maintenant, ma prochaine question risque de te surprendre un peu. Cependant, tu n'es pas obligée d'y répondre immédiatement. Tu dois prendre le temps d'y réfléchir. Ça peut être crucial pour ton avenir !

Zarya était plus intriguée que jamais.

— Est-ce que tu aimerais devenir directrice de ce temple un jour ?

— Oui ! s'exclama-t-elle sans hésiter.

Le vieil homme fut agréablement surpris par la vitesse de sa réponse.

— Mais que dois-je faire pour ça ?

— Il est fondamental que tu suives ton entraînement pendant les trois années obligatoires pour enfin devenir une Maître Drakar.

— Mais il y a sûrement de très bons candidats pour ce poste !

— Tu as parfaitement raison, Zarya. Il y a de très bons Maîtres Drakar entre ces murs. Cependant, c'est une chose impossible pour eux ! Il faut absolument appartenir à la lignée des Adams...

Sur ces paroles, Gabriel leva sa canne et fixa la porte de son bureau. Une bulle bleutée la couvrit entièrement : il avait créé un bouclier translucide afin d'en rendre l'accès impossible.

Zarya resta bouche bée.

Le directeur du Temple se tourna vers la bibliothèque vitrée, qui était à l'opposé de son bureau, et leva de nouveau sa canne. L'immense armoire, contenant des centaines d'ouvrages, bougea et une porte métallique apparut.

— Viens avec moi, ma chère Zarya, dit Gabriel en se dirigeant vers l'entrée du passage secret. Je vais maintenant te montrer pourquoi je t'ai fait venir.

La jeune gothique, muette d'étonnement, se leva et suivit son grand-père. Ce dernier ouvrit la lourde porte, et Zarya aperçut un rideau cristallisé au fond de la pièce minuscule.

— Un transmoléculaire ?!

— Exactement.

L'adolescente regarda la fenêtre aux rideaux fermés, la porte d'entrée du bureau avec le halo bleuté qui l'enveloppait entièrement et, finalement, Gabriel qui l'attendait près du transmoléculaire, au beau milieu de la nuit. Que pouvait bien être cet endroit mystérieux, et pourquoi tant de précautions étaient-elles nécessaires pour s'y rendre ?

— Le mot de passe est… « Martha » !

Zarya tressaillit en entendant ce prénom. Elle allait de surprise en surprise ! Gabriel avait choisi le prénom de sa grand-mère comme mot de passe !

« L'aime-t-il encore ? » se demanda-t-elle.

En voyant un petit sourire se dessiner sur les lèvres de sa petite-fille, Gabriel comprit qu'elle avait fait aussitôt le lien. Il lui fit un sourire timide avant de pénétrer dans le rideau magique. Zarya, après avoir regardé une dernière fois le bureau du directeur, disparut à son tour dans un léger crépitement.

La température était beaucoup plus fraîche que celle de la pièce qu'elle venait de quitter. Elle n'y voyait absolument rien. L'endroit était plongé dans la plus totale obscurité. Zarya tenta d'avancer de quelques pas, mais en vain. Elle décida de rester sur place.

— Grand-père !

C'est alors qu'une boule ambrée s'éleva au-dessus de la canne de Gabriel et fut projetée sur un cristal fixé au plafond voûté. Heureusement pour la jeune fille, l'obscurité se dissipa et elle put voir de nouveau. Son grand-père était en face d'elle, silencieux et arborant un léger sourire. Il lui laissa le temps d'assimiler l'instant particulier.

— Où sommes-nous ?

— Dans un propylée qui conduit directement au Sanctuaire des Adams. Cette pièce commune est située cent cinquante mètres sous le Temple, répondit Gabriel. Un endroit inconnu de tous. Depuis de nombreux siècles, seuls les Adams ont foulé ces dalles de pierre.

Zarya regarda autour d'elle et constata qu'elle se trouvait dans une petite pièce circulaire entièrement vide, au plafond soutenu par quatre colonnes torsadées de marbre blanc, merveilleusement sculptées de symboles étranges. Il y avait une porte métallique ouvragée de chaque côté d'elle, et une autre en face.

— Suis-moi, Zarya.

Gabriel ouvrit l'une des portes et, encore une fois, il leva sa canne pour allumer les cristaux sur les murs de pierre. Cela fait, sa petite-fille pénétra d'un pas lent, les yeux grands ouverts, dans une pièce gigantesque.

— C'est le lieu de sépulture des Adams !

Zarya était bouche bée. Se retrouver dans la même pièce que ses ancêtres n'était certes pas chose courante ! Elle avança vers un mur écru qui s'étendait sur une trentaine de mètres. On pouvait y voir une multitude de plaques de bronze indiquant les noms des défunts, ainsi que de leurs proches. Il y en avait des centaines, voire un millier. L'adolescente posa délicatement sa main, avec le plus grand respect, sur l'une des plaques. « Jessy Adams 1414-1497 », pouvait-on y lire. Zarya tourna ses yeux vers sa gauche et déchiffra une autre inscription : « Mathalya Adams 1243-1309. » Elle fit encore quelques pas et remarqua que les années étaient présentées par ordre décroissant. « Fibrus J. Adams 157-198. » Zarya décida d'aller jusqu'au début du mur : elle était curieuse de voir son plus vieil ancêtre. « Isaac Adams 1583-1505 av. J.-C. » Et juste à côté : « Justin Adams 1588-1507 av. J.-C. »

— C'étaient deux frères, précisa Gabriel.

— Ce sont les plus vieux des Adams qui reposent en ce lieu, grand-père ?

— Non, c'étaient leurs parents, fit le vieil homme en montrant l'endroit privilégié où ils reposaient.

En disant ces paroles, il alluma deux cristaux fixés au mur de pierre, derrière sa petite-fille. Cette dernière se tourna et fut estomaquée en voyant la façade de ce mausolée, creusé à même le roc. Il était d'une telle beauté qu'elle en resta saisie. L'entrée était coiffée d'un toit conique soutenu par quatre colonnes de marbre d'un blanc immaculé. Deux lions à trois têtes se dressaient de chaque côté.

Zarya avança d'un pas timide vers l'entrée en voûte, suivie de près par son grand-père. En y pénétrant, elle vit deux sarcophages de pierre, l'un à côté de l'autre. L'intérieur de la crypte était décoré avec élégance et somptuosité. Mais ce furent les couvercles des sarcophages, dont le marbre blanc était richement taillé, qui attirèrent le plus son attention. L'une des sculptures représentait une femme qui tenait des fleurs entre ses mains jointes, et l'autre, un homme avec un oiseau au creux de ses mains.

Gabriel la regardait sans prononcer un mot. Zarya se pencha pour lire la plaque en or de la femme : « Elizabeth Van-Edberg Adams 1565-1483 av. J.-C. »

— Waouh ! il y a bien longtemps de…

Zarya recula de deux pas en regardant alternativement l'inscription sur la plaque de l'homme et son grand-père.

— Non, ce n'est pas possible !

— Si, Zarya, fit Gabriel d'un ton flegmatique.

La jeune fille avança de nouveau vers la plaque et lut attentivement le nom du mari d'Elizabeth : Joshua Drakar.

— Un tombeau digne de sa gloire ! lança le vieil homme.

— Joshua Drakar est notre ancêtre ?

— Oui.

— Nous sommes des descendants de la famille Adams, et non des Drakar, déclara Zarya, qui essayait de comprendre. Alors, notre famille descend de la lignée d'Elizabeth ! Je ne suis pas sûre de comprendre, grand-père !

— Ne t'en fais pas, je suis ici pour te l'expliquer. Alors, si tu veux une réponse à ton interrogation, tu dois me suivre.

Juste avant de quitter les lieux, Zarya regarda la plaque une dernière fois. Elle n'en croyait pas ses yeux : il était là depuis le début, sous le Temple. Elle se tourna vers Gabriel, mais constata qu'il était déjà sorti du mausolée. Elle accéléra le pas. Le vieil homme marchait en direction de la porte.

— Où va-t-on, maintenant ?

— Il nous reste deux portes à ouvrir, n'est-ce pas ? dit-il en lui faisant un sourire en coin.

Où pouvaient bien mener ces deux autres portes ? se demanda Zarya, intriguée. Ces endroits pouvaient-ils contenir quelque chose de plus surprenant que ce qu'elle venait de voir ? Elle ne tarderait pas à le découvrir.

Lorsqu'ils se retrouvèrent de nouveau dans le propylée, Gabriel regarda sa petite-fille, saisit la poignée de l'une des deux autres portes et la tourna. Nul besoin d'allumer : une clarté superficielle régnait à l'intérieur. Zarya suivait son grand-père de près. Une pièce de la grandeur d'une salle de classe apparut, remplie d'objets plus bizarres les uns que les autres qui étaient posés sur des socles de pierre. Curieusement, chaque objet était recouvert d'une lueur vert émeraude brillant avec une scintillation phosphorescente. C'était sûrement un champ de protection contre l'emprise du temps, devina Zarya. Gabriel se dirigea directement vers le centre de la pièce, sans se soucier des autres objets. Une bulle ambrée enveloppait un livre volumineux posé sur un lutrin en or qui avait la forme d'un dragon des glaces. L'adolescente s'approcha doucement de son grand-père qui fixait le vieux bouquin sans prononcer une parole. Cet ouvrage devait être très important pour se trouver dans cet endroit secret.

— *Liber Grandis Magister*, fit Gabriel en regardant sa petite-fille.

— Le livre du Grand Maître ! traduisit cette dernière.

— Bravo ! s'exclama le directeur du Temple, impressionné.

— Ce n'était pas très difficile, grand-père.

Gabriel se tourna de nouveau vers l'œuvre du Grand Maître.

— Il a été écrit par nul autre que le fondateur de ce temple, Joshua Drakar.

— Et que contient-il ?

— Des sortilèges et de la magie très puissante, bien au-delà de ce que tu peux imaginer, Zarya ! Joshua Drakar, après avoir combattu des démons pendant une décennie et réussi l'impossible, c'est-à-dire renvoyer les bêtes de Lucifer dans leurs mondes maudits, a fondé ce temple afin de former de valeureux combattants.

— Oui, les premiers Maîtres Drakar. Comme tu le sais déjà, les Attiliens qui vivaient à cette époque ont dû construire une forteresse inversée pour recouvrir la faille qui menait directement au royaume de Satan. Il va sans dire qu'il y avait beaucoup d'adeptes de la magie noire, en ces temps reculés. En conséquence, Joshua et ses hommes ont édifié ce temple pour recouvrir entièrement la porte luciférienne, en bloquant ainsi l'accès aux adeptes du Mal. Voyant la loyauté de Joshua Drakar, le gouvernement du pays de Dagmar lui demanda d'assurer la sécurité de cette dimension. C'est alors qu'il put, grâce à toutes les ressources financières qu'on lui accorda, agrandir le Temple, qui était beaucoup plus petit au début, et en faire cette gigantesque académie que l'on connaît aujourd'hui.

Zarya était pendue aux lèvres de son grand-père.

— Et, pour répondre à ta question, Zarya, je peux te dire que les sortilèges inscrits dans ce livre proviennent de partout à travers les mondes connus. Des centaines de druides, de sorciers, de mages, et même des elfes hyperboréens de cette époque lui ont confié aveuglément les plus grands secrets de leur magie.

— Waouh ! Ils lui faisaient confiance !

— Oui, entièrement, répondit Gabriel d'un ton plein d'admiration. Joshua avait combattu le Mal en personne pour le bien de toute l'humanité. Et il n'avait rien demandé en retour. Il l'avait fait pour l'amour de ses semblables.

Zarya sentait des frissons lui parcourir le corps en entendant cette histoire incroyable. Et, le plus extraordinaire, c'était que le corps de ce grand homme reposait de l'autre côté de ce mur.

— Zarya, fit le vieil homme en prenant une grande inspiration, ce que je m'apprête à te montrer va sûrement te marquer pour le reste de ta vie.

L'adolescente le fixait avec la plus grande attention.

— Moi, continua-t-il, j'en ai pris exemple pour mes multiples missions. Alors, j'espère que tu vas profiter de ce merveilleux privilège auquel nous avons droit en tant que membres de la famille des Adams.

Zarya traversa la pièce en examinant les objets mystérieux qui l'entouraient, s'attardant à l'un d'eux, qui ressemblait étrangement à un télescope à trois embouts pointant dans différentes directions. Quand elle voulut demander à son grand-père de quoi il s'agissait, elle s'aperçut qu'il était déjà sorti.

En entrant dans la troisième salle, Zarya ouvrit grand les yeux pour regarder partout en même temps. C'était une pièce sombre de forme triangulaire. Sur le mur du fond, il y avait plusieurs centaines de cristaux de la grosseur d'un ballon de foot, posés sur des tablettes de pierre. Des sillons lumineux, créés par un champ électromagnétique provenant de l'énergie que dégageaient les cristaux, glissaient magnifiquement sur les murs, semblables à la lumière d'une aurore boréale. Ils donnaient à celui qui les regardait l'impression d'être sous l'océan.

— La Chambre des Mémoires, dit Gabriel. Ces cristaux contiennent les précieux souvenirs de tous les directeurs qui se sont succédé depuis la fondation de ce temple.

— Depuis le début ?!

— Oui, le tout début. Et je devine ta prochaine question…, ne put s'empêcher de lancer Gabriel avec un léger sourire. Il est là, juste en face de toi.

La jeune fille avança d'un pas lent vers le cristal que lui indiqua son grand-père. Il ressemblait à un bloc de glace bleuté avec des pics sur le dessus. Il scintillait légèrement.

— C'est bien celui de Joshua Drakar ?

— Oui.

— Tu l'as… regardé, grand-père ?

— Plusieurs fois. Et cette nuit, c'est à toi de le faire. Ainsi, tu pourras comprendre les secrets du plus grand mage de tous les temps. Et, par le fait même, la raison pour laquelle on ne peut dévoiler notre lien avec lui.

Gabriel se dirigea vers la porte.

— Quand tu auras terminé, n'oublie pas de fermer derrière toi, dit-il en lui faisant un clin d'œil.

8

Symbolus Gaîê-Kloetzer

lliott dormit mal, cette nuit-là. D'abord, son voisin de lit ronflait comme une locomotive à vapeur fonçant à toute allure. Ensuite, il était troublé par la chose mystérieuse qui s'était produite dans la journée. Comment une simple branche d'arbre pouvait-elle dégager de l'électricité ? Évidemment, c'était la seule réponse logique qui lui venait à l'esprit. Il n'avait pas encore osé en parler à qui que ce soit, même pas à ses nouveaux amis. Il voulait absolument savoir ce qui s'était réellement passé lors de l'affrontement avec David Muller et ses trois acolytes. Peut-être, après tout, que son imagination lui avait joué des tours ! Pourtant, il était sûr de deux choses : il avait vu une étincelle bleutée sortir de la branche de l'Unus cornu, et ce Muller avait été propulsé à une distance étonnante, bien au-delà de l'endroit où il aurait dû tomber. Elliott devait cependant admettre qu'il n'avait pas été dans son état normal durant cette bagarre ; il n'avait jamais senti une telle dose d'adrénaline de toute sa vie. Il devait faire face à quatre garçons plus costauds que lui, et il n'avait surtout pas voulu se faire humilier devant ses amis, surtout pas devant Laurie. Mais ça ne justifiait en aucun cas cette force surhumaine.

Le jeune orphelin se redressa dans son lit et regarda l'heure indiquée sur le cadran posé sur la table de chevet du ronfleur : il était près de 2 h du matin. Après avoir jeté un coup d'œil aux autres adolescents qui dormaient à poings fermés, il étira le bras pour sortir un objet caché sous son lit. C'était la fameuse branche d'arbre. Elliott s'assit confortablement, le dos appuyé contre la tête de son lit, et l'examina avec la plus grande attention. Il essaya de trouver un petit trou sur le bout, mais rien ne lui parut anormal. D'une longueur de près d'un mètre et du diamètre d'une canne, légèrement tordu, le morceau de bois semblait tout à fait banal. Le garçon le tourna dans tous les sens. Seul le bruit du va-et-vient du bâton fouettant l'air tiède du dortoir se fit entendre. Alors qu'Elliott le pointait de nouveau en direction du plafond, un éclair le frappa, métaphoriquement parlant ! Ce fut plutôt un souvenir récent qui lui bondit en pleine figure. Ce mouvement venait de lui rappeler quelque chose qu'il avait vu le matin même.

L'adolescent se leva sans faire de bruit, mit ses pantoufles et sortit du dortoir avec son étrange branche. Il descendit les marches sur la pointe des pieds ; seul le craquement du plancher sous ses pieds troublait le silence. Un faible éclairage bleuté baignait les murs du couloir qui menait à la bibliothèque, la lune projetant une lueur blafarde et lugubre au travers des vitraux centenaires. Elliott s'arrêta devant le tableau du jeune garçon au visage déformé par la peur, assis dans une vieille poussette toute noire, tenant dans sa main une branche d'arbre qui ressemblait à la sienne. Il la tendait justement vers le ciel durant un orage, et un éclair venait en frapper la pointe. Cette peinture n'avait rien de normal. La personne qui l'avait choisie pour la placer là devait avoir de gros problèmes mentaux ! Ses traits étaient grotesques, ses couleurs, lugubres, et Elliott était d'accord avec Laurie : ce tableau donnait la chair de poule ! Son attention fut attirée de nouveau par le symbole qui ornait la poussette. Le garçon s'approcha davantage et scruta l'emblème avec la plus grande attention.

« Un serpent ailé qui forme un cercle en se mordant la queue, une branche fruitière et une faucille en argent se croisant en leur centre. »

Elliott était sûr d'avoir déjà vu ce dessin quelque part, mais où ?

Brusquement, il sentit un frisson désagréable, comme si un souffle glacé lui avait traversé la chair. Celui lui rappela l'étrange sensation qu'il avait éprouvée à la maison près du lac. Troublé, le garçon virevolta. Malgré l'obscurité grandissante causée par les épais nuages qui cachaient à présent la lune, il essaya de scruter le long couloir, pour voir ce qui était à l'origine de cette manifestation insolite. Ce fut à ce moment précis qu'il regretta amèrement d'avoir quitté son lit douillet. Soudain, il vit quelque chose bouger dans la pénombre tout au fond du couloir. Il n'était plus seul ! Il distingua vaguement, à une dizaine de mètres, une silhouette floue, sombre, inquiétante, qui avançait doucement vers lui, comme un prédateur sur le point de sauter sur sa proie. Chose encore plus bizarre : elle semblait ne pas toucher le sol. Apeuré, Elliott recula de quelques pas, pointa la branche dans la direction de la chose. Cette dernière s'immobilisa aussitôt ! Au même instant, il sentit une main tiède se poser sur son épaule : il laissa échapper un petit cri en se retournant à une vitesse stupéfiante.

— Monsieur Holan ! Mais que faites-vous ici au beau milieu de la nuit ?

En voyant que c'était madame Welser, Elliott poussa un soupir de soulagement en dissimulant la branche derrière son dos. La femme le remarqua ; mais, curieusement, elle ne fit aucun commentaire à ce propos.

— Euh... je crois que je suis somnambule, madame, dit l'adolescent en regardant par-dessus son épaule pour essayer de repérer la chose.

Cependant, celle-ci avait disparu.

Elliott reporta son attention sur madame Welser.

Elle le regarda dans les yeux d'un air incrédule. Ensuite, elle jeta un coup d'œil à la toile et sourit discrètement.

— Somnambule ?! D'accord, monsieur Holan. Ça va pour cette fois. Maintenant que vous êtes sorti de votre somnambulisme, vous devriez aller vous recoucher.

— Très bien, madame, j'y vais de ce pas. Et excusez-moi de vous avoir réveillée.

— Ne vous en faites pas, j'étais venue me chercher un livre à la bibliothèque, répondit la femme en replaçant son bonnet de nuit en cachemire. Moi, je fais de l'insomnie chronique.

◊ ◊ ◊

Le lendemain matin, après une courte nuit, Elliott s'habilla en hâte et sortit du dortoir au pas de course. Il était en retard pour le petit-déjeuner.

Après avoir mangé à sa faim, il quitta le réfectoire en compagnie de Yanis, de Tommy et de Laurie. Ils devaient aller s'acquitter de leur besogne coutumière.

— Que doit-on faire ce matin ? demanda Elliott qui avait manqué le discours que la surveillante de l'orphelinat, madame Delmas, faisait tous les matins avant le petit-déjeuner.

— Bof ! il faut travailler à l'extérieur aujourd'hui, répondit Yanis, guère enchanté en voyant le temps frais et humide qu'il faisait.

— Ah bon !

— Pas vous, monsieur Elliott ! lança madame Delmas qui était apparue comme par magie près d'eux. Choisissez-vous un partenaire parmi vos amis et suivez-moi, j'ai un travail différent pour vous.

Malgré le sourire exagéré de Yanis et de Tommy, le choix d'Elliott s'arrêta sur Laurie, qui l'accompagna de bon gré.

— Et où allons-nous, madame ? demanda le garçon, intrigué.

— Contentez-vous de me suivre, tous les deux, répliqua la femme sans se retourner.

Elliott regarda Laurie en haussant les épaules.

Ils longèrent plusieurs couloirs pour aboutir dans un endroit que les deux adolescents ne connaissaient pas. C'était un cul-de-sac, au fond duquel il y avait une porte voûtée. En l'ouvrant, Elliott sentit une odeur d'humidité et vit un escalier. Il devina que ce dernier menait au sous-sol. Avant d'y descendre, madame Delmas fouilla dans l'armoire, près de la porte, sortit deux lampes à huile, les alluma et en tendit une au garçon. Cela fait, elle dévala les marches de pierre de l'escalier en colimaçon, suivie de près par les deux orphelins. Une pièce immense, pleine de toiles d'araignées et de vieux meubles miteux, leur apparut. Le ménage n'avait pas dû y être fait depuis fort longtemps.

— Que doit-on faire ici, madame ? Une fouille archéologique ? ne put s'empêcher de lancer Elliott avec humour.

Laurie s'esclaffa.

— Vous êtes très amusant, jeune homme, rétorqua madame Delmas d'un ton dépourvu de toute émotion, en se dirigeant vers une porte voûtée de bois massif.

Elle tira le battant qui s'ouvrit avec un grincement rauque. Une odeur subtile de vieux papier pénétra dans les narines des adolescents. Des étagères en bois, accrochées aux murs lézardés, étaient remplies de vieux manuscrits et de livres de différentes tailles. Selon Elliott, il devait y avoir plusieurs centaines d'ouvrages. Au centre de la bibliothèque trônait une table de bois recouverte de piles de vieux bouquins poussiéreux qui semblaient appartenir à une autre époque.

— Waouh ! il y en a beaucoup ! fit remarquer Laurie, impressionnée.

— Beaucoup, mademoiselle Marion, approuva la dame. Maintenant, votre travail de ce matin consiste à nettoyer ces vieux livres.

— Mais pourquoi ces livres ne sont-ils pas dans la bibliothèque avec les autres ? l'interrogea Elliott qui ne comprenait pas qu'il y ait deux bibliothèques dans le même établissement.

— Ils sont beaucoup trop vieux. Et de toute façon, ce ne sont pas des ouvrages destinés à des jeunes gens de votre âge. En outre, ces livres n'auraient pas leur place auprès des encyclopédies et des livres de contes de fées que l'on peut trouver dans la bibliothèque principale. En fait, madame Welser m'a clairement expliqué qu'elle veut les donner à une œuvre de charité la semaine prochaine. Alors, inutile de vous dire qu'il est très important que tout soit propre avant la fin de la semaine.

Madame Delmas se dirigea vers la sortie. Avant de quitter la pièce, elle se tourna vers les deux orphelins et leur dit en pointant du doigt une boîte, dans un coin :

— Je vous ai apporté tout ce dont vous avez besoin pour faire le travail. Alors, je vous conseille de commencer immédiatement si vous voulez parvenir à le terminer à temps.

— D'accord, fit Laurie en regardant Elliott qui semblait être découragé avant même d'avoir commencé.

La surveillante quitta la pièce aussi vite qu'elle y était entrée. Elliott déposa sa lampe sur la table du centre et essaya de déterminer par où attaquer cet énorme travail.

— Si tu veux mon avis, je devrais commencer par ici, suggéra Laurie, et, toi, tu peux prendre ceux-là. Ils me semblent trop lourds pour moi.

— Bonne idée !

Équipés d'un plumeau, ils se mirent immédiatement au boulot. Tout en époussetant son premier livre, Elliott entama la conversation avec Laurie :

— As-tu connu tes parents ?

La jeune fille se tourna dans sa direction et, de sa main, elle repoussa un petit nuage de poussière devant son visage.

— Non, malheureusement, j'étais trop jeune quand ils m'ont abandonnée.

— Où sont-ils à présent ?

— On m'a dit que mon père a quitté ma mère un peu avant ma naissance. Par la suite, ma mère m'aurait déposée devant la porte d'un orphelinat. Apparemment, elle était trop jeune pour s'occuper de moi.

— C'est triste, fit Elliott avec sincérité. As-tu l'intention d'essayer de les retrouver un jour ?

— Oh oui ! s'exclama Laurie, catégorique, en tenant son plumeau avec fermeté. J'aurais quelques questions à leur poser. Et toi ?

— Je n'en sais rien. Les souvenirs que j'ai de mes parents sont flous.

— Madame Welser a sûrement un dossier à leur sujet. Tu pourrais le lui demander.

— Oui, tu as raison, je pourrais m'informer. Mais, en même temps, je ne suis pas sûr de vouloir savoir la vérité sur eux.

— Ah non ?! lança l'adolescente, surprise. Mais pourquoi ?

— Je ne sais pas, dit Elliott en continuant d'épousseter le livre d'un air pensif. Comme ça, je suis sûr de ne pas être déçu d'eux. Je ne tiens pas à savoir si j'ai été abandonné ou pas. En fait, j'aime mieux m'imaginer qu'ils sont morts dans leur sommeil quand j'étais bébé et que quelqu'un m'a ensuite emmené dans un endroit comme celui-là.

— Je suis certaine que c'est exactement de cette façon que ça s'est passé, lui dit Laurie en lui faisant un tendre sourire.

Elliott, en lui rendant son sourire, prit un gros livre relié de cuir rouge vif et le déposa sur la table. En l'époussetant, il lut son titre : *Le côté sombre de la magie.*

— C'est vraiment bizarre comme genre de lecture, marmonna-t-il à voix basse en le remettant à sa place après l'avoir nettoyé.

— Qu'est-ce qui est bizarre ?

— Non, rien ! Je pensais à voix haute, mentit-il, ne voulant pas ennuyer Laurie avec les choses étranges qui lui arrivaient depuis quelques jours.

Elliott prit un autre livre au hasard. En fronçant les sourcils, il vit qu'il n'était pas très différent du premier : *Légendes sur les arbres qui parlent.* Il en attrapa un troisième : *Les potions druidiques et leurs effets bénéfiques.*

« Mais que se passe-t-il, ici ? » se demanda-t-il, médusé par ces titres insolites.

— Tu ne trouves pas que…, commença-t-il.

Paf ! Elliott regarda le livre qui venait de chuter sur le sol derrière lui. Il faillit s'étouffer avec sa propre salive en voyant l'illustration à l'intérieur du bouquin qui s'était ouvert en tombant !

— Tu ne trouves pas que quoi ? répéta Laurie.

— Euh… tu ne trouves pas… qu'il fait chaud ici ?

— Si, un peu.

Elliott se pencha pour ramasser le livre et vit une chose qui lui donna un véritable choc. C'était impossible, voire surnaturel ! L'illustration représentait clairement un serpent ailé qui formait un cercle en se mordant la queue, ainsi qu'une branche fruitière et une faucille en argent se croisant en leur centre : c'était l'étrange symbole du tableau !

◇ ◇ ◇

Ce fut seulement quand son voisin de lit se mit de nouveau à ronfler qu'Elliott décida de prendre le livre dans sa table de chevet. Discrètement, il avait réussi à le sortir du sous-sol sans que Laurie s'en rende compte. Il ne se sentait nullement coupable de l'avoir emprunté pour quelques jours, sachant que madame Welser le donnerait à une œuvre de charité. Il avait l'intention de découvrir la signification du symbole du tableau et espérait qu'il trouverait, par la même occasion, l'explication du mystère de la branche de l'Unus cornu.

L'adolescent alluma le bougeoir, ouvrit le livre à la page où se trouvait l'illustration du mystérieux emblème et lut attentivement sa description sous l'image :

Une branche fruitière et une faucille en argent entourées de l'ouroboros (serpent se mordant la queue), qui signifie, en alchimie, purification ou renouveau perpétuel, compose le Symbolus Gaîê-Kloetzer. Gaîê, aussi appelée Gaïa, est la déesse de la Nature. Trea Kloetzer est pour sa part un puissant druide qui a été choisi par Gaïa pour engendrer le premier druide-gaïen avec Athéna, la fille de cette déesse primordiale.

Elliott observa l'illustration en réfléchissant à tout ce qui s'était passé depuis son arrivée dans cet orphelinat. La rencontre avec madame Welser et l'énigmatique disparition de la figurine en terre cuite... Le doigt du jeune Beyly qui avait repoussé après qu'une plante bizarroïde le lui eut arraché... La collection de livres sur la magie dans un endroit comme celui-ci... Toutes ces choses étranges étaient-elles liées les unes aux autres ?

« Sûrement », pensa-t-il en regardant la fameuse branche de l'Unus cornu, ou plutôt, devrait-on dire, le sceptre druidique.

— Alors, si je peux faire fonctionner un instrument druidique, est-ce que ça veut dire que je serais de descendance druidique ? chuchota-t-il, les yeux écarquillés.

9

Le professeur

Il faisait un soleil radieux, et une petite brise rafraîchissait l'atmosphère équatoriale. Après avoir regardé, avec le plus grand intérêt, des fragments de la vie incroyable du plus grand mage de tous les temps, Zarya quitta le Temple dans la matinée, enrichie par cette expérience. Même si, évidemment, elle n'avait pu voir qu'une petite partie de la longue et trépidante vie de Joshua Drakar, elle en savait assez pour comprendre tout ce que cet homme avait fait pour aider un peuple apeuré en cette époque troublée. Il avait sacrifié plusieurs années de son existence pour affronter des démons physiques et spectraux, sans oublier ces inimaginables bêtes monstrueuses qui avaient pris leur défense pendant toutes ces années cauchemardesques ! Il les avait combattus vaillamment, et tout simplement pour l'amour de ses semblables.

Bien que le peuple et les gouvernements de ce temps lui eussent rendu les honneurs qu'il méritait, Joshua Drakar avait été menacé, par la suite, par des mages noirs, adorateurs de Satan. Ceux-ci voulaient se venger de celui qui avait fait échouer leur plan diabolique. En fait, personne n'osait l'affronter et il n'avait peur de personne. Cependant, malgré son courage exceptionnel, ce qu'il redoutait par-dessus tout, c'étaient les représailles dont pourrait être victime sa famille. Le danger planait au-dessus de la tête de sa femme et de ses fils, Isaac et Justin. Un jour, Elizabeth avait pris la décision la plus difficile de sa vie. Elle devait impérativement quitter Joshua pour se réfugier, avec ses deux jeunes fils, dans une dimension où les ennemis de son mari ne les trouveraient jamais. Ce n'était pas par choix : la mère devait protéger ses enfants à tout prix.

Malheureusement, un an après, Elizabeth était revenue près de lui, seule, sans ses enfants. Le couple Drakar avait alors dû annoncer au peuple attilien que leurs fils avaient été sauvagement assassinés par un groupe de loups-garous sous les ordres d'un mage noir redoutable. À partir de ce jour, les menaces visant Joshua Drakar avaient cessé ! Ses ennemis craignaient la vengeance de ce père désespéré et plus redoutable que jamais, à la suite de la mort prématurée de ses fils.

Mais ce que tout le monde ignorait, c'était la monumentale mise en scène que Joshua avait lui-même orchestrée. Un grand druide, un vieil homme que les démons avaient séquestré pendant deux longues années et que Joshua avait sauvé, avait modifié l'apparence physique des deux garçons grâce à une potion de métamorphose très puissante. En réalité, Isaac et Justin vivaient dans une petite maison de campagne appartenant à la famille des Van-Edberg, le nom véritable d'Elizabeth. C'est à partir de ce moment que Joshua, le chef des Drakar, avait fait porter à ses deux fils le nom de famille de la grand-mère d'Elizabeth : Adams. Ses plus méchants ennemis étant des démons immortels, Joshua devait protéger les générations à venir.

Trois semaines s'étaient écoulées depuis que Zarya avait découvert qu'elle était la descendante du fondateur du Temple. Comme elle l'avait promis à son grand-père, elle n'en avait pas soufflé mot à sa meilleure amie, Abbie. Jamais elle n'aurait cru que ce secret de famille serait si lourd à porter ! Mais, pour que Gabriel lui demande de n'en parler à personne, comme les gens de sa famille avaient réussi à le faire depuis plusieurs siècles, il fallait que ce soit de la plus haute importance. Elle ne voulait en aucun cas être la première Adams à briser ce secret après tout ce temps ; la sécurité des Adams en dépendait.

On frappa à la porte.

— Bonjour, Abbie ! dit Mitiva en ouvrant. Entre, ma chère !

— Zarya est-elle prête ? demanda la jeune fille en posant ses bagages près de la porte.

— Oui, depuis tôt ce matin.

Soudain, Zarya apparut, portant deux grosses valises qui semblaient lourdes.

— Bonjour, Abbie ! fit-elle avec un sourire qui illumina son visage. Nous y sommes… Le grand jour !

Son amie ne l'avait plus vue si radieuse depuis son voyage à Vonthruff.

— Ouais ! Je suis vraiment contente.

— N'oubliez surtout pas, mademoiselle Abbie : mercredi, je dois aller vous chercher pour votre première journée à l'Université Rockwhule, indiqua Mitiva.

— Comment oublier ça ?!

Abbie ne suivait pas l'entraînement pour les mêmes raisons que son amie. Elle devait étudier la gemmologie physique à l'université, et suivre, en même temps, un cours sur les pierres et les cristaux magiques avec le professeur Trevor Razny et un autre sur les potions magiques avec la professeure Vaena Molidor au Temple. Donc, il était préférable qu'elle demeure au Temple durant la semaine. C'était ce que lui avait recommandé

Gabriel : « Il te sera plus facile d'étudier dans un endroit où tu pourras trouver les livres et les instruments dont tu auras besoin, tout comme les ingrédients nécessaires pour les potions que tu devras concocter. » Le seul désavantage qu'il y avait à étudier à deux endroits différents, c'était qu'elle devait faire le trajet entre l'université et le Temple tous les jours. Bien entendu, ça ne devrait pas être un gros problème avec tous ces transmoléculaires.

Depuis son arrivée dans cette dimension, Zarya franchissait les portes du Temple pratiquement tous les jours pour venir voir Jonathan à l'infirmerie. Dans ces circonstances particulières, elle ressentait une certaine joie mêlée de tristesse, et c'était bien compréhensible. Mais ce jour-là, lorsqu'elle pénétra dans le grand hall d'entrée en compagnie d'Abbie, elle était aussi nerveuse qu'excitée. Elle se souvenait de la première fois qu'elle avait suivi le camp d'entraînement des Maîtres Drakar. Elle avait été submergée d'un bonheur intense. En très peu de temps, sa magie avait évolué d'une façon surprenante.

Abbie et Zarya virent un groupe agglutiné près d'un comptoir, où trois préposés prenaient les feuilles d'inscription et donnaient des directives aux futurs académiciens. Soudain, une nuée d'adolescents afflua derrière elles. Les deux amies furent surprises par la quantité de jeunes qui venaient s'inscrire.

— Zarya ! Abbie ! s'écria un jeune homme en se dirigeant vers elles, le sourire fendu jusqu'aux oreilles.

— Salut, Jeremy ! répondirent les filles.

Abbie regarda par-dessus l'épaule de Jeremy et lui demanda :

— Tu nous avais dit que tu serais avec les filles et tes parents. Où sont-ils ?

— Vous les avez manqués de peu. Une dame est venue les avertir qu'ils ne pouvaient pas rester ici *éternellement*. Et j'avais bien l'impression que c'était justement ce que ma mère avait derrière la tête ! Elle ne voulait pas partir. Elle tenait mordicus à venir défaire mes valises dans mon dortoir. J'avais un peu hâte qu'elle parte !

— Ah oui ! Pourquoi ? l'interrogea Abbie.

— Elle m'a déballé toutes ses recommandations, en versant les quelques larmes habituelles, et tout ça en arrangeant le col de mon chandail devant les autres élèves. J'étais très mal à l'aise, vous pouvez me croire !

— Une mère restera une mère toute sa vie, déclara Zarya avec un petit rire.

— Et ton père, comment était-il ?

— Les seules paroles qui sont sorties de sa bouche, c'est : « Bonne chance, le grand. »

— Un père restera un père toute sa vie, récita à son tour Abbie avec humour.

— En passant, ils m'ont dit de vous saluer et de vous souhaiter bonne chance pour votre première année.

— C'est gentil de leur part ! Alors, maintenant, on ne peut plus reculer, n'est-ce pas, Jeremy ? demanda Zarya.

— Oh non ! Au grand jamais ! répondit-il, déterminé. Et toi, Abbie, es-tu prête à prendre la relève du professeur Razny ? Tu sais, il se fait vieux.

— Sait-on jamais ! Mais je vais commencer par faire ma première année et, après, on verra ! fit-elle en s'esclaffant.

Sentant une main se poser sur son épaule, Abbie pivota sur ses talons :

— Olivier ! Mais que fais-tu ici ? lança-t-elle, surprise et contente de voir son amoureux.

— Je passais dans le coin, dit-il en lui donnant un doux baiser. Alors, j'ai eu envie de venir vous dire bonjour et vous souhaiter bonne chance.

— C'est gentil !

— Tu ne travailles pas aujourd'hui ? demanda Jeremy en lui faisant un petit clin d'œil.

Olivier le regarda avec de gros yeux. Il se tourna vers Abbie et lui adressa un petit sourire ; celle-ci ignorait encore la nature de son nouvel emploi.

— Si, bien sûr. Mais j'ai fait une pause.

Jeremy, en signe d'affection pour son ami, lui secoua énergiquement l'épaule. Cependant, il arrêta instantanément son geste amical et son visage se figea.

— Ça va, Jeremy ? lui demanda Olivier, soudain inquiet.

Sans dire un mot, Jeremy regardait par-dessus l'épaule de Zarya. Intrigués, ses amis se retournèrent et comprirent immédiatement pourquoi il avait si vite changé d'humeur. Cylia et Devon Ekin, accompagnés d'un homme quadragénaire aux cheveux noirs (sans aucun doute leur paternel), venaient d'entrer dans le hall. L'homme aux traits sévères passa à côté de Jeremy en lui faisant un sourire indéfinissable, se situant entre la politesse et le sarcasme. Pour ce qui était de Devon et de Cylia, leur visage exprimait rancune et animosité.

— Depuis quand ce Devon est-il sorti de prison ? chuchota Abbie.

— Je trouve qu'il a de l'audace de venir ici ! fit Jeremy en le regardant s'éloigner.

— D'après ce qu'on m'a dit, expliqua Olivier à voix basse, ça fait deux semaines qu'il a été libéré. Maintenant, il est sous la tutelle de son père. Celui-ci a juré devant le tribunal de la jeunesse qu'il surveillerait ses moindres gestes. Si son fils récidive, c'est lui-même qui en paiera le prix.

— Connaissant le caractère de son paternel, je peux vous dire qu'il a intérêt à se tenir à carreau ! lança Jeremy.

— Que fait-il dans la vie, ce monsieur Ekin ? demanda Zarya, curieuse.

— Il travaille pour la D.G.D.M.I., répondit Jeremy qui connaissait cette famille depuis sa plus tendre enfance.

Les deux filles se regardèrent en haussant les épaules : comme si elles devaient comprendre ces abréviations !

— Quand j'étais commissionnaire, précisa Olivier en regardant Abbie, j'ai fait de nombreuses commissions pour le ministre Hamas Sarek. Et il recevait souvent des colis provenant justement de la Direction générale des douanes maritimes et interdimensionnelles, là où travaille monsieur Ekin. Il en est même le directeur. C'est lui qui est en charge de la lutte contre la fraude douanière, tout particulièrement en matière de contrebande de pierres magiques et d'objets ensorcelés.

— Disons qu'il s'est placé les pieds au bon endroit, si vous voyez ce que je veux dire…, fit Jeremy sur un ton plein de sous-entendus.

◊ ◊ ◊

Après avoir rempli le formulaire d'inscription, Zarya se dirigea, avec Abbie et Jeremy, vers la salle B-105, comme la préposée le leur avait indiqué. Elle se souvenait très bien de ce lieu. C'était justement à cet endroit, dans la salle de sport, qu'avait eu lieu le tournoi final du camp d'été.

Quelques minutes plus tôt, les trois amis avaient vu Devon et son père quitter le Temple. Mais, pour ce qui était de Cylia, leurs craintes s'étaient révélées fondées : elle était passée au comptoir des inscriptions.

Ils marchèrent d'un pas rapide, sans les lourdes valises qu'ils avaient laissées dans le grand hall d'entrée, pour atteindre finalement leur destination. Deux Maîtres Drakar faisaient office de portiers : l'un d'eux les fit entrer. Il n'y avait pas un bruit, malgré la centaine de Maîtres Drakar qui remplissaient les tribunes. Plusieurs chaises avaient été installées au centre de la piste pour accueillir les nouveaux académiciens. Zarya, Abbie et Jeremy s'assirent à la troisième rangée, au centre.

La jeune gothique regarda autour d'elle et vit la même salle de sport, celle où elle avait combattu un féroce béhémoth et déjoué des obstacles surréalistes. Cette salle était rectangulaire et de dimensions impressionnantes. Elle aurait pu contenir cinq terrains de tennis sans difficulté. Le sol était en terre battue, et le plafond était haut d'au moins dix mètres. Il y avait des gradins sur trois côtés et, sur le dernier, on pouvait voir une loge comptant treize places qui étaient réservées au directeur Adams et aux professeurs du Temple.

Les sièges étaient maintenant tous occupés. Observant les nombreux Maîtres Drakar assis dans les tribunes, Zarya constata qu'ils étaient tous vêtus de noir. Elle remarqua cependant un détail auquel elle n'avait jamais prêté attention auparavant : la couleur de leur col.

— Pourquoi portent-ils des cols de couleurs différentes ? Ceux-ci indiqueraient-ils leur grade ? chuchota-t-elle à Jeremy.

— Exactement. Ceux qui sont en haut des tribunes ont un col noir. Ce sont des Maîtres Drakar accomplis. Et ceux qui sont plus bas portent un col bleu. Ils font leur dernière année.

— Ils sont donc en troisième année, devina Abbie.

— Exact ! Ceux qui ont un col vert sont en deuxième. Et finalement, les jaunes… eh bien, c'est nous !

À cet instant, un grand bourdonnement se fit entendre. Tous les Maîtres Drakar s'étaient levés en même temps. Zarya bondit sur ses pieds ! Elle comprit la raison de cette soudaine agitation : son grand-père venait de pénétrer dans la salle en compagnie des professeurs. Ces derniers allèrent s'asseoir sur leurs chaises respectives, pendant que le directeur se dirigeait vers le lutrin qui était placé au centre de la loge surélevée.

Gabriel fit signe aux étudiants de s'asseoir.

Zarya le trouvait élégant dans son uniforme noir de Maître Drakar qui lui descendait à mi-cuisse, orné d'un col rouge bourgogne. Seul le directeur portait un col de cette couleur.

— Bonjour et bienvenue au Temple des Maîtres Drakar, lança le vieil homme d'une voix très détendue, le visage rayonnant. Une nouvelle fois, cette année, nous recevons de jeunes recrues au sein de cette académie. Et c'est avec la plus grande joie, je peux vous l'assurer, que je constate que vous êtes venus en grand nombre. Comme je l'ai mentionné à plusieurs reprises, nos professeurs vont vous faire découvrir des facultés et des pouvoirs qui sommeillent profondément en vous et dont vous ignorez l'existence. Et cela, durant les trois prochaines années.

Il prit une grande respiration et enchaîna :

— La mission de cette académie est de former des combattants de haut niveau, des guerriers du juste. Que ce soit le jour ou la nuit, des milliers de Maîtres Drakar rétablissent le calme et font rejaillir l'espoir dans des endroits tout près de chez nous ou dans les régions les plus éloignées. Ils sont entraînés pour intervenir dans les conflits, peu importe leur ampleur et leur complexité.

Il observa un instant les élèves qui étaient suspendus à ses lèvres, puis ajouta :

— Et en voyant l'enthousiasme qui fait briller vos yeux, je peux facilement prédire que vous avez un grand avenir dans cette profession qui, soit dit en passant, ne manque pas d'action ni de rebondissements. Cependant, tout cela ne serait pas possible sans la présence de ces spécialistes qui se trouvent derrière moi. Sans plus tarder, j'aimerais vous présenter les professeurs qui vous permettront d'acquérir le bagage dont vous avez besoin pour devenir de bons Maîtres Drakar.

Cessant de regarder son grand-père, Zarya reconnut immédiatement le spécialiste des pierres et des cristaux magiques, le professeur Trevor Razny, avec sa couronne de cheveux frisottés poivre et sel et ses petites lunettes rondes. De toute évidence, cet homme aimait son travail passionnément, pensa-t-elle en voyant le magnifique sourire qu'il arborait. À sa gauche se tenait une jeune femme dans la vingtaine, au teint basané. C'était la professeure Katyn Masanari, grande experte en démonologie. Une tache verte, à l'autre bout de la loge, attira le regard de Zarya. Celle-ci lâcha un petit gloussement en voyant un bout de chapeau de style safari vert jade dépasser de l'épaule de son voisin. Il s'agissait du professeur de télékatapelte, Ismaël Herpin, un nain d'un mètre trente-trois à la moustache et à la barbichette foncées.

En le présentant, Gabriel dit quelque chose qui surprit Zarya et ses amis :

— Le professeur Ismaël Herpin nous quittera dans trois mois, c'est-à-dire une semaine après la fête de l'Halloween, pour prendre une retraite bien méritée ! Ce cher professeur veut passer plus de temps avec sa femme et ses dix-sept enfants.

Zarya et Abbie se regardèrent en écarquillant les yeux.

— Dix-sept enfants ! murmurèrent-elles à l'unisson.

— Mais ne vous inquiétez pas, poursuivit le directeur en entendant les chuchotements qui s'élevaient ici et là dans la salle, vous aurez tout de même vos cours de télékatapelte. Dès son départ, en effet, monsieur Herpin sera remplacé par la meilleure personne qui, selon toute logique, puisse lui succéder, car elle possède des aptitudes exceptionnelles. Champion de donar-ball de l'an dernier et décoré par le maire de Vonthruff pour avoir porté le coup fatal au deuxième meneur des enfers, j'aimerais vous présenter le professeur Olivier Dumas...

En voyant son amoureux pénétrer dans la loge et se diriger allègrement vers une chaise libre près du professeur Herpin, Abbie, les mains sur la bouche, ne put retenir un petit cri, qui, heureusement, se perdit au milieu des applaudissements.

Pendant que Gabriel présentait le reste des professeurs, Abbie fixait Olivier de ses yeux enjoués. Assis à côté de son mentor, celui-ci la cherchait du regard, car il ne l'avait pas encore repérée. Elle était tellement fière de lui, tellement contente ! Olivier méritait pleinement ce poste. Comme le directeur l'avait signalé, le jeune homme était devenu le champion du donar-ball d'Attilia en exécutant des manœuvres exceptionnelles, comme seul un vrai champion pouvait le faire. Encore plus étonnant, il avait gardé son calme lorsque Méphistophélès avait lancé la dague d'Azazel dans la figure d'Abbie. En effet, l'arme magique s'était arrêtée à quelques centimètres de l'œil de l'adolescente, puis elle avait pivoté sur elle-même et avait été projetée, avec une précision et une force extraordinaires, en plein dans le cœur du colossal démon rouge. C'est à cet instant qu'Abbie avait compris qu'Olivier venait de lui sauver la vie. Elle lui en serait éternellement reconnaissante.

Leurs regards se croisèrent. Abbie et Olivier se sourirent. Sans qu'une parole soit prononcée, le nouveau professeur comprenait que son amie de cœur était fière de lui. Elle mima un baiser de ses lèvres humides. Le sourire du garçon s'élargit ; il rougit, il ne pouvait pas le lui rendre, faisant face à plusieurs centaines de personnes. Elle comprit son hésitation.

Après le discours du directeur, Zarya, Abbie et Jeremy se précipitèrent vers le grand hall d'entrée pour aller chercher leurs valises. Gabriel Adams avait en effet recommandé aux étudiants de se rendre dans leurs dortoirs respectifs avant toute autre chose.

— C'est au troisième étage, précisa Zarya en lisant les instructions sur la feuille que lui avait remise la préposée. Je suis dans le dortoir 339...

— Moi aussi, fit Abbie, ravie de savoir qu'elle allait rester près de son amie.

— Il y a sûrement du grand-père là-dessous, devina Jeremy. Moi, je suis au 241. Zut ! je ne suis pas avec vous !

— Très drôle ! lança Zarya.

— Allez porter vos bagages dans votre chambre, et on se revoit dans le réfectoire pour le cocktail de bienvenue.

— D'accord.

Leurs lourds bagages à la main, les jeunes filles se dirigèrent directement vers le couloir qui menait à leur dortoir. Selon le plan qui apparaissait sur la feuille d'instructions, Zarya devait parcourir au moins deux cents mètres à l'intérieur du bâtiment avant d'y arriver. Elle escalada lestement les marches de marbre sans rien d'autre en tête que la joie d'être enfin au Temple pour sa première année.

Lorsqu'elles pénétrèrent dans le dortoir qui leur était assigné, ainsi qu'à trois autres filles qui n'étaient pas encore arrivées, Zarya et Abbie virent une immense pièce hexagonale, contenant cinq armoires, cinq lits à baldaquin et, trônant au centre de la pièce, une table ronde équipée d'une boule du Savoir pour chacune des étudiantes. Cette pièce se trouvait dans la tour d'angle ouest du bâtiment.

— Je n'en reviens tout simplement pas, Zarya ! lança Abbie en déposant l'une de ses valises sur le lit qui lui convenait.

— De quoi parles-tu ?

— D'Olivier, voyons ! Il a réussi à me cacher cette… promotion. C'est vraiment incroyable ! Je veux dire : oui, c'est croyable. Mais plutôt… Je suis tellement contente pour lui.

— C'est vraiment génial ! répondit Zarya en s'asseyant sur le bord de son lit, près de l'une des trois fenêtres du dortoir. Il le mérite tellement !

— Oh oui ! Tu as parfaitement raison. Waouh ! mon Olivier, professeur ! Maintenant que j'y pense…

— Quoi donc ?

D'un coup de hanche, elle poussa sa valise afin de pouvoir s'asseoir en face de Zarya.

— Pour combler mon horaire de la semaine, je devais choisir deux autres cours, ici, au Temple.

— Oui, tu me l'avais dit, et alors ?

— Alors, Olivier m'a suggéré de m'inscrire au cours de télé-katapelte ! Maintenant, je comprends pourquoi il a tant insisté. Heureusement que je me suis inscrite !

— Ouais ! Tu hésitais entre la goétie et la démonologie. Qu'as-tu choisi finalement ?

— La démonologie. Je veux en savoir davantage sur les démons, au cas où nous aurions encore à nous frotter à eux, déclara Abbie qui avait tout à coup pris un air sérieux.

À cet instant, une jeune fille brune poussa la porte, qui était restée entrouverte, et pénétra d'un pas timide dans la pièce avec ses valises.

— Excusez-moi, puis-je entrer ?

— Mais bien sûr, lança Zarya d'un ton accueillant.

— Je crois que je suis avec vous dans ce dortoir, fit poliment la nouvelle venue en regardant sa feuille pour être certaine de ne pas se tromper.

— Alors, bienvenue ! Je m'appelle Abbie Steven. Et voilà mon amie, Zarya Adams.

— Bonjour ! Moi, je suis Ève Diony, dit la brunette en leur serrant la main. Je peux prendre ce lit ?

— Il est à toi !

— Merci ! Es-tu parente avec monsieur le directeur, Zarya ?

— Oui, c'est mon grand-père.

Ève eut soudain les yeux exorbités comme un chihuahua au bord de la psychose ; sans aucun doute, elle était très impressionnée.

Avant même qu'elle n'ait pu poser sa grosse valise sur son lit, deux autres jeunes filles entrèrent dans le dortoir.

— Zarya! Abbie! Quelle coïncidence!

— Danika et Maelie! Comment allez-vous, les filles? demanda Zarya, heureuse de les revoir.

— Je te l'avais dit, qu'elle serait ici! lança Maelie à Danika.

Danika et Maelie Salse étaient sœurs et avaient partagé le même dortoir que Zarya et Abbie durant le camp d'été des Maîtres Drakar. La première était très grande, avec de longs cheveux bruns qui lui descendaient jusqu'au bas du dos. Maelie était, pour sa part, une adolescente un peu replète; elle avait une belle chevelure blonde et parlait sans arrêt.

— Je vous présente Ève Diony, dit Zarya avant d'entamer la conversation.

— Bonjour, Ève! dirent les sœurs en chœur.

— Alors, les filles, demanda Danika, vous avez l'intention de devenir des Maîtres Drakar?

— Moi, oui, répondit Zarya. Mais Abbie a d'autres ambitions.

— Exact! Je serai à mi-temps avec vous et, le reste du temps, je le passerai à l'Université Rockwhule.

— Et qu'as-tu l'intention d'étudier là-bas? l'interrogea Ève, intéressée.

— Je vais apprendre la gemmologie physique et, ici, je vais suivre les cours privilège sur les pierres et les cristaux, ainsi que sur les potions magiques. Et toi, Ève?

— J'aimerais être dans la division investigation au sein du Temple, comme mon père!

— Ton père est enquêteur? lança Zarya, qui ignorait qu'il y avait ce genre de division dans cet établissement privé.

— Oui, mon père, Benjamin Diony, travaille pour ton grand-père depuis vingt et un ans.

— Alors, je souhaite que tu travailles un jour pour mon grand-père.

— Merci, tu es gentille !

— Et vous, les filles ? demanda Abbie à son tour.

— Nous, on veut devenir des Maîtres Drakar ! répondit Maelie, très enthousiaste.

— Ma sœur trouve que les filles Maîtres Drakar sont jolies dans leur uniforme. Et vous devez admettre que c'est un bon moyen de séduire un jeune homme… Vous ne trouvez pas, les filles ?

Zarya eut un sourire contraint. Avec son amoureux dans un profond coma, elle ne pensait certainement pas à courtiser qui que ce soit. Voyant qu'un petit malaise s'installait, Abbie suggéra d'une voix énergique :

— N'oublions pas, les filles, que le cocktail commence dans dix minutes !

Zarya et ses amies descendirent au réfectoire et constatèrent que l'on avait poussé les tables contre les murs pour n'en laisser qu'une seule au centre, sur laquelle étaient posés de magnifiques plats d'argent chargés de petits gâteaux, et des pichets remplis à ras bord de boissons de toutes sortes qui avaient l'air fort rafraîchissantes. Le directeur Adams, les professeurs et les Maîtres Drakar étaient tous là.

— Bonjour !

— Bonjour, professeur Dumas ! s'empressa de dire Abbie d'un ton joyeux. Je suis *très* contente pour toi ! Tu le mérites tellement !

— Je suis d'accord avec elle, approuva Zarya.

Ève, Danika et Maelie se regardèrent d'un air étonné, ne comprenant pas pourquoi Abbie et Zarya étaient si enthousiastes.

— Bonjour, professeur Dumas ! Je m'appelle Ève Diony, fit la première en lui serrant la main.

— Vous êtes le nouveau professeur de télékatapelte, n'est-ce pas ? demanda Maelie.

— Oui, c'est exact !

— On ne s'est pas déjà vus ? l'interrogea Danika.

Zarya et Abbie avaient le fou rire.

— En effet, je suis leur ami, répondit Olivier en désignant Abbie et Zarya. Vous m'avez sûrement vu au camp des Maîtres Drakar, ici même, l'été passé.

— Oui, oui ! Je m'en souviens !

— Allez, circulez, je vous prie ! N'essayez pas de soudoyer le professeur Dumas. De toute façon, les filles, ça ne sert à rien, les cours n'ont même pas commencé !

— Ça, c'est Jeremy Vernet… le traître ! lança Abbie en lui lançant un regard espiègle.

— Eh bien, quoi ?

— Avoue ! Tu le savais depuis le début !

— On doit se tenir, entre gars ! répliqua Jeremy en posant la main sur l'épaule d'Olivier.

Zarya jeta un coup d'œil en direction de son grand-père, qui avait l'air très occupé à répondre aux questions que lui posaient de nombreux étudiants. Ils lui demandaient sûrement des trucs pour devenir un bon Maître Drakar.

Durant cette première journée, tous les Maîtres Drakar présents se tenaient à la disposition des académiciens. Certains d'entre eux faisaient office de guides dans l'immense établissement. Zarya, qui justement suivait l'un d'eux, fut ébahie de découvrir des endroits qu'elle n'avait pas vus au cours de sa première visite. Comme cette pièce d'entraînement pour la psychiforce, avec un équipement des plus insolites, et cette salle antigravitationnelle aux propriétés dignes d'un film de science-fiction. Cependant, l'endroit le plus étrange, aux yeux des nouveaux élèves, était sans aucun doute la Chambre du Temps. Une Maître Drakar leur avait expliqué que le temps s'y écoulait trois fois moins vite qu'ailleurs. « Très pratique, quand tu as un énorme travail à remettre pour le lendemain matin », avait blagué Zarya.

◊ ◊ ◊

Le dortoir était plongé dans une douce pénombre. Zarya, allongée sur son lit, regardait fixement, par la fenêtre, une demi-lune qui, couchée à l'horizontale, formait un sourire éclatant. Abbie, Ève et les sœurs Salse dormaient à poings fermés, les rideaux de leur lit bien tirés pour plus d'intimité. La première journée au Temple était passée à la vitesse de l'éclair. La jeune fille n'avait pas eu l'occasion de parler à son grand-père, mais elle avait eu la chance de rencontrer tous ses professeurs. Avant de fermer les rideaux opaques de son lit, elle jeta un regard émerveillé à la table centrale, sur laquelle étaient posées les cinq boules du Savoir : la lune répandait dessus une lueur argentée, ce qui créait un éclat fantomatique sur le haut plafond du dortoir. Un silence étonnant régnait dans la pièce : Zarya avait l'impression d'entendre le crépitement de la seule étoile qui scintillait dans la Sphère d'Agapè, posée sur le rebord de la fenêtre, près de son lit. En la regardant, elle eut une pensée profonde pour Jonathan. Plus elle pensait à lui, plus son désarroi augmentait. L'adolescente avait du mal à respirer, non pas parce qu'elle était fatiguée, mais parce qu'elle s'ennuyait terriblement de son amoureux. Les bras étroitement croisés autour de son buste, elle essayait, tant bien que mal, d'expulser la souffrance que pouvaient provoquer ses réflexions douloureuses. C'est alors qu'une idée folle lui vint à l'esprit : « Je ne suis pas loin de l'infirmerie. » Elle se leva, enfila sa robe de chambre et sortit de la pièce à pas feutrés.

10

Le treizième symbole

Elliott, le front appuyé sur la vitre du dortoir que la pluie frappait inlassablement, observait une nuée d'oiseaux noirs qui tournoyaient en criant au-dessus de l'orphelinat. Il réfléchissait à ce qu'il avait découvert au sujet du *Symbolus Gaîê-Kloetzer*. Devait-il en glisser un mot à ses amis ? Ceux-ci le croiraient-ils ? Ou le prendraient-ils pour un fou ? De plus, le garçon aurait voulu leur prouver de façon irréfutable que la branche de l'Unus cornu était en réalité un bâton druidique ayant des propriétés magiques. Cependant, il ne le pouvait pas, puisque le bâton ne fonctionnait plus ! À contrecœur, Elliott le glissa sous son lit. Puis il s'habilla précipitamment pour descendre au réfectoire.

Au pied de l'escalier, une jeune fille l'attendait patiemment, affichant un sourire magnifique.

— Bonjour, Laurie ! Mais que fais-tu ici ?

— Je m'apprêtais à aller frapper à ta porte. Je ne voulais pas que tu sois en retard encore une fois.

— Tu es gentille. Mais comme tu peux le voir, je suis là ! dit-il en lui rendant son sourire.

— Tu m'as l'air un peu fatigué, je me trompe ?

— Bah ! je n'ai pas bien dormi cette nuit. L'un de mes compagnons de chambre ronfle comme un vieux troll !

— Désolée.

— Ce n'est pas ta faute, fit Elliott, touché par la compassion de la jeune fille, qui semblait vouloir prendre les torts des autres sur ses épaules. Ne t'en fais pas, Laurie, la nuit prochaine, je vais lui enfoncer ma *plus vieille* chaussette dans la bouche.

Elle s'esclaffa.

Après avoir rempli leur panse, Elliott et Laurie retournèrent dans la mystérieuse bibliothèque du sous-sol. Ils devaient absolument finir la tâche que madame Delmas leur avait confiée.

Dès qu'il pénétra dans la pièce, le garçon sentit le découragement l'envahir. Seulement une infime partie de la bibliothèque avait été nettoyée. Cette pièce sombre étant dépourvue de fenêtres, la poussière qu'ils enlevaient des livres restait en suspension dans les airs pendant un instant avant de se redéposer sur eux. Le travail n'avançait pas aussi vite qu'ils l'auraient désiré. Malgré cela, Laurie, loin d'être découragée, se mit à siffloter son air favori avant même d'avoir son plumeau entre les mains. En la regardant du coin de l'œil, Elliott sourit.

Après quelques minutes de travail méticuleux, Laurie lui posa une question qui le surprit :

— Tu ne trouves pas que ces livres sont spéciaux ?!

« C'est le moment ou jamais ! » pensa le garçon.

— Que veux-tu dire par « spéciaux » ?

— Euh… ça va te paraître bizarre, mais je crois qu'ils ont tous un point en commun !

— Vraiment ?! Lequel ? lui demanda-t-il d'un air innocent, histoire de tâter le terrain.

— La magie !

— Vraiment ? La magie ! s'exclama Elliott en s'approchant d'elle.

— Oui. Regarde celui-là, fit Laurie en lui tendant un livre. L'adolescent le prit.

— *Les incantations rituelles du professeur Kloeti-Fabing*, lut-il à voix basse. Ça ne veut rien dire ! C'est peut-être un bouquin qui s'adresse aux fanatiques de vaudou ou ce genre de truc sans importance.

— Possible. Mais regarde celui-là !

— *Potions magiques pour apprenti druide.*

Elliott ouvrit le livre et constata qu'il était dans un état lamentable. Il avait dû être consulté des milliers de fois, car certaines pages manquaient ; d'autres étaient très usées et même déchirées par endroits.

— Crois-tu à la magie ? demanda le garçon.

— J'aimerais bien y croire. Ce doit être merveilleux de faire bouger des choses sans les toucher, ou même de concocter des potions magiques, fit Laurie en pointant le livre du doigt. Et toi, y crois-tu ?

Elliott hésita quelques secondes, puis il se lança :

— Oui. J'y crois dur comme fer !

La jeune orpheline fut étonnée par sa réponse.

— Je crois même que j'en ai déjà fait, continua-t-il en sentant une bouffée de chaleur lui monter au visage, car il appréhendait sa réaction.

— Waouh ! Elliott, j'aimerais tellement te voir faire de la magie !

Décidément, cette fille n'avait pas fini de le surprendre ! Voyant qu'il pouvait tout lui dire sans qu'elle se moque de lui, l'adolescent décida de lui glisser un mot au sujet de son bâton magique.

— Je crois que je suis de descendance druidique !

Laurie écarquilla les yeux, impressionnée, et dit :

— Quand je t'ai vu la première fois, j'ai su immédiatement que tu étais différent des autres.

— Et puis, j'ai la forte impression que je ne suis pas le seul, ajouta le garçon dans un souffle.

Cette fois, la jeune fille fronça ses petits sourcils roux.

— Mais qui d'autre serait comme toi ?

Elliott prit une grande inspiration avant de lâcher :

— Peut-être… toi !

— Moi ? s'écria Laurie avec un petit rire. Ce serait vraiment étonnant. Je ne suis même pas capable de faire un tour de magie avec un simple jeu de cartes !

— Alors, il te faudrait peut-être…, fit-il en déglutissant avec difficulté, euh… un bâton magique !

— Un bâton magique ?! Toi, tu en as un ?!

— Oui !

Laurie allait de surprise en surprise.

— J'ai une idée. Si on essayait l'une de ces potions ? De cette façon, on verrait bien ! lança Elliott, qui prit de nouveau le livre intitulé *Potions magiques pour apprenti druide* entre ses mains.

— Oh oui ! J'aimerais bien voir ça ! lança l'adolescente, souriante.

Le garçon tourna lentement les pages du livre, une à une, jusqu'à ce qu'il tombe sur une potion qui avait l'air facile à préparer. Vu le piteux état du bouquin, il déchira la page sans le moindre remords.

Elliott se sentait profondément soulagé d'avoir enfin dévoilé son secret à Laurie, si bien qu'il se remit à faire le ménage en sif-flotant la même mélodie qu'elle. Sa nouvelle amie lui avait promis de ne rien dire à personne. De toute façon, elle savait bien que si elle en parlait à qui que ce soit, elle serait la risée de l'orphelinat. Elle fut stupéfaite lorsqu'il lui dit qu'il l'emmènerait à l'endroit où l'on pouvait se procurer gratuitement un vrai bâton magique. Il se garda bien de lui révéler l'emplacement de ce lieu ; il voulait lui faire la surprise.

La température était devenue beaucoup plus fraîche que prévu ; un vent fort soufflait. Cependant, rien n'aurait pu empêcher Elliott d'emmener Laurie à l'endroit où se trouvait l'arbre de l'Unus cornu. D'ailleurs, ils s'étaient donné rendez-vous sur la terrasse de l'orphelinat au début de l'après-midi.

Après avoir revêtu une veste de laine couleur jade assez longue pour qu'il puisse glisser son bâton druidique à l'intérieur, le garçon dévala les escaliers au pas de course. Toutefois, il ralentit le pas en remarquant un détail auquel un autre que lui n'aurait même pas prêté attention : la porte du bureau de la directrice était ouverte. Il passa devant lentement et fut stupéfait de voir que la pièce était déserte. C'était réellement étonnant, car, depuis son arrivée dans cet orphelinat, Elliott avait remarqué que madame Welser gardait toujours la porte de son bureau bien fermée, celui-ci contenant des objets de très grande valeur. Il s'arrêta net, comme s'il avait mis les pieds dans de la colle ! Ses yeux étaient fixés sur l'étrange horloge qui était posée sur la cheminée de pierre. C'était celle qui possédait non pas douze, mais treize symboles indéchiffrables, qu'il avait vue durant son étrange rencontre avec la directrice. Cependant, une chose avait changé depuis. Maintenant, Elliott connaissait l'un des symboles : le *Symbolus Gaîê-Kloetzer*. Celui qui se trouvait à midi, ou plutôt à treize heures, sur l'horloge. Le garçon se rappelait, à présent, que c'était ici qu'il l'avait vu ! Maintenant qu'il prenait le temps d'observer les autres symboles, il remarqua d'autres choses tout aussi étranges.

Le *Symbolus Gaîê-Kloetzer* était le treizième symbole de cette horloge bizarroïde, alors que le douzième représentait un petit chaudron survolé par trois corbeaux. Et celui qui indiquait la onzième heure, une branche d'arbre frappée par un éclair. Et la seule aiguille en or de l'horloge pointait justement vers ce dessin.

— Que faites-vous ici, monsieur Holan ? demanda soudain madame Welser, qui venait d'apparaître comme par magie. Vous ne devriez pas aller vous amuser avec vos amis ?

— Euh... si, si, bien sûr, madame, balbutia le jeune orphelin en se penchant pour attacher ses lacets. J'y vais de ce pas...

Il l'avait échappé belle, encore une fois.

En ouvrant la porte, Elliott fut content de voir que Laurie était au rendez-vous. Sans prononcer un mot, il la prit par la main et se mit à courir en direction de la forêt. Il voulait être sûr que personne ne les suivrait, particulièrement Tommy et Yanis.

Heureusement pour nos deux orphelins, rares étaient les adolescents qui se promenaient dans la forêt ce jour-là : la température devait être trop fraîche. Elliott et Laurie, pour leur part, étaient bien trop excités pour sentir le froid. Ils s'engouffrèrent dans une allée étroite, bordée d'arbres touffus qui empêchaient les rayons du soleil de toucher le sol humide et recouvert de feuilles mortes multicolores.

« C'est magnifique ! » remarqua le garçon en donnant des coups de pied dans les feuilles, sous les rires de son amie.

Ils atteignirent la majestueuse clairière, entourée par les hautes cimes des arbres centenaires, fraîche et silencieuse, hormis le soupir perpétuel des feuilles. Ils aperçurent l'arbre de l'Unus cornu.

— C'est... ici ?! bafouilla Laurie en reprenant son souffle.

— Oui.

— Donc, madame Delmas avait raison quand elle disait que cet arbre était magique, ajouta-t-elle en s'approchant doucement de celui-ci.

Elliott resta immobile et la regarda marcher sur la pointe des pieds. Elle ne voulait pas casser les branches qui étaient tombées sur le sol, car elle avait deviné que l'une d'entre elles deviendrait son bâton druidique.

« Elle semble en chercher une en particulier », songea le garçon.

— Je l'ai trouvée ! s'écria soudain Laurie d'une voix très forte, sans doute sur le coup de l'émotion. C'est celle-là ! J'en suis certaine.

Il s'approcha d'elle et observa la branche qu'elle tenait fermement entre ses mains. Il remarqua qu'elle était sensiblement de la même longueur que la sienne, mais plus délicate.

— Elle est vraiment jolie !

— Je peux la garder, tu crois ? demanda Laurie en la serrant contre sa poitrine.

Entre deux gloussements amusés, Elliott lui dit :

— Oui, elle est à toi ! Et je crois que personne ne peut t'empêcher de la prendre.

— Et comment fonctionne-t-elle ?

— Je n'en sais rien ! répondit le garçon d'un ton dépité.

— Mais tu m'as dit…

— En vérité, je n'ai fait fonctionner la mienne qu'une fois, l'interrompit-il avant qu'elle ne soit trop déçue. Et j'ignore de quelle manière je m'y suis pris.

— Alors, on va trouver la bonne façon de faire. Mais, pour l'instant, on va se concentrer sur la potion magique ! suggéra Laurie avec enthousiasme.

— Mais où penses-tu qu'on devrait la préparer ?

— Dans un lieu où on pourra trouver un chaudron, faire un petit feu en toute sécurité, être à l'abri du vent… et, surtout, dans un endroit où Yanis et Tommy ne viendront pas nous déranger…

— Je crois savoir !

— Eh oui, tu as deviné. À la maison près du lac !

◊ ◊ ◊

Elliott et Laurie eurent l'impression de parcourir une dizaine de kilomètres avant d'atteindre la maison du lac, sûrement parce qu'ils étaient trop impatients de préparer leur première potion magique. En ouvrant la porte, le garçon se rappela avec précision sa dernière visite à la cabane. Il lui fallut donc s'armer de tout son courage pour pénétrer le premier dans un endroit où avait eu lieu un phénomène qui restait inexplicable. La silhouette floue qui s'était avancée vers lui dans le couloir de l'orphelinat, quelques nuits auparavant, et le vent glacial qui les avait effleurés, ses amis et lui, ici même, devaient avoir quelque chose en commun. Cependant, Elliott devait se concentrer sur le moment présent. En regardant Laurie, il réalisa qu'elle ne semblait aucunement perturbée par le souvenir de cette récente mésaventure.

Sans plus attendre, la jeune fille se dirigea, d'un pas qui touchait à peine le sol, vers une petite table près de la cheminée. Elle détacha les trois boutons de sa veste et en sortit un sac bourré de fines herbes, sous le regard étonné de son ami. Finalement, elle prit la feuille du livre des potions dans sa poche de gauche et la déposa également sur la table.

— Maintenant, prends les bouts de bois qui sont sur le plancher et fais un feu dans la cheminée.

— Tu as raison, ceux-là sont trop souillés de…, répondit Elliott en regardant avec dégoût les bûches qui se trouvaient à l'intérieur de la cheminée.

— Oui, oui, tu as raison ! Moi, je vais aller chercher de l'eau dans le lac, ajouta Laurie en voyant que les robinets de la cuisine étaient en mauvais état.

— D'accord, sois prudente !

L'adolescente prit un chaudron sur le comptoir de la cuisine, en enleva sommairement la poussière avec un torchon qui traînait près du petit évier et sortit.

Peu après, elle revint avec le contenant à moitié rempli d'une eau limpide. Elle fut surprise en constatant que le feu était déjà allumé dans l'âtre. Elliott avait trouvé des allumettes encore intactes dans une petite boîte en cuivre sur le manteau de la cheminée. Les deux apprentis druides s'installèrent pour préparer la mixture. Le garçon remarqua qu'il y avait un crochet de métal au centre de la cheminée : il y suspendit le chaudron au-dessus du feu.

— Où as-tu trouvé ces ingrédients ?

— Je me suis rendue au jardin et puis dans la serre, j'ai pratiquement tout trouvé ! N'est-ce pas formidable ? s'exclama Laurie, toute contente.

— Ouais ! Et maintenant, que doit-on faire ?

C'est avec une grande minutie et dans une belle complicité qu'ils commencèrent la potion. La jeune fille prit la *Rhodiola rosea* et la broya avec un bout de bois qu'elle avait trouvé sur le plancher poussiéreux. Une fois qu'il ne resta de cette petite fleur jaune que des graines finement pilées, Elliott les laissa tomber dans l'eau bouillonnante. Laurie répéta l'opération avec trois autres herbes qu'elle avait prises dans le jardin de l'orphelinat. Puis elle ajouta les tiges de *Cordyceps sinensis*, sans les broyer cette fois, si bien qu'Elliott trouva qu'elles ressemblaient à des vers de terre séchés. Ce fut lorsque l'adolescente mit la poudre de champignon *Otidea onotica* dans le liquide que celui-ci changea radicalement de couleur. On aurait dit maintenant de la boue liquide jaunâtre, qui dégageait une odeur pestilentielle.

Une carcasse de corbeau mort depuis trois jours sur un toit de tôle brûlant n'aurait pu sentir aussi mauvais !

— Il n'y a plus qu'à verser l'extrait de *Terrestris tribulus* dans le chaudron, dit Laurie, et il ne restera qu'à touiller en prononçant la formule incantatoire.

Elliott attrapa le bout de bois que son amie avait pris pour broyer les ingrédients et l'approcha du chaudron pour brasser la mixture.

— Non, Elliott ! On doit prendre le bâton magique pour la brasser ! Sinon ça ne fonctionnera pas. C'est écrit sur la feuille, c'est grâce au bâton que la potion s'activera.

— D'accord ! Tu veux utiliser le tien ?

— Non, pas pour l'instant, répondit Laurie, réticente. Je veux attendre un peu avant de l'essayer.

— Tu es certaine ?

— Oui.

— Alors, très bien.

C'est d'une voix à la fois douce et ferme, ainsi qu'avec une confiance absolue, qu'Elliott psalmodia la formule incantatoire en plongeant sa branche dans le liquide pour le touiller six fois dans le sens contraire des aiguilles d'une montre, comme la recette l'exigeait.

— *Misculare fluditarium activus !*

Le fluide dans le chaudron se mit à diffuser une lueur orangée si brillante que ses reflets créèrent des halos au centre de la cheminée. Simultanément, le feu sous le chaudron vira curieusement au vert. Une épaisse mousse rougeâtre se forma à la surface de la potion. Par prudence, les deux adolescents reculèrent d'un pas et observèrent silencieusement, la bouche grande ouverte, le mélange qui devenait de plus en plus épais.

Quelques secondes passèrent encore et le liquide se stabilisa. Laurie s'approcha fébrilement du chaudron.

— Maintenant, on va voir si ça fonctionne ! dit-elle en prenant une petite quantité de liquide avec une cuillère et en le versant sur la table.

— Waouh ! ça marche ! s'écria Elliott en regardant le liquide se répandre sur la surface de la table et y faire un énorme trou. Ça agit comme de l'acide ?

— Non, regarde ! répondit Laurie en prenant sa main pour l'essuyer. Le trou devrait disparaître !

Elliott prit la page du livre et lut le nom du sortilège : *traucum temporarius* (trou temporaire). Entendant alors un léger bruit saccadé, il se tourna et aperçut, sur le rebord de l'une des étroites fenêtres, trois énormes oiseaux noirs qui semblaient observer attentivement la scène.

Au même instant, dans le bureau de madame Welser, l'aiguille en or qui pointait vers la branche d'arbre frappée par la foudre changea de position, dans un léger déclic, pour pointer à présent vers le petit chaudron survolé par trois corbeaux.

11

Le Grimoire de Trotsky

L e lendemain matin, lorsque Zarya, Abbie et Jeremy se rencontrèrent dans le réfectoire pour le petit-déjeuner, ils virent Cylia discuter avec trois autres filles qu'elle semblait connaître à première vue. Après l'avoir observée plus attentivement, toutefois, Abbie subodora qu'elle était plutôt en train de recruter de nouveaux acolytes. Jeremy en était convaincu aussi.

Un claquement de mains retentit derrière eux. En se tournant, ils aperçurent Olivier qui s'approchait d'eux d'une démarche nonchalante.

— Bonjour, professeur Dumas ! lança Jeremy en lui donnant une petite tape amicale dans le dos.

— Bonjour, mes chers élèves, dit ironiquement le jeune homme en s'asseyant près de son amie de cœur. Vous êtes prêts pour votre première journée ?

— Oh oui ! répondit Jeremy, la mine réjouie.

Abbie et Zarya se contentèrent de lui sourire.

— Je dois vous dire que vos uniformes vous vont à merveille, ajouta Olivier en regardant la robe ample qui leur descendait aux genoux : le vêtement traditionnel de l'Académie.

— Oui, en effet, je crois que le mien me va plutôt bien ! approuva Jeremy avec humour en arrangeant son col jaune.

— Et toi, Zarya, le noir te va à ravir ! lança le professeur en lui faisant un clin d'œil.

Tous s'esclaffèrent.

— Nous commençons par notre évaluation, indiqua Zarya en consultant son horaire.

— Je ne suis pas vraiment inquiet pour toi, dit Olivier qui se souvenait très bien de l'évaluation de la jeune fille au camp d'été : c'est elle qui avait eu le meilleur résultat.

Aux yeux de ses amis, Zarya était joyeuse et très détendue pour sa première journée de cours. Cependant, ce n'était pas le cas. Elle dissimulait sous son masque riant une terrible angoisse.

Cela remontait à la nuit précédente, lors de sa visite nocturne à l'infirmerie du Temple…

Lorsqu'elle avait quitté le dortoir vers minuit, elle s'était rendue directement à l'endroit où reposait Jonathan. Son cœur avait bondi dans sa poitrine lorsque, en pénétrant dans la chambre, elle avait vu une infirmière en train d'éponger le front ruisselant de sueur du jeune Maître Drakar. Légitimement inquiète, elle lui avait demandé :

— Pourquoi transpire-t-il de cette façon ?

— Bonsoir, mademoiselle Adams ! avait dit l'infirmière, surprise, en refermant la cloison de verre. Disons que… je ne suis pas sûre d'être la bonne personne pour vous répondre…

La jeune femme était visiblement mal à l'aise.

— Je suis sûre que vous le pouvez ! avait déclaré Zarya, maintenant angoissée par l'intonation de sa voix. Que se passe-t-il ? Y a-t-il un problème que j'ignore ?

Au même moment, Raïa était entrée en trombe dans la chambre. Elle était restée plus tard que d'habitude, ce soir-là, pour s'occuper de la paperasse qui s'était accumulée sur son bureau. C'est donc avec un grand étonnement qu'elle avait vu la petite-fille du directeur passer dans le couloir à cette heure indue.

— Oh ! bonsoir, mademoiselle Adams !

— Que se passe-t-il, docteure ?

La jeune Hyperboréenne avait demandé à l'infirmière, avec la plus grande politesse, de quitter la chambre.

— Asseyez-vous, je vous prie.

Une phrase à ne pas prononcer dans ce genre de situation.

— Je préfère rester debout, merci !

— Très bien. Alors, pour répondre à votre question, nous ne connaissons pas exactement la cause de ce problème, avait dit Raïa, désolée. Mais soyez rassurée, Jonathan n'est pas en danger pour autant. C'est pour cette raison que nous n'en avons pas parlé plus tôt.

— Je ne suis pas médecin, mais je suis sûre que ce n'est pas normal, de transpirer de cette façon.

— Et vous avez raison.

Raïa avait regardé Jonathan, semblant réfléchir à ce qu'elle allait dire à la jeune fille qui était de toute évidence troublée.

— Ce n'est pas la première fois que ça lui arrive, de transpirer ainsi. À vrai dire, ça lui arrive tous les deux jours… à minuit onze minutes précisément.

— Minuit onze !

— Exactement. Vous vous souvenez de la première fois que vous avez appelé votre grand-père pour lui parler d'un signe que vous aviez reçu de Jonathan ?

— Oui ! avait répondu Zarya qui se rappelait parfaitement la conversation téléphonique qu'elle avait eue avec Gabriel après avoir vu une deuxième étoile apparaître dans la Sphère d'Agapè.

— Ça coïncidait avec le même moment.

Zarya avait écarquillé les yeux.

— Est-ce que vous avez eu d'autres signes, depuis, à la même heure ? l'avait interrogée Raïa.

— À vrai dire, normalement, je dors à cette heure.

— Je comprends. Nous croyons que votre ami vit une expérience troublante aux deux jours, toujours à la même heure.

— Zarya !

Une voix avait réussi à entrer dans sa bulle.

— Zarya ! répéta Abbie en se levant, nous devons y aller.

— Oui, oui, d'accord, je m'en viens, dit Zarya en ramassant son plateau.

Lorsqu'elle pénétra, avec ses amis, dans la salle où devait avoir lieu l'évaluation, la jeune fille vit une trentaine d'académiciens. On lui avait dit plus tôt que seuls les élèves de sa classe seraient présents. Elle fut déçue de constater que Cylia Ekin faisait partie de ce nombre.

La grande salle rectangulaire au magnifique plafond en voûte était faiblement éclairée par des torches accrochées aux murs. Au centre, il y avait ce fameux piédestal en forme de dragon tenant, entre ses pattes avant, au-dessus de sa tête, un cristal bleu lapis de la grosseur d'un ballon de football. De l'autre côté, en face des étudiants, on pouvait voir une table en demi-lune où étaient assis la professeure Katyn Masanari, le professeur Trevor Razny ainsi que le directeur Gabriel Adams.

— Bienvenue au test d'évaluation, mes chers élèves ! fit Gabriel avec son air aimable et empreint de sagesse. Je vois parmi vous des visages qui me sont familiers. Alors, j'imagine que vous avez déjà passé ce test antérieurement. Mais je peux également apercevoir de jeunes figures pleines de vitalité, mais aussi d'interrogations bien légitimes. À quoi peut bien servir ce gros cristal au centre de la pièce ? Soit dit en passant, on le nomme « alexandrite ». Et quelles sont ses vertus ? Eh bien, l'alexandrite a le pouvoir de déterminer la force de vos chakras, ainsi que leur évolution. Avant d'appeler le premier candidat, je vais vous expliquer comment les choses vont se passer. L'élève appelé doit se placer à deux mètres de ce piédestal, puis lui envoyer toute son énergie chakramatique. Selon l'évolution de vos chakras, la couleur change. Il y a cinq couleurs différentes. Le rouge représente le plus faible niveau. La force augmente graduellement, passant d'abord par le bleu, le vert, le jaune et, finalement, le blanc. Le blanc montre la puissance incroyable de vos chakras. Maintenant, je vous laisse avec le spécialiste des pierres magiques… le professeur Trevor Razny.

Ce dernier s'avança près des nouveaux académiciens avec la liste des noms en main.

— Quand vous entendrez votre nom, vous vous approcherez du piédestal, je vous prie… J'aimerais voir Prajet, Lucas !

Lucas s'avança d'un pas timide vers le piédestal.

Pendant ce temps, Zarya laissa glisser ses yeux rêveurs vers un coin de la pièce. C'était là que se trouvait Jonathan la première fois qu'elle l'avait vu. Les paupières à demi closes, complètement muette, la jeune gothique était si concentrée qu'elle avait l'impression de distinguer sa silhouette. Son cœur frémissait de sa première ivresse, voulant désespérément que ce rêve devienne réalité. Totalement désorientée par cette illusion du bonheur, elle ne savait même plus comment elle s'appelait. Elle aurait tout donné pour que cela ne cesse jamais. Rien de ce qu'elle avait vécu dans sa vie récemment n'était comparable à l'effet que lui procurait cette vision.

— Adams, Zarya !

La jeune fille regarda partout autour d'elle, cherchant ce qui avait interrompu ce merveilleux rêve éveillé.

— Zarya, c'est à toi ! chuchota Abbie en lui tapant sur l'épaule.

— Si vous voulez bien vous avancer, mademoiselle Adams, dit le professeur Razny.

Perdue dans ses pensées, Zarya n'avait même pas vu combien d'étudiants avaient passé le test.

Elle marcha lentement vers l'alexandrite et regarda de nouveau dans le coin ; cependant, la silhouette de son amoureux n'y était plus.

— Quand vous serez prête, mademoiselle Adams. Et ne vous inquiétez pas pour le piédestal. Cette fois, il est en métal, lui lança le professeur Razny en lui faisant un clin d'œil.

Il lui avait mentionné ce petit détail, car, lors de sa première évaluation, elle l'avait brisé.

Zarya prit une position confortable, bien ancrée au sol, un pied devant l'autre et les mains tendues devant elle. Elle avait de la difficulté à chasser l'image de son amoureux transpirant dans son lit. Pour une raison inconnue de tous, celui-ci endurait un cruel tourment tous les deux jours.

À ce moment-là, l'adolescente sentit deux petites larmes mouiller ses yeux ; elle haïssait, plus que tout, la distance qui les séparait. Le regard brouillé, elle cligna ses paupières à plusieurs reprises pour échapper à la détresse qui l'avait happée. Zarya s'efforça de respirer un bon coup, puis se concentra du mieux qu'elle put.

Quelques secondes s'écoulèrent. Soudain, le cristal se mit à émettre une lueur rouge qui ne tarda pas à virer au bleu et ensuite au vert. Ne pouvant aller plus loin, la jeune fille s'arrêta là et regagna sa place.

Pour la plupart des personnes présentes, la piètre performance de Zarya Adams passa inaperçue. Cylia Ekin, qui avait obtenu un meilleur résultat qu'elle, lui jeta un regard moqueur dont elle ne fit pas de cas. Par contre, Gabriel Adams, connaissant bien les capacités de sa petite-fille, savait que cette mauvaise performance en disait long sur l'état de détresse dans lequel elle se trouvait actuellement.

Cependant, lorsque le regard de la jeune fille et celui du vieil homme se croisèrent, ce dernier lui fit un sourire rayonnant.

◊ ◊ ◊

Au cours des deux semaines suivantes, Zarya fit de son mieux pour ne pas laisser l'inquiétude la submerger. Bien sûr, tous les deux jours à minuit onze, c'était plus fort qu'elle : elle regardait la deuxième étoile apparaître dans son pendentif magique, même si elle savait parfaitement qu'elle ne pouvait rien y changer.

Fort heureusement, depuis quelques jours, la quantité phénoménale de travail que les professeurs lui donnaient à faire monopolisait toutes ses soirées. Donc, le soir venu, elle tombait littéralement dans son lit, épuisée. Malgré la profonde détresse qui l'habitait, elle adorait cette académie. Les travaux étaient toutefois plus difficiles qu'elle ne l'avait cru, surtout dans les cours sur la démonologie que donnait la professeure Katyn Masanari. Zarya devait justement remettre une dissertation sur la pratique de l'exorcisme au XVIᵉ siècle le vendredi suivant. Le professeur Razny, quant à lui, avait donné un travail laborieux à ses élèves. Ceux-ci devaient découvrir la propriété magique d'un cristal rougeâtre de forme conique. Malgré l'emploi du temps chargé qu'elle avait entre le Temple et l'université, Abbie avait réussi l'exploit de trouver la fameuse propriété deux jours avant la date de remise du devoir.

Depuis la rentrée, Zarya visitait Jonathan tous les jours où elle était au Temple, consacrant le samedi et le dimanche à ses amis et à sa famille. Un jeudi, quelques jours avant l'Halloween, elle marchait dans le couloir qui lui était devenu si familier, celui qui menait à la chambre de son amoureux, lorsqu'elle eut la surprise d'apercevoir, par la porte entrouverte, les parents et la petite sœur de ce dernier. C'était la première fois qu'elle les voyait là. Elle s'arrêta net près de la porte, préférant finalement rester à l'écart. En bougeant la tête de quelques centimètres à peine, elle pouvait entrevoir également le partenaire de Jonathan, Didier Leny. Ce dernier tenait la main de la docteure Raïa. Zarya comprit immédiatement qu'il était son ami de cœur.

Tout avait commencé le jour où Didier avait pris un verre dans un bar populaire de Vonthruff en compagnie de Gabriel Adams. L'apprenti Maître Drakar avait parlé à ce dernier d'une jeune femme qu'il avait rencontrée dans une ville nordique, sans toutefois lui révéler le nom de cet endroit ni l'origine de son amie, car il avait promis au chancelier Van-Noor de Sadek de ne rien dire à personne de l'existence de Sÿrast, la cité des glaces, et de ses habitants particuliers. Mais lorsque Didier lui avait précisé que son amie était docteure, Gabriel lui avait immédiatement proposé un poste pour elle au sein de l'académie, sans même l'avoir vue.

Lorsqu'il était retourné à Vonthruff deux mois plus tard pour rendre visite à Raïa, Didier lui avait fait part de la proposition de son directeur. Celle-ci avait accepté sur-le-champ, sans même réfléchir. Elle rêvait depuis toujours de connaître de nouveaux horizons et, pour elle, c'était une occasion en or. Bien que sa raison première fût d'accompagner celui qu'elle aimait désormais.

Lorsqu'elle avait traversé la mer Scylla à bord de la *Pertuisane III* et qu'elle avait aperçu pour la première fois la ville d'Attilia, la jeune femme hyperboréenne avait été subjuguée par la beauté du paysage tropical. Didier se souviendrait toujours de la fameuse rencontre entre Raïa et Gabriel Adams. Il était d'une extrême nervosité. Même s'il connaissait la bonté du vieil homme, il appréhendait son refus.

Quand ils étaient arrivés devant la porte du bureau du directeur, son anxiété avait atteint son apogée.

— Entrez, je vous prie ! avait lancé Gabriel avec la plus grande courtoisie.

— Bonjour, Maître !

— Bonjour, mon cher Didier ! J'espère que vous allez bien.

— Très bien, merci.

Gabriel s'était alors tourné vers l'elfe aux yeux argentés et aux longs cheveux ivoirins.

— Vous êtes sûrement la docteure Raïa Drius ? avait-il demandé en s'approchant d'elle avec un aimable sourire.

— Oui, monsieur Adams, avait-elle répondu en lui serrant la main.

— Ce cher Didier me l'avait dit, mais permettez-moi de constater les faits : vous êtes vraiment charmante.

— Merci, avait fait Raïa en sentant sa peau d'une blancheur presque irréelle rosir de timidité.

— Excusez-moi pour ma grande curiosité, docteure Drius…

Didier s'était senti de nouveau très nerveux.

— … mais êtes-vous native de Sÿrast ?

— Oui !

En voyant le visage surpris de Didier, Gabriel lui avait souri.

— Il ne faut pas oublier que je suis également ministre des Relations interdimensionnelles, avait-il précisé en lui faisant un clin d'œil. Et comment va ce cher chancelier Van-Noor de Sadek ?

— Il va très bien, monsieur Adams.

En se dirigeant vers son bureau, le directeur les avait priés de s'asseoir.

— Comme je l'ai dit à Didier, nous aurions besoin de vos précieux services au sein de cette académie, dans le secteur médical bien entendu.

— Voici les informations sur ma formation et mon expérience en médecine, avait fait Raïa en sortant un dossier de sa petite valise et en le lui tendant.

Après avoir regardé les nombreux diplômes qu'elle avait obtenus durant ses années d'études, Gabriel lui avait dit d'un air satisfait :

— Je suis très impressionné par votre parcours, docteure Drius. La réputation des elfes hyperboréens en science est connue de tous. D'ailleurs, si je ne me trompe pas, l'éminent docteur Ramon Do Tri-Sellen est un chercheur renommé dans notre pays, dans le domaine des traitements anticancéreux, et il est également un elfe hyperboréen de Sÿrast.

— Oui, vous avez entièrement raison, monsieur Adams. J'ai justement eu la chance de m'entretenir avec lui à quelques reprises.

— Alors, je vous souhaite la bienvenue au Temple des Maîtres Drakar et je suis enchanté de vous compter parmi nous…

Zarya prit le temps d'observer les parents de Jonathan. Son père avait les cheveux châtain clair, grisonnants, et il était légèrement grassouillet. La mère était très jolie, mince et élégamment vêtue. Sa ressemblance avec son fils était frappante. Zarya aurait tant aimé rencontrer Livia en un temps plus heureux. Comme Jonathan le lui avait déjà dit, elle dégageait beaucoup de bonté et de simplicité.

Le regard de la jeune fille fut attiré par une carte d'anniversaire qui était posée sur la commode.

— C'est son anniversaire ! chuchota-t-elle, les yeux ronds.

Zarya, attristée, n'avait pas envie de regagner son dortoir. Cependant, elle était consciente de ce qu'elle ne pouvait pas rester dans ce couloir éternellement : elle ne voulait pas rencontrer les parents de Jonathan dans ces circonstances malheureuses. Par contre, elle se promit de revenir durant la soirée. En quittant l'infirmerie, elle fronça les sourcils, mimique qui exprimait autant de regret que de tristesse, car elle venait de réaliser qu'avant cette visite elle n'avait aucune idée de la date de l'anniversaire de son amoureux. Elle ne le connaissait pas autant qu'elle l'aurait souhaité.

Tous les académiciens s'étaient rassemblés dans le réfectoire pour le repas spécial de l'Halloween. La décoration de l'immense salle était à la fois simple et magnifique. Des chandelles orange étaient disposées partout sur les tables. On pouvait voir également des citrouilles évidées, taillées en forme de visage grimaçant et illuminées par une bougie placée à l'intérieur. Le plus surprenant, du moins pour Zarya et Abbie qui n'avaient jamais vu une chose pareille, c'était qu'elles flottaient dans les airs comme des ballons gonflés à l'hélium. À l'extérieur, le temps semblait convenir parfaitement à cette fête des Morts. Effectivement, par les grandes fenêtres du réfectoire, on pouvait voir la pluie qui s'abattait violemment sur la ville d'Attilia, les vents forts qui faisaient courber les cimes des arbres et gémir leurs feuillages panachés. Ce temps pluvieux avait un effet désastreux sur la chevelure d'Abbie : elle frisottait de toutes parts ! En fait, la jeune érudite avait dû affronter la petite tempête tropicale le matin même. Son premier cours était à l'université et elle avait dû revenir au Temple pour le cours de démonologie. Elle n'avait pas pris la peine d'aller au dortoir se refaire une beauté, pour la simple et bonne raison qu'elle devait retourner à l'université après le repas. Le vendredi était la journée où son emploi du temps requérait le plus de va-et-vient entre le Temple et l'Université Rockwhule. Heureusement, grâce aux transmoléculaires, il lui fallait à peine cinq minutes pour faire le trajet.

En voyant le sac à dos d'Abbie qui, débordant de bouquins, menaçait d'exploser à tout moment, Jeremy ne put s'empêcher de lui dire :

— Si tu as besoin de Féeria pour transporter tes livres, fais-moi signe !

— Je crois que ce ne serait pas une mauvaise idée ! approuva la jeune fille en s'esclaffant. Je me vois bien arriver à l'université ou au Temple sur une jument ailée !

— Tu aimes toujours tes cours à l'université, Abbie ? demanda-t-il en donnant une tape à une citrouille volante qui venait de lui bondir sur la tête.

— J'adore ça ! Mais je dois t'avouer que ça me prend tout mon temps...

— Pauvre Olivier ! s'exclama Jeremy.

— Disons qu'il m'en reste un peu pour lui, rétorqua Abbie en lui faisant un sourire niais.

Se tournant vers Zarya, qui semblait perdue dans ses pensées, Jeremy lui dit :

— Le cours de goétie promet d'être intéressant.

— Oui... bien sûr, répondit l'adolescente, l'air de revenir de loin. D'après ce qu'a dit la professeure Bignet, elle va faire un spécial Halloween.

— Et savez-vous quel en est le sujet ? demanda Abbie, inté-ressée, bien qu'elle ne fût pas inscrite à ce cours.

— Les objets maléfiques ! répondit Ève, qui était assise près d'elle.

En entrant dans la classe de goétie, quelques instants plus tard, Zarya regarda attentivement autour d'elle. En effet, la professeure Bignet avait artistiquement décoré sa classe avec les objets les plus effrayants de sa collection, pour souligner cette fête des Morts. La pièce circulaire, très sombre comme d'habitude, était seulement éclairée par des chandelles noires, communément appelées « neuvaines noires ». Ces dernières avaient la propriété de condenser l'esprit du mal ainsi que d'accélérer les processus de maléfice et d'envoûtement. Sur le mur du fond, devant le tableau noir où étaient dessinés des symboles sataniques, il y avait une table rectangulaire sur laquelle étaient disposés des objets insolites. La jeune gothique reconnut l'un d'entre eux ; c'était un objet dont elle avait dû apprendre à contrer les maléfices dans le passé : le Crâne maudit !

En entendant la porte se refermer, Zarya se retourna et vit la professeure Emma Bignet. C'était une dame d'un certain âge, aux cheveux gris ébouriffés, vêtue d'une robe blanche. Elle fixa les étudiants avec le seul œil qui lui restait (l'autre était en verre) et leur dit :

— Bonjour à tous ! Je vous demande de bien vouloir sortir le livre intitulé *Malchance ou Malédiction*.

Une fois que ce fut fait, elle demanda :

— Est-ce que quelqu'un, parmi vous, pourrait m'expliquer justement la différence entre la malchance et la malédiction ?

Quelques mains se levèrent, mais Zarya avait été la plus rapide.

— Oui, mademoiselle Adams ?

— La malchance est un hasard malheureux. Et la malédiction est un rituel appelant les forces infernales à exercer leur action vengeresse contre un individu.

— C'est très bien. Alors, la malchance est un concept qui exprime l'accomplissement d'un événement, sans qu'il y ait nécessairement un lien de cause à effet entre le désir et sa réalisation. Et, comme mademoiselle Adams l'a si bien dit, il s'agit d'un malheureux hasard.

La dame s'avança vers les élèves et adopta, cette fois, un ton plus sérieux pour déclarer :

— Par contre, la malédiction… c'est l'action de maudire ! Et pour proférer leur imprécation envers leur ennemi, certaines personnes utilisent des objets pour accroître leur force démoniaque, que ce soit pour se venger, pour dominer ou même par simple cruauté.

Madame Bignet s'approcha de la table et prit un objet dans sa main. C'était un magnifique collier bleu saphir. Zarya n'avait jamais vu un bijou briller de cette façon. Il était d'une beauté sans pareille.

— Quelqu'un pourrait me dire le nom de ce collier et son pouvoir diabolique ?

Une jeune fille très grande, avec des cheveux et des yeux noirs, ce qui lui donnait un air asiatique, leva la main. C'était Cylia Ekin. Elle était assise dans la dernière rangée, entre ses deux nouvelles amies.

— C'est le collier de Mahin Bixby. Son pouvoir est simple et très original. Il étrangle sa victime ! fit-elle en regardant Zarya droit dans les yeux. Je le sais, parce que c'est mon père qui l'a confisqué à un étranger en provenance du monde des sorciers. Et il en a généreusement fait don à cette académie.

— Merci, mademoiselle Ekin. Et je tiens à souligner le geste remarquable de monsieur Marcus Ekin pour cette donation. Grâce à lui, nous avons eu la chance exceptionnelle d'étudier cet objet en profondeur.

— Qui est ce Mahin Bixby ? demanda un jeune homme assis à côté de Zarya.

— Mahin Bixby était un mage qui a vécu dans notre ville, il y a de cela deux siècles. La nature ne l'avait pas gâté, si vous voyez ce que je veux dire… En revanche, il possédait un cerveau hors du commun. Il était professeur à l'Université Rockwhule et, en même temps, c'était un psychanalyste renommé. Hélas, c'était également un tueur en série de la pire espèce. Il offrait ce collier, qu'il avait lui-même fabriqué et ensorcelé, aux femmes qu'il convoitait. Naturellement, elles acceptaient son cadeau, mais lorsqu'il leur faisait des avances et qu'elles refusaient, le collier se resserrait sur elles comme un serpent autour de sa malheureuse proie.

— C'est une sacrée étreinte amoureuse ! lança Jeremy.

Tous s'esclaffèrent, sauf Cylia.

— C'est le moins qu'on puisse dire ! approuva madame Bignet.

Pendant que la professeure cherchait un autre objet, Zarya regarda le Crâne maudit et eut l'impression qu'il la fixait droit dans les yeux. Elle ne souhaitait en aucun cas que madame Bignet révèle au reste de la classe la façon dont les Maîtres Drakar l'avaient obtenu. Elle aurait pu dire la même chose que Cylia, songea-t-elle : « C'est mon père qui en a généreusement fait don à l'Académie. » Mais à quel prix ?!

— Que représente cette toile, madame ? demanda Ève de sa voix douce.

— Eh bien ! Pourquoi pas ?! fit la dame en prenant un tableau représentant un livre qui semblait très vieux. Ceci, ma chère, est la représentation d'un des objets les plus mystérieux de cette collection. C'est le Grimoire de Trotsky ! Communément appelé le Livre des Morts.

Il y eut des chuchotements dans la classe ; Zarya ne comprenait pas cette agitation soudaine.

— Silence, je vous prie !

— Ce livre existe… *vraiment*, madame ? demanda un étudiant qui était assis près de Cylia. Je croyais que c'était un mythe.

— Derrière chaque mythe, il y a une part de vérité. Mais je comprends votre étonnement. Qui n'a jamais entendu parler de ce livre ?

Zarya faillit lever la main en criant : « Moi ! » mais elle n'en eut pas le temps, car la professeure enchaîna :

— En fait, cette toile aurait, dit-on, été peinte par nul autre que le détenteur du grimoire maudit.

— Et où est cet homme ? Qui est-ce, madame ?

— C'est un mystère. Sûrement dans une autre dimension que la nôtre. De toute façon, ce livre n'intéresse personne de sensé. Seul un mage noir aurait la mauvaise idée de partir à sa recherche. Il est vrai qu'il y a eu des individus qui l'ont cherché dans le passé...

— L'ont-ils retrouvé ? intervint poliment Jeremy.

— Pour vous dire la vérité, je crois sincèrement qu'ils l'ont retrouvé, puisqu'ils ne sont jamais revenus de cette expédition !

Tous les élèves de la classe fixèrent la professeure avec un air stupéfait.

— Mais quel est son pouvoir ? l'interrogea Zarya, intriguée.

— Celui qui entre en possession du Grimoire de Trotsky devient immortel ! Et à mon avis, c'est la plus grande malédiction qui soit. On doit quitter ce monde, un jour ou l'autre, pour l'autre rive, expliqua Emma Bignet avec un petit rire. Ce livre a un second pouvoir, qui peut s'avérer fort intéressant : c'est un télépat relié directement aux personnes décédées.

— Aux morts ?!

— Oui, mademoiselle Adams.

— Peut-on l'utiliser pour communiquer avec... les gens qui se trouvent dans les limbes ? demanda Zarya, les yeux écarquillés.

— Sans aucun doute !

12

Une promesse téméraire

Zarya entra à toute vitesse dans le dortoir des filles afin de faire sa petite valise pour la fin de semaine. Heureusement pour elle, aucune de ses compagnes de chambre n'était arrivée de ses cours. C'était ce qu'elle avait souhaité, puisqu'elle voulait rendre visite à Jonathan avant de quitter le Temple pour ses deux jours de congé bien mérités. Bien sûr, avant de sortir de la pièce, l'adolescente prit soin d'écrire un petit mot à son amie.

Salut, Abbie! J'espère que tu as passé une belle journée. Je suis partie rendre visite à Jonathan à l'infirmerie. Alors, tu peux quitter le Temple sans moi. Et n'oublie surtout pas le souper d'Halloween, ce soir, chez moi!

Ton amie, Zarya XX

En ouvrant la porte de la chambre de Jonathan, Zarya remarqua que les cartes d'anniversaire avaient toutes disparu, pour laisser place à une jolie petite citrouille sur la commode.

Couché dans son lit blanc, toujours recouvert de l'enceinte semi-circulaire stérile et transparente, le jeune homme semblait arborer un petit sourire en coin, sûrement un spasme musculaire, comme l'infirmière l'avait déjà dit à Zarya. Cette dernière avait toujours la forte impression, même après trois mois de visites, qu'il allait se réveiller d'un instant à l'autre. C'était peut-être pour cette raison que lorsqu'elle lui parlait, elle prenait soin de chuchoter. Pourtant, le voir se réveiller était justement son souhait le plus cher !

— Bonjour, Jonathan ! fit-elle en posant sa main sur la paroi de verre. Peu importe, pour l'instant, l'endroit où tu es, j'espère de tout mon cœur que tu vas bien. Moi, ça peut aller. À présent, je comprends le dévouement que tu avais pour cette belle académie. Tu avais raison quand tu me disais que les cours au Temple étaient intéressants. Maintenant, je peux te le confirmer, j'adore vraiment ça ! Et j'ai l'impression que mes professeurs m'aiment bien. Je fais tout mon possible pour que ce soit le cas.

La jeune fille alla chercher une chaise, au fond de la pièce, et la posa délicatement près de son amoureux.

— J'ai appris une chose incroyable aujourd'hui ! Madame Bignet a parlé d'un objet qui pourrait nous permettre de communiquer, toi et moi. De cette façon, je serais en mesure de te dire la vérité sur l'endroit où tu te trouves en ce moment. Comme ça, tu saurais que les choses que tu vois sont fausses, tout comme ce que tu ressens actuellement. Ce sont des chimères, tout ça ! Ainsi, tu pourrais réintégrer ton corps, fit-elle alors qu'une larme coulait le long de sa joue. On serait de nouveau ensemble.

Zarya poussa un long soupir. Elle voulait croire ses propres paroles de toutes les fibres de son corps.

— Cependant, le plus difficile, ce sera de retrouver le Grimoire de Trotsky. J'imagine que si cette information est arrivée à mes oreilles, ça doit forcément être un message, un signe ! Car, comme mon grand-père me l'a dit à quelques reprises, les coïncidences n'existent pas !

L'adolescente prit le temps de respirer profondément en contemplant la pâle lumière argentée qui filtrait par la seule fenêtre de la chambre. Pour la première fois depuis ces longs mois de solitude, elle avait un espoir justifié. Cependant, sa certitude de retrouver le grimoire était en équilibre instable sur un fil de fer, et il n'en faudrait pas beaucoup pour qu'elle bascule du côté de la déception. Zarya ignorait quel sentiment, entre l'optimisme et l'incrédulité, était le plus puissant. Peu importe, elle préférait opter pour le premier.

La jeune fille fixa de nouveau son regard perçant sur les paupières fermées du Maître Drakar et lui dit d'une voix déterminée :

— Si je dois passer le reste de mon existence à parcourir l'univers pour le retrouver… alors, je le ferai. Je t'en fais la promesse !

◊ ◊ ◊

Depuis qu'elle connaissait le moyen de communiquer avec Jonathan, Zarya osait à peine croire qu'elle se sentait le cœur plus léger. Elle se remit à faire les cent pas dans sa chambre du numéro 10 de la rue Adams. Elle se demandait par où commencer. Selon la professeure Bignet, retrouver le Grimoire de Trotsky était une chose insensée, une entreprise suicidaire. Pourtant, si la jeune fille était si tourmentée en ce moment, ce n'était pas parce qu'elle pensait aux conséquences que pourrait avoir sa difficile et périlleuse recherche, mais plutôt parce qu'elle imaginait la réaction d'Abbie quand elle lui parlerait de son projet. Que dirait-elle ? Est-ce qu'elle l'encouragerait à partir à la recherche du grimoire, ou l'en dissuaderait-elle ? L'opinion d'Abbie était très importante pour Zarya. Mais aussitôt que cette dernière devinait le raisonnement sensé que risquait d'avoir son amie à ce sujet, son moral redescendait. Elle avait peur qu'Abbie arrive à la persuader d'abandonner cette folle idée. Pourtant, c'était la première fois qu'elle voyait une lumière, si petite soit-elle, au bout de ce long tunnel ténébreux.

Lorsqu'elle descendit au salon, deux heures plus tard, Zarya trouva Abbie et Olivier confortablement installés devant la cheminée de pierre. Les adultes étaient dans la cuisine en train de préparer le repas.

— Qu'est-ce que tu faisais dans ta chambre ? demanda Abbie lorsque Zarya s'enfonça dans le fauteuil près de la fenêtre.

— Je me suis allongée, et je crois que je me suis endormie.

— Tu as eu une grosse semaine, n'est-ce pas, Zarya ? l'interrogea Olivier en déposant son verre de sammael sur la table du salon.

— Oh oui !

— Eh bien, tu n'es pas la seule, crois-moi ! Quand j'ai vu Jeremy sortir du Temple, je croyais qu'il ne se rendrait jamais au transmoléculaire. J'ai dû l'aider à transporter sa valise !

— Pauvre Jeremy ! compatit Abbie avec un petit rire. Il se donne à deux cents pour cent.

— Il est très déterminé, je peux vous le confirmer ! dit Zarya. Et même dans les cours théoriques. Je n'ai jamais vu personne poser autant de questions aux professeurs… À part Abbie, bien sûr !

— Heureusement que tu l'as précisé, Zarya, intervint Olivier, car je m'apprêtais à te contredire. *Personne ne pose autant de questions qu'Abbie!*

— Je n'aime pas rester dans l'ignorance, répliqua Abbie, un peu agacée.

— On te taquine, voyons! s'exclama Zarya.

Elle fit une petite pause, puis lança à son amie:

— Je crois que la semaine prochaine va être encore plus chargée pour moi. Je dois faire une recherche pour un travail de goétie.

Elle voulait ainsi prévenir Abbie qu'elle passerait une partie de ses soirées à la bibliothèque du Temple, mais se garda bien de préciser qu'elle essaierait de trouver des informations sur le Grimoire de Trotsky. De cette façon, son amie ne se poserait pas de questions sur ses absences répétées.

— Et toi, Abbie, je suppose, d'après la quantité de livres qui sont empilés sur ta table au dortoir, que tu ne dois pas souvent t'ennuyer? poursuivit Zarya.

— C'est peu dire, soupira Abbie d'un ton accablé. Les travaux de gemmologie physique, à l'Université Rockwhule, me demandent énormément de mon temps. Cette semaine, entre autres, je dois apprendre par cœur la définition de l'opale de feu.

— C'est une pierre? se renseigna candidement son amie.

Abbie ferma les yeux pour mieux se concentrer, puis répondit:

— Objectivement, l'opale est une silice amorphe ou mal cristallisée. Elle est hydratée et a pour formule SiO_2, nH_2O. La teneur en eau peut considérablement varier d'une opale à l'autre; elle fluctue généralement de 4 à 10 % avec des valeurs extrêmes de 0,8 à 21 %, attribuées généralement aux opales ne présentant pas de jeux de couleurs. La dureté de l'opale peut varier entre 5,5 et 6,5.

— Waouh ! s'exclama Zarya, les yeux grands ouverts. Je n'ai absolument rien compris !

— Moi, fit Olivier, j'ai retenu une seule chose : c'est une matière où je ne dois jamais te contredire !

Abbie lui sourit.

— Mais j'adore ça ! La semaine prochaine, nous allons apprendre à utiliser le microscope électronique à balayage et le spectroscope infrarouge.

— Ça doit être très intéressant, fit son amoureux en posant sa main sur la sienne.

— Oui, très !

— Et toi, Olivier, lança Zarya en se tournant vers lui, je dois te féliciter pour la façon dont tu donnes ton cours. Contrairement au professeur Herpin, qui est toujours d'un sérieux imperturbable, tu es capable de nous expliquer des choses très compliquées en restant drôle et détendu.

Le garçon lui sourit.

Zarya poursuivit en lui demandant :

— Le professeur Herpin part la semaine prochaine pour sa retraite, n'est-ce pas, Olivier ?

— Oui.

— Alors, après, c'est toi qui prends les rênes ?

— Effectivement ! répondit le jeune professeur en se grattant la nuque.

— Ça va bien aller, mon petit Oli ! l'encouragea Abbie qui connaissait bien ce signe de nervosité chez lui. Malgré ta grande modestie, on a su reconnaître tes aptitudes exceptionnelles dans ce domaine. Tu nous les as montrées à quelques reprises, je dois te signaler !

— Oh oui ! Je suis entièrement d'accord avec elle, approuva Zarya.

Elle se tourna vers la cuisine en entendant des rires.

— Est-ce que c'est ma mère que j'entends rire dans la cuisine ? demanda-t-elle en se levant d'un bond de son fauteuil.

— Oui, ton grand-père est allé la chercher au manoir et ils sont arrivés en même temps que nous, répondit Abbie.

Durant le bon repas que madame Phidias avait cuisiné avec son souci du détail habituel, Zarya n'eut pas l'occasion de parler avec sa mère de la visite que celle-ci avait rendue à son mari la veille. Même si elle recevait régulièrement des nouvelles de son père par la poste, l'adolescente avait hâte d'avoir des informations directement de la bouche de Kate. Elle adorait voir les yeux brillants qu'avait sa mère quand elle lui décrivait l'immense bonheur qu'elle ressentait durant ses rencontres avec son mari. Mais la dernière visite avait été encore plus spéciale que les autres, car John avait eu une surprise de taille : le premier contact avec sa mère biologique. Ce face-à-face avec son fils avait rendu Martha très nerveuse !

C'était la troisième fois que Kate venait rendre visite à sa fille dans cette maison attilienne. Et chacune de ces visites l'avait rendue nostalgique. C'était compréhensible : elle avait vécu de très belles années à cet endroit.

Par la fenêtre, on pouvait voir la lueur jaunâtre que les réverbères jetaient sur les enfants déguisés qui circulaient en petits groupes dans les rues du quartier. Olivier avait été désigné pour accueillir les petits monstres. Le pauvre avait à peine le temps de prendre une bouchée de sa tarte à la citrouille que déjà il devait aller ouvrir la porte pour distribuer ces délicieuses friandises que madame Phidias avait préparées avec une dextérité digne des plus grands confiseurs.

Après le repas, Gabriel, Mary et Mitiva décidèrent de rester à la maison pour recevoir les enfants déguisés. Zarya, Kate,

Abbie et Olivier sortirent pour aller se promener dans les rues animées d'Attilia. Le jeune couple ouvrait la marche, et la fille et la mère les suivaient de quelques mètres.

— Tu as vu papa, n'est-ce pas ? Comment va-t-il ?

— Il va très bien, et il t'embrasse !

Zarya sourit, heureuse de penser à son père qui l'aimait plus que tout, mais aussi amusée de voir un jeune enfant déguisé en Rodz, un peu plus loin.

— Et avec grand-mère, comment s'est passée leur première rencontre ?

— C'était vraiment surprenant ! Les premiers instants après notre arrivée au parloir, ils se sont regardés sans prononcer un mot. En fait, c'est moi qui monopolisais la conversation. Je voulais détendre un peu l'atmosphère.

— De quoi parlais-tu ?

— D'un point qu'ils ont en commun, d'une personne qu'ils adorent tous les deux : TOI !

Zarya rougit.

— Tu sais, ton père et ta grand-mère sont tellement semblables, continua Kate. Tous les deux ont quitté des personnes qui leur étaient chères. Ta grand-mère a abandonné Gabriel et son propre fils…

— Mais elle n'avait pas le choix, l'interrompit Zarya.

Elle se rappelait très bien les fausses accusations qui avaient été portées contre Martha par nul autre que le ministre Hamas Sarek, alors qu'il était encore un jeune Maître Drakar. En effet, quand ce dernier avait su que Martha possédait un puissant pouvoir, celui du Torden, il lui avait tendu un piège avec trois de ses amis. Selon la grand-mère de Zarya, il ne faisait aucun doute qu'il s'agissait de mages noirs. Ces malfrats voulaient lui prendre son pouvoir et ensuite l'assassiner pour faire disparaître toutes les preuves de leur méfait. Pour se défendre, Martha avait dû utiliser son fameux pouvoir contre eux, et trois étaient morts brutalement. Voyant que son plan diabolique avait échoué, Hamas Sarek s'était échappé de justesse. Quant à la pauvre Martha, qui était enceinte de John à ce moment-là, elle avait dû fuir Attilia. Même si c'était un cas de légitime défense, ce Sarek avait raconté une version différente des faits au Grand Conseil. Selon lui, Martha avait assassiné trois Maîtres Drakar dans le seul but de montrer qu'elle était plus puissante qu'un mage, pour ainsi régner là où elle le désirait.

Plus tard, Martha avait déposé son bébé devant le Temple des Maîtres Drakar avec une lettre adressée à Gabriel Adams, lui expliquant qu'il était le père légitime de cet enfant. Elle était devenue une fugitive et elle ne voulait pas imposer cette vie à son fils unique.

— Je sais, ma chérie. Ce n'était pas sa faute, approuva Kate, qui connaissait bien cette histoire triste. Heureusement qu'ils sont revenus vers leurs proches…

— Presque tous, répondit vivement la jeune fille. Elle refuse de revoir grand-père.

— Je crois que c'est un peu plus compliqué pour eux…

— Et pourquoi ? l'interrompit Zarya, sur la défensive.

— L'amour n'est peut-être plus au rendez-vous.

— Je suis certaine que grand-père l'aime encore.

Kate s'arrêta net et se tourna vers sa fille.

— Il t'a dit qu'il l'aimait encore ? lui demanda-t-elle, surprise.

— Pas directement, fit Zarya. Mais son mot de passe est « Martha ».

— Vraiment ?!

L'adolescente acquiesça d'un signe de tête énergique.

— Pour papa et grand-mère, crois-tu qu'ils vont se revoir ?

— J'en suis certaine, déclara Kate avec conviction. Avant de se quitter, ils se sont enlacés. J'ai même cru apercevoir des larmes dans les yeux de ton père. C'était la première fois de ma vie que je le voyais dans cet état !

Zarya cligna des paupières pour contenir ses larmes de joie.

— À propos de ta grand-mère, reprit Kate, elle va déménager !

— Ah oui ! Où ça ?

— Elle a trouvé une petite maison abandonnée dans une forêt, à une dizaine de minutes de chez moi. Dix minutes à vol d'oiseau, bien sûr !

Zarya esquissa un petit sourire en pensant que l'oiseau en question était son aïeule transformée en picquort.

— Cette maison, va-t-elle la rénover ?

— Oui. Elle m'a précisé, en me faisant un clin d'œil, que ça ne devrait pas être long.

— Elle veut se rapprocher de chez toi ? Je trouve ça génial !

— Oh oui, moi aussi ! Ça va être plus pratique. C'est que, tu sais, elle vient prendre le thé toutes les semaines.

Abbie et Olivier, qui marchaient en direction d'un trans-moléculaire, se tournèrent vers Kate. Le jeune homme lui demanda :

— Avez-vous déjà entendu parler de la Récré-A-Thèque, madame Adams ?

— Très souvent, tu peux me croire ! répondit Kate en regardant sa fille avec un grand sourire.

— Il paraît qu'il va y avoir un concours de déguisements ce soir. Alors, on pourrait y aller tous ensemble, suggéra-t-il.

La mère regarda le jeune couple, puis sa fille, et lui répondit :

— C'est une excellente idée !

◊ ◊ ◊

C'était la dernière journée de la fin de semaine de l'Halloween. Cette nuit-là, Zarya avait de la difficulté à s'endormir. La cause de cette insomnie était bien simple : elle devait commencer ses recherches sur le Grimoire de Trotsky dans quelques heures. Bien entendu, elle ne s'attendait pas à le trouver dès le lendemain matin à la première heure. Elle s'imaginait fort bien qu'un tel objet, qui avait le pouvoir de rendre son propriétaire immortel, devait être jalousement caché et protégé. Selon toute logique, la jeune fille devait commencer sa recherche à la bibliothèque du Temple. Ce lieu renfermait des milliers d'ouvrages sur les sujets les plus insolites de l'histoire d'Attilia. Il ne restait plus qu'à souhaiter que ce manuscrit maudit en fasse partie.

Zarya, les yeux mi-clos, était couchée à plat ventre sur son lit douillet, tenant dans sa main droite un petit réveil à affichage numérique. Elle l'avait mis en mode vibration, ne voulant en aucun cas réveiller ses compagnes de dortoir. Il se mit soudain à trembler au creux de sa main. Elle ouvrit les yeux. Pourtant, ce n'était pas l'heure de se lever, il n'était que minuit dix. En fait, elle l'avait réglé à cette heure pour pouvoir voir apparaître la deuxième étoile dans la Sphère d'Agapè. Il lui restait une minute précisément avant qu'elle ne se mette à briller. Cela se produisait tous les deux jours. Zarya fixa intensément son pendentif magique, accroché à sa petite lampe de chevet, jusqu'à ce que l'étoile apparaisse. « Que se passe-t-il à cet instant précis pour que tu sois bouleversé ainsi, Jonathan ? » pensa-t-elle, attristée. Cela ne faisait aucun doute pour la docteure Raïa : le jeune Maître Drakar vivait, à cette heure exacte, un profond choc. L'adolescente tenait fermement son oreiller entre ses mains et lui chuchota :

— Tiens bon, Jonathan ! Je vais trouver le moyen de te sortir de ce cauchemar.

Lorsqu'elles quittèrent le réfectoire ce matin-là, Zarya et Abbie se dirigèrent au pas de course vers la salle de sport pour leur premier cours de la journée, le télékatapelte. C'était la dernière semaine du professeur Herpin. Il laissait donc Olivier s'occuper de la partie pratique du cours, et le jeune homme s'en tirait fort bien.

Les élèves se regroupèrent autour du professeur Herpin pour essayer de comprendre la technique très particulière qui permettait de lancer un projectile en le faisant dévier de sa trajectoire à mi-parcours.

— Il va sans dire que cette technique que va exécuter monsieur Dumas n'est pas permise par le règlement du donar-ball, précisa monsieur Herpin en regardant les étudiants. Cependant, elle peut s'avérer très utile au cours d'un combat réel.

Abbie tourna la tête et regarda Olivier qui, debout, tenait une boule dans sa main droite. Son mentor et lui avaient préalablement placé des mannequins en bois, ici et là, près des gradins.

Lorsque monsieur Herpin eut fini de leur expliquer la façon de procéder, les étudiants se tournèrent vers le jeune professeur. Ce dernier leva la main droite, et sa boule vint léviter à cinq centimètres au-dessus, par la seule force de sa pensée. Il restait stoïque, son visage n'affichait aucune émotion ; il était très concentré. Là, il fit un mouvement de propulsion, mais sans toucher la boule qui fut projetée à une vitesse ahurissante vers le premier mannequin, en face de lui. Curieusement, elle dévia soudain de sa trajectoire pour se diriger cette fois vers les tribunes, sous les yeux stupéfaits des élèves. Ensuite, elle fit demi-tour pour revenir vers son lanceur. N'ayant pas vu le professeur Dumas lever le cerceau qu'il tenait dans sa main gauche, les étudiants furent abasourdis quand ils virent la boule passer au travers.

Quelques instants plus tard, Olivier s'approcha de Zarya et d'Abbie qui s'exerçaient, et leur demanda :

— Vous, les filles, comment ça va ?

— On a réussi à la faire dévier de quelques centimètres, répondit Abbie.

— Quelques centimètres, pas plus, fit Zarya, un peu découragée. On n'a pas réussi à contourner le premier mannequin.

— Je vous fais confiance. Mais essayez de faire votre mise au point sur le côté de la boule et poussez-la, avec votre force mentale bien sûr, vers la gauche à un mètre juste avant le mannequin.

— Merci, professeur ! lança Abbie avec un sourire.

— Allez ! au boulot, mademoiselle Steven ! Sinon, je vais être dans l'obligation de vous donner une retenue après la classe ! lança-t-il en lui faisant discrètement un clin d'œil.

— Est-ce une invitation ?

Le jeune homme, un grand sourire aux lèvres, lui tourna le dos pour aller voir une élève qui semblait avoir besoin d'aide, près des gradins.

— Allez, remettons-nous au travail, suggéra Zarya, résolue à réussir avant la fin du cours.

Abbie prit une boule, la fit léviter, la propulsa vers sa première cible et réussit à la contourner, sans problème cette fois. Le projectile poursuivit son chemin et frappa la tête du deuxième mannequin...

— Oups !

Pendant que Zarya essayait à son tour, Abbie en profita pour jeter un coup d'œil aux autres élèves. Elle était curieuse de voir comment ils se débrouillaient de leur côté. La plupart formaient des équipes de deux. Jeremy, lui, préférait être seul. La jeune fille le regarda discrètement se concentrer et propulser sa boule avec force et précision. Il réussissait déjà à contourner quatre cibles sans les toucher. Néanmoins, c'était lorsqu'il tentait de la faire revenir vers lui que la boule se perdait loin dans les gradins. Abbie esquissa un petit sourire en voyant que Jeremy semblait se parler à lui-même en prenant une autre boule. Elle ne pouvait pas lire sur ses lèvres, mais elle était sûre que les mots qui en sortaient étaient des jurons.

Zarya fit un mouvement de propulsion en direction de sa première cible, surprise et contente à la fois de voir la boule dévier de sa trajectoire d'une façon presque parfaite, pour ensuite se diriger vers les tribunes. Cependant, le projectile frappa de plein fouet la chaise où le directeur avait l'habitude de s'asseoir.

— Oups ! fit-elle à son tour en regardant Abbie avec un sourire. Une chance que mon grand-père n'était pas là !

Mais son amie ne souriait pas. Elle fixait quelque chose avec insistance, par-dessus l'épaule de Zarya, quelque chose qui semblait l'agacer prodigieusement.

— Abbie ? Que se passe-t-il ?

— Elle le fait exprès, j'en suis certaine !

— Mais de quoi parles-tu ? demanda Zarya en se tournant pour voir ce que regardait son amie.

— Elle lui demande des explications et ça fait trente secondes qu'elle a la main sur son épaule.

— Elle a peut-être de la difficulté à comprendre, suggéra Zarya, un peu mal à l'aise en voyant une jolie fille qui discutait avec Olivier, lequel ne semblait pas prêter attention à son geste d'affection.

— Ce n'est pas une raison pour le toucher ! dit Abbie en haussant la voix d'un cran.

— Abbie, calme-toi ! chuchota Zarya. Ce n'est pas l'endroit idéal pour...

Elle jeta un coup d'œil à Cylia Ekin qui semblait fort amusée de voir Abbie se fâcher de la sorte. C'est en lui tournant le dos que Zarya fit remarquer à son amie :

— Je crois qu'elle le fait exprès pour te rendre jalouse. Regarde cette Ekin, elle a le fou rire. Je suis certaine qu'elles sont de connivence.

Même si elle pensait que son amie avait raison, Abbie ne put s'empêcher de maugréer :

— Mais Olivier n'a pas l'air de trop s'en plaindre !

— Je crois que tu te fais du mal pour rien, répondit Zarya en remarquant que le jeune homme ne semblait accorder à cette fille qu'une attention professionnelle. Olivier t'adore, et tu ne dois jamais en douter.

— Je ne sais pas… Enfin, je l'espère, soupira Abbie, un peu contrariée.

Durant l'après-midi, elle se rendit à l'université pour suivre son cours de gemmologie. Sur le conseil de Zarya, elle n'avait pas parlé à Olivier de l'événement qui l'avait contrariée durant son cours. Zarya, elle, avait passé un dur moment au cours suivant, celui de psychiforce. Elle avait affronté Cylia Ekin sur le terrain et celle-ci l'avait battue à plate couture. Depuis la terrible tragédie de Vonthruff, le moral de Zarya était chancelant. De toute évidence, cela nuisait à ses pouvoirs chakramatiques. D'ailleurs, elle en avait eu la preuve lors de l'évaluation : elle n'avait pas réussi à atteindre le jaune, un résultat minable par rapport à sa première évaluation où elle avait atteint le blanc.

Zarya se rendit, en compagnie de Jeremy, à son dernier cours de la journée. La goétie était le cours le plus théorique, mais le plus fascinant pour la jeune Adams. Il y avait tellement de mystères étranges qui ne demandaient qu'à être élucidés. Tout en se dirigeant tranquillement vers la salle où était donné ce cours, les deux adolescents croisèrent d'autres élèves de madame Bignet.

— Le cours a été annulé, dit Ève qui venait à leur rencontre.

— Ah oui ? Pour quelle raison ? s'étonna Zarya, visiblement déçue.

— Il n'y a pas d'explication sur la feuille qui a été accrochée à la porte. Il est seulement écrit que le cours a été remis à la place du cours libre de demain.

— Ah bon ! marmonna Jeremy. Alors, je ne sais pas pour vous, les filles, mais, moi, je vais retourner à la salle de sport pour m'entraîner à lancer une boule déviante, comme on l'a appris ce matin. J'aimerais maîtriser cette technique avant le prochain cours.

— Bonne idée ! l'encouragea Zarya. Et toi, Ève, qu'as-tu l'intention de faire ?

— Je vais aller faire des longueurs à la piscine. J'ai besoin d'exercice. Est-ce que tu te joins à moi ?

— Euh… non, je ne crois pas, répondit la jeune gothique sur un ton égal. Je dois aller faire une recherche pour le cours de goétie à la bibliothèque. Un sujet que j'aimerais bien approfondir.

Jeremy la regarda d'un air songeur. Mais il se contenta de dire :

— Alors, à tout à l'heure au réfectoire, les filles !

Zarya partit donc en direction de la bibliothèque en regardant, derrière elle, ses amis qui s'éloignaient.

Une fois là, elle repéra le coin des livres anciens. L'immense pièce contenait une impressionnante collection d'ouvrages de toutes sortes et était bien éclairée par de magnifiques lustres et de petites lampes posées sur de grandes tables.

Zarya commença sa recherche dans la section « Objets damnés ». Après avoir pris quelques livres susceptibles de parler du sujet qui l'intéressait, elle s'installa près d'une grande fenêtre à barreaux pour être tranquille. C'était le calme total. Seuls quelques Maîtres Drakar étaient dispersés dans la salle et bouquinaient paisiblement sans prêter attention à la jeune académicienne.

Cette dernière était plongée dans sa lecture depuis une bonne heure lorsqu'une voix retentit derrière elle :

— Le Grimoire de Trotsky, n'est-ce pas ?

— Abbie ! Mais que fais-tu ici ? Et qui t'a dit que je cherchais… ce livre ?

— C'est Jeremy. Il s'est douté de quelque chose quand tu as interrogé madame Bignet au sujet de ce grimoire. Surtout lorsque tu lui as demandé si on pouvait l'utiliser pour communiquer avec les gens qui se trouvent dans les limbes !

— Disons que…

— Et tu croyais *naïvement* que tu le trouverais sans mon aide ?!

13

Le brouillard

De toute évidence, Elliott possédait des pouvoirs magiques et Laurie en avait été témoin. Après avoir fabriqué le *traucum temporarius*, le garçon avait pris un petit flacon de cristal qu'il avait trouvé sur le comptoir, l'avait rempli de potion, puis l'avait glissé dans la poche de son pantalon. « Ce n'est pas tous les jours que l'on peut se procurer un trou en liquide », avait-il dit à son amie en lui faisant un clin d'œil. Même s'il avait réussi à préparer la potion magique et à l'activer grâce au bâton druidique, Elliott n'avait pas réussi, par la suite, à faire fonctionner ce dernier. Il ne faisait aucun doute que la branche possédait des propriétés prodigieuses. Mais quel était le secret de son fonctionnement ?

Pendant les deux jours qui suivirent, la pluie frappa à grosses gouttes les larges fenêtres de l'orphelinat. Le niveau du lac s'enfla dangereusement et, dans l'immense jardin, les massifs de fleurs, entretenus normalement avec un soin minutieux, se transformèrent en mares de boue. Les orphelins étaient tous confinés à l'intérieur.

— As-tu réussi à le faire fonctionner ? chuchota Laurie à Elliott pour que personne ne l'entende.

— Non, pas encore, dit-il, un peu découragé. Si au moins on pouvait aller dehors !

— Mais il y a de l'eau et de la boue partout. Je n'ai jamais vu un temps pareil !

— Il faudrait qu'on trouve un endroit à l'intérieur où on serait tranquilles pour essayer de comprendre comment ça marche.

— On pourrait aller à la bibliothèque du sous-sol, je suis certaine qu'il n'y a personne, proposa la jeune fille en regardant discrètement Yanis et Tommy qui jouaient aux échecs, deux tables plus loin.

— Pourquoi n'y ai-je pas pensé avant ?! murmura Elliott, manifestement mécontent de lui-même.

Alors qu'ils marchaient côte à côte dans le couloir silencieux qui menait à l'entrée du sous-sol, il demanda à Laurie :

— En as-tu parlé à quelqu'un ?

— Oh non ! Pas du tout ! répondit-elle avec empressement. À personne. Tu peux me croire.

— C'est très bien, je te crois. Mais je me demande si on devrait parler de tout ça à la directrice…

— Tu crois qu'on devrait le faire ? l'interrogea Laurie, surprise.

— Je ne sais pas. Mais j'ai la forte impression qu'elle en sait plus sur ces phénomènes anormaux qu'on ne peut le penser !

— Ah oui ?!

— Je peux te donner des exemples, si tu veux, dit Elliott en se tournant vers elle. L'étrange toile sur le mur, près de la bibliothèque d'en haut. Et aussi, l'horloge sur la cheminée de son bureau, dont je t'ai parlé hier. Sans oublier les livres sur la magie, en bas. Tu ne trouves pas ça étrange ?

L'adolescente réfléchit un instant à ce que venait de lui dire son ami. Un petit frisson glacé parcourut subitement sa chair en dépit de la veste en laine qu'elle portait ce jour-là.

— Tu as raison, je suis d'accord avec toi.

Les deux jeunes orphelins arrivèrent au bout du couloir. Comme il en avait pris l'habitude, Elliott fouilla dans l'armoire, près de la porte, en sortit deux lampes à huile, les alluma et en tendit une à Laurie. Cela fait, ils dévalèrent les marches de pierre de l'escalier en colimaçon. La pièce immense leur apparut, mais elle était maintenant d'une propreté irréprochable, contrairement à la première fois qu'ils y avaient mis les pieds, quelques jours auparavant.

— Que fais-tu, Laurie ? demanda Elliott en déposant sa lampe sur la table centrale.

— Je cherche un livre que j'ai remarqué l'autre jour, répondit-elle en levant sa lampe pour pouvoir lire les titres écrits sur le côté des ouvrages. Et je crois qu'il est dans cette section, si ma mémoire ne me joue pas de tours.

— Quel en était le sujet ?

— Il y avait dedans l'image d'un bâton qui ressemblait étrangement aux nôtres.

— Ah oui ?! Ce livre, de quoi a-t-il l'air ?

— Petit, une centaine de pages et… Ah, le voilà ! Je l'ai trouvé !

— Bravo ! J'espère qu'on y trouvera des réponses ! fit Elliott avec ardeur.

Comme Laurie l'avait clairement dit, c'était un petit livre relié, doré sur la tranche et contenant exactement cent trente-sept pages. Il portait le titre suivant : *Le sceptre des bois*.

Elliott prit la lampe de son amie et la déposa sur la table près de la sienne. Puis il lut quelques lignes :

Le sceptre des bois est aussi appelé « bâton des sorts ». C'est l'un des outils les plus puissants dont un druide puisse disposer. Sa symbiose avec son possesseur devient alors totale. Pourvu d'un impressionnant entrelacement d'enchantements, il offre une protection accrue contre les envoûtements et les maléfices.

Alors que Laurie tournait les pages, Elliott s'écria soudain, mettant son doigt sur la page 32 :

— Arrête-toi ! Regarde, on peut le faire rétrécir !

— Pratique, quand on veut le dissimuler.

Sans répondre, le garçon regarda les illustrations avec attention.

— Ça paraît assez simple, dit-il en reculant d'un pas. Je vais essayer.

Elliott prit son bâton, le plaça horizontalement à la hauteur de son menton, puis, une main posée sur chacune de ses extrémités, il poussa vers le centre, d'un geste parfaitement anodin, comme s'il voulait le compacter.

Les deux adolescents échangèrent des regards stupéfaits : le bâton était à présent de la dimension d'un œuf.

— Waouh ! c'est vraiment incroyable !

— Attends, je vais le faire revenir à sa longueur normale, dit Elliott en pressant l'œuf de bois avec sa main droite.

La bouche toujours ouverte, Laurie vit la branche reprendre sa forme initiale. Pendant qu'Elliott s'amusait à faire encore et encore son nouveau tour de passe-passe, elle se remit à feuilleter le livre.

— Oh ! regarde ! s'exclama-t-elle en tendant le bouquin au garçon. C'est la formule de la lévitation ! J'ai toujours rêvé de faire flotter un objet dans les airs sans le toucher.

— Alors, qu'est-ce qu'on attend ? suggéra Elliott.

La jeune fille prit un autre livre sur une tablette et le déposa près des lampes. Pendant ce temps, Elliott répéta plusieurs fois dans sa tête le mot incantatoire qu'il allait devoir prononcer, histoire de bien le mémoriser.

— Es-tu prêt ? lui demanda Laurie, impatiente de voir le résultat.

— Oui, j'y vais.

Le garçon leva son bâton, le pointa vers le bouquin et lança d'une voix ferme :

— *Elevatio !*

Le livre ne bougea pas d'un poil.

— Attends, je vais recommencer, dit Elliott, plus déterminé que jamais.

En levant sa branche et en faisant des mouvements fluides de gauche à droite, il répéta une seconde fois :

— *Elevatio !*

— Mais que faites-vous ici ?! cria bien fort Yanis pour leur faire peur.

Elliott, totalement absorbé par le sortilège de lévitation qu'il tentait désespérément de réaliser, poussa un petit cri étouffé. Curieusement, à cet instant, l'objet s'éleva de quelques centimètres au-dessus de la table, sous le regard abasourdi de Laurie et de Yanis.

— Je te l'avais bien dit qu'ils seraient ici ! dit Tommy qui suivait Yanis de près. Et que...

Le garçon, la bouche entrouverte, ne put finir sa phrase. Il fixait d'un air hagard le livre qui flottait dans l'air sans que personne ne le touche.

Les quatre adolescents étaient figés, muets de stupéfaction face à ce phénomène paranormal. Ce fut Elliott qui, le premier, brisa le silence :

— J'ai trouvé ! Je comprends maintenant son fonctionnement !

— Tu comprends... quoi ?! balbutia Yanis, toujours abasourdi par l'étrangeté de la chose. Je ne sais pas si tu as remarqué, mais il y a un livre qui flotte dans les airs… C'est à n'y rien comprendre !

Ignorant complètement les propos de son copain, Elliott prit de nouveau le livre sur le sceptre des bois et le feuilleta rapidement. Puis il saisit son bâton druidique et psalmodia le mot magique :

— *Rotatio !*

Le livre se mit alors à pivoter sur lui-même à une vitesse folle.

— Ça fonctionne ! s'exclama Laurie, impressionnée.

Au même moment, dans le bureau de madame Welser, l'aiguille en or qui pointait vers le petit chaudron survolé par trois corbeaux changea de position pour finalement s'orienter vers le dernier et treizième symbole de l'étrange horloge : le *Symbolus Gaîê-Kloetzer*.

Après leur avoir raconté l'histoire de l'arbre de l'Unus cornu et la préparation de la potion *traucum temporarius*, Elliott essaya de convaincre Yanis et Tommy qu'ils étaient peut-être, eux aussi, de descendance druidique. Cependant, même si les deux garçons avaient vu de leurs propres yeux le livre flotter dans les airs, ils ne croyaient pas qu'un simple bout de bois puisse avoir un quelconque lien avec ce phénomène. Ils pensaient qu'il s'agissait plutôt d'une manifestation spectrale de la part de revenants qui essayaient par tous les moyens de communiquer avec eux.

— Des revenants ?! répéta Elliott.

— Il ne faut pas oublier qu'il y a eu des disparitions d'enfants dans la forêt, ajouta Tommy. Je suis certain qu'ils veulent communiquer avec nous…

— Ne dis pas de sottises, répliqua Elliott en lui tendant son bâton. Je te conseille de l'essayer. Après, si ça ne fonctionne pas, je te croirai sur parole.

— J'ai bien hâte de voir ça ! s'écria Yanis.

— Es-tu certain que ça va fonctionner avec lui ? demanda Laurie. Tu n'as pas réussi du premier coup !

— Bah ! on n'a rien à perdre, fit Elliott en haussant les épaules.

— Et que suis-je censé faire avec ce morceau de bois ? lança Tommy.

— C'est un bâton druidique ! répliqua Laurie, légèrement offensée.

— Un bâton druidique ! Et puis quoi encore ?

— Fais-nous confiance, Tommy. Maintenant, tu vas prononcer le mot magique « *Elevatio* » en pointant le bâton vers ce livre pour le faire léviter. Et je t'en prie, mets-y de l'émotion !

— De l'émotion ?! C'est tout ?

— Oui.

— Alors, allons-y !

Tommy regarda le livre avec un sourire en coin qui montrait qu'il n'y croyait pas du tout. Il agita le bâton d'une façon grossière, sous le rire discret de Yanis, puis il dit d'une voix complètement indifférente :

— *Ele-va-tiooooo* !

◊ ◊ ◊

Pour Elliott, tout était devenu clair : lorsque, attaqué par David, il avait ramassé la branche de l'arbre de l'Unus cornu pour se défendre contre ce garçon bien plus costaud que lui, il avait senti une forte rage monter en lui ; et c'était cette rage qui s'était pour ainsi dire propagée dans le bâton et l'avait fait fonctionner.

C'est ce que le jeune druide expliqua à Laurie en montant les escaliers. Pour l'instant, il ignorait s'il était le seul à posséder des pouvoirs magiques. Tommy n'avait pas réussi, bien entendu, à faire bouger le livre. Pour Elliott, il était évident que cet échec était attribuable à son scepticisme absolu à l'égard de tout ce qui pouvait toucher la magie de près ou de loin. Laurie, pour sa part, voulait attendre encore un peu avant d'essayer son propre bâton. Elle craignait de ne pas être capable de créer une relation symbiotique entre son instrument magique et elle.

— Elliott, fit-elle en prenant un ton interrogateur, crois-tu qu'il y a d'autres orphelins comme toi ?

— Peut-être… Enfin, j'espère ! Je ne veux pas être le seul.

— Si c'est le cas, comment vas-tu leur annoncer ça ?

— Avant, j'aimerais bien discuter avec madame Welser. J'ai quelques questions à lui poser !

— Aujourd'hui ?

— Oui, j'y vais de ce pas ! répondit-il, déterminé à découvrir toute la vérité.

Alors qu'ils se dirigeaient vers le bureau de la directrice, Elliott et ses compagnons s'arrêtèrent net en voyant un spectacle pour le moins bizarre. Tous les orphelins de Kloetzer étaient agglutinés devant les fenêtres du couloir et semblaient observer quelque chose à l'extérieur. Visiblement, c'était troublant, puisque personne ne disait un mot. Il y avait un silence de mort. Les quatre amis s'approchèrent à leur tour d'une fenêtre et remarquèrent que la pluie avait cessé. Par contre, la forêt qui entourait l'orphelinat était couverte d'un épais brouillard.

Plus téméraire que les autres pensionnaires de l'orphelinat, même que ce cher David et ses acolytes qui restaient bien à l'écart, Elliott marcha vers la porte d'entrée et l'ouvrit. La vingtaine d'adolescents présents, qui manifestement avaient peur, reculèrent de quelques pas. Le courageux garçon s'avança d'un pas prudent sur la terrasse et observa la concentration anormale d'humidité atmosphérique. « Il y a une manifestation étrange », pensa-t-il en remarquant que l'on n'entendait pas le moindre oiseau, ni aucun animal de la forêt. Le vent, qui soufflait toujours dans cette région de campagne, semblait s'être évanoui.

— Que se passe-t-il, Elliott ? demanda Laurie, visiblement très inquiète.

— Je ne sais pas, répondit-il en refermant la porte derrière lui.

Elliott regarda les visages des autres orphelins. Leurs traits exprimaient une crainte bien légitime. Une énergie invisible et pourtant palpable répandait sur eux une tension mauvaise, angoissante. Leur appréhension s'avéra pleinement justifiée lorsqu'une jeune fille, qui venait du bureau de la directrice, leur annonça d'une voix étouffée :

— Les adultes ont tous disparu !

14

Bout de papier et sang d'innocent

écembre arriva rapidement. Zarya et Abbie avaient ratissé la bibliothèque du Temple au grand complet. Elles avaient même passé deux fins de semaine entières dans celle d'Attilia. Tout ce qu'elles avaient réussi à glaner au sujet du Grimoire de Trotsky, c'était une photo de la toile que la professeure Bignet leur avait montrée en classe quelques semaines plus tôt et une vague description de ses pouvoirs maléfiques, qu'elles connaissaient déjà.

Zarya commençait à être découragée, à juste titre. Abbie, pour sa part, avec tout ce qu'elle avait à étudier à l'approche des examens de fin de session, commençait à montrer des signes d'épuisement. Heureusement, elle avait Olivier pour la soutenir, et celui-ci s'était montrée particulièrement gentil et attentionné dernièrement. Le pauvre garçon se sentait abandonné par son amie de cœur. Abbie ne délaissait pas son amoureux à cause de la belle jeune fille qui avait essayé, tant bien que mal, de prendre son cœur. D'ailleurs, le professeur avait remarqué les avances peu discrètes de l'adolescente et lui avait dit, avec la plus grande gentillesse, qu'il n'était pas intéressé.

Zarya, Abbie, Ève et Jeremy étaient assis au réfectoire et discutaient autour de leur repas.

— Ça va, Ève ? demanda Jeremy, inquiet.

Les filles se tournèrent vers elle.

— Tu n'as pas l'air bien. J'espère que tu n'es pas malade ! lança Zarya, remarquant qu'Ève était aussi blanche que la docteure Drius.

— Bof !

Ce fut le seul mot qui put sortir de la bouche de la pauvre adolescente.

— Je crois que c'est à cause de Madvi, affirma Jeremy, qui avait remarqué qu'elle ne parlait plus depuis qu'elle avait quitté le cours de démonologie.

Ève acquiesça d'un signe de la tête.

Madvi était un démon apprivoisé d'un mètre de haut, avec de grandes ailes, tout noir et pourvu de trois cornes : deux longues de chaque côté de sa tête, et une petite sur son front. Pour couronner le tout, il avait de longs crocs et des yeux globuleux rouge sang. C'était la mascotte de la classe de démonologie.

— Ce pauvre Madvi, poursuivit Jeremy avec humour, je crois qu'il cherchait une petite amie !

Zarya lui donna un coup de poing sur l'épaule.

— Aïe ! s'écria-t-il en se frottant l'épaule.

— Je crois plutôt que c'est à cause de l'odeur de soufre qu'il dégage, devina Abbie. La première fois que j'ai assisté à ce cours, il était venu s'asseoir près de moi, et j'ai eu la nausée pour le reste de l'après-midi.

— Tu as raison ! approuva Ève d'une voix blanche.

— Tu devrais aller t'étendre sur ton lit pour une heure, lui conseilla Zarya. De toute façon, nous avons un cours libre après le repas. Après, j'irai te chercher.

— Tu es gentille, merci !

Ève se leva et quitta le réfectoire.

— Au prochain cours de démonologie, je vais apporter un désodorisant à Madvi, plaisanta Jeremy. Il aura probablement plus de chances avec Ève.

— Arrête, Jeremy ! grogna Zarya.

— Je blague, voyons ! Je l'aime bien, Ève…

— Tu lui as dit que tu l'aimais ?! demanda Olivier qui venait de se joindre à eux, s'asseyant à côté d'Abbie. Maintenant je peux comprendre pourquoi elle avait l'air aussi malade.

— Bien dit, Olivier ! fit Zarya en s'esclaffant.

— Et si on allait tous à la Récré-A-Thèque ce vendredi soir, après vos cours ? proposa Olivier.

— C'est une excellente idée, répondit Jeremy. Comme ça, je vais finalement avoir ma revanche au donar-ball.

— Tu peux toujours rêver !

— Zarya et moi, nous devons aller…, commença Abbie.

— Va à la Récré-A-Thèque avec eux, Abbie, l'interrompit immédiatement Zarya. Je peux très bien me débrouiller seule, ne t'en fais pas.

— Vous n'avez pas encore terminé ce travail sur la goétie ? s'étonna Olivier, qui n'était pas au courant de la nature de leurs recherches.

— Non, pas encore, répondit Abbie, visiblement embarrassée.

Jeremy prit une gorgée de son verre de sammael. Il savait très bien que les filles se sentaient mal à l'aise de dire à Olivier que leurs recherches portaient sur le célèbre grimoire maudit.

— Je tiens vraiment à t'aider, insista Abbie en regardant son amie. Je sens qu'on va trouver !

— Qu'est-ce que vous cherchez, au juste ?

— Un vieux bouquin, dit Zarya.

Abbie lui fit de gros yeux.

— Un vieux bouquin ? Et de quel type ? lança Olivier, désireux d'aider les filles.

— Le Grimoire de Trotsky ! ne put s'empêcher de dire Jeremy, les yeux mi-clos.

Il appréhendait la réaction de Zarya et d'Abbie, et, en effet, elles lui jetèrent un regard mauvais.

— Le Livre des Morts ! s'exclama Olivier, abasourdi. Pour quelle raison la professeure Bignet te demande-t-elle de chercher un livre que personne ne tient à trouver ?

Pendant un instant, Zarya fut tentée de répondre, mais rien ne sortit de sa bouche.

— Pourquoi personne ne tient à le trouver ? demanda finalement Abbie à Olivier, intriguée par sa dernière remarque.

— Pour la simple raison que le propriétaire de ce grimoire devient immortel, et aucun individu sensé ne tient à vivre dans le même corps éternellement…

— Sauf si on possède un corps comme le mien, l'interrompit Jeremy sur son habituel ton badin. Par contre, si vous avez l'apparence de ma sœur Élodie, alors là, ça devient une malédiction !

— Jeremy a raison, dit Olivier. Certes pas en ce qui concerne son corps d'Adonis… mais plutôt à propos de cette horrible calamité. C'est comme revivre sa première année à l'infini. On doit passer à une autre étape après notre vie terrestre, ne croyez-vous pas, les filles ?

— Nous n'avions pas vu ça sous cet angle, répondit Zarya qui aimait la philosophie des Attiliens.

— Avez-vous cherché à la bibliothèque du Temple ?

— Oui, et aussi à la bibliothèque de la ville, répondit Abbie, frustrée de n'avoir encore rien trouvé.

Olivier sembla songeur pendant un instant, puis déclara très sérieusement :

— Il y a peut-être un endroit !

Les adolescentes le fixèrent sans battre des cils.

— Allez à la vieille librairie de monsieur Emiliano. Cet homme a une collection impressionnante de vieux livres, et si ça se trouve, vous allez trouver des informations qui pourraient vous intéresser.

Les deux amies durent patienter jusqu'au samedi matin pour aller à l'endroit dont Olivier venait de leur parler, puisqu'elles ne pouvaient pas quitter le Temple durant la semaine, sauf en cas de force majeure. Zarya ne voulait surtout pas demander une permission spéciale à son grand-père pour aller faire une recherche sur le légendaire grimoire. Connaissant l'intuition de son aïeul, elle savait qu'il ferait immédiatement le lien entre l'objet maléfique et le profond coma de Jonathan. Elle voulait le tenir le plus loin possible de cette folle idée. Donc, les deux amies décidèrent finalement d'accompagner Olivier et Jeremy le vendredi soir à la Récré-A-Thèque. Elles méritaient bien de se divertir un peu, après tout !

Cet après-midi-là, le cours de psychiforce fut de nouveau pénible pour Zarya. Même si la nouvelle piste suggérée par Olivier lui avait donné un petit regain d'énergie, elle n'eut pas la force de rivaliser avec sa partenaire d'entraînement, Ève. Cette dernière avait retrouvé sa forme après que la jeune gothique lui eut gentiment apporté un médicament de l'infirmerie.

◊ ◊ ◊

En ce samedi matin ensoleillé, Zarya marcha d'un pas rapide jusqu'à la maison d'Abbie.

Arborant toujours un large sourire, Mary lui ouvrit la porte en lui disant :

— Oh, bonjour, ma jolie !

— Bonjour, madame Garcia ! Est-ce que…

— Me voilà ! s'exclama Abbie, rayonnante, qui passa à côté de sa tante en la saluant.

— Qu'est-ce qui te rend aussi joyeuse ce matin ? demanda Zarya en dévisageant son amie d'un air surpris.

— J'ai si hâte de voir cet endroit ! Depuis le temps qu'Olivier m'en parle ! Figure-toi que je n'y ai pas encore mis les pieds. Pas le temps !

— Pourtant, c'est une simple visite dans une librairie, fit remarquer Zarya.

— Oui, mais, selon Olivier, ce n'est pas une librairie comme les autres, dit Abbie en s'arrêtant près du transmoléculaire avant d'y pénétrer. Ce monsieur Emiliano dort pratiquement avec ses bouquins.

— Ce n'est quand même pas si surprenant qu'il aime autant les livres, puisqu'il est libraire…

— Je sais. Mais il paraît qu'il possède des livres d'une extrême rareté. Il refuse obstinément de les vendre aux collectionneurs fortunés, et même au musée d'Attilia !

— C'est Olivier qui t'a dit ça ?

— Oui.

Quelques microsecondes plus tard, dans un léger crépitement, les deux adolescentes sortirent du transmoléculaire. Elles virent alors une étroite ruelle pavée, bordée d'une multitude de boutiques à colombages, coiffées de toits en ardoise d'un gris foncé. Elles marchèrent en silence, parmi une foule grouillante, même à cette heure matinale, sur le vieux trottoir dallé de lourdes pierres rappelant les allées du Moyen Âge. Comme le leur avait dit Élodie, ce quartier était le plus vieux d'Attilia.

Après être passées devant des rangées de boutiques et de guinguettes, les jeunes filles arrivèrent finalement devant la vieille librairie. Sur le panneau qui se trouvait au-dessus de la porte, elles purent lire l'inscription suivante : *L'immémorial papyrus de monsieur Emiliano.*

— Nous y voilà ! lança Zarya.

— Alors, entrons ! répondit Abbie qui ouvrit la porte pour laisser passer son amie.

Lorsqu'elle entra dans la librairie, Zarya fut surprise de constater qu'un endroit aussi populaire, selon les dires d'Olivier, pouvait être aussi sombre et d'allure aussi minable. Il y avait des livres par milliers, empilés dans le désordre le plus total. Zarya jeta un coup d'œil à son amie et, en voyant sa bouche grande ouverte, elle devina sans peine qu'elle était aussi désemparée qu'elle. Une vieille dame, sûrement une cliente, tenait une grosse sacoche en cuir de la main gauche et fouillait, de sa main libre, dans un amoncellement de livres posés pêle-mêle sur une étagère qui menaçait de s'effondrer d'un instant à l'autre. D'un geste maladroit, la pauvre dame fit justement chuter l'un des livres sur le sol.

Les deux jeunes filles se retournèrent en entendant quelqu'un vociférer derrière le comptoir.

— Faites attention à mes livres, vieille harpie ! Ils valent une fortune !

Zarya et Abbie virent alors un sexagénaire d'une extrême maigreur, avec des cheveux blancs ébouriffés, un regard sévère et des dents aussi jaunes que son teint.

— Excusez-moi, mon… monsieur Emiliano, balbutia la dame, manifestement mal à l'aise.

— Ça va, je vais ramasser, grogna le vieil homme en levant sa main décharnée.

Sur ces mots, le livre lévita jusqu'à sa place initiale.

— Et vous, les filles, que faites-vous ici ?

Il y eut un silence, puis Abbie se lança.

— Euh… nous venons chercher un livre, répondit-elle tout bonnement.

— Alors, vous êtes au bon endroit. Mais faites bien attention, petites, dit sèchement monsieur Emiliano en regardant la dame qui n'osait plus toucher les livres, se contentant de les regarder de loin.

— Par où commence-t-on ? chuchota Zarya.

— Je n'en sais rien ! Allons par là, suggéra Abbie en pointant du doigt le fond de la pièce.

Les deux amies marchèrent à pas prudents dans l'étroite allée, vers l'endroit où des livres étaient empilés d'une façon anarchique jusqu'au plafond. Cela tenait de la magie, se dirent-elles en voyant les piles pencher dangereusement vers l'avant.

Après avoir fouillé pendant une trentaine de minutes sans rien trouver, Zarya entendit des pas derrière elle.

— Quel genre de livre cherchez-vous ?

— En fait, répondit-elle, on cherche plutôt des informations sur un livre très rare.

— Très rare ! répéta l'homme, intéressé. Rare comment ?

— Comme le Grimoire de Trotsky !

Le vieillard, les yeux écarquillés, pivota sur ses talons et se dirigea vers la porte d'entrée d'un pas claudicant. Il prit sur la table un écriteau qui disait : « Fermé » et l'accrocha à la fenêtre. Zarya et Abbie le regardaient d'un air étonné. Il revint près d'elles et leur demanda :

— Vous êtes les premières personnes qui me parlent de ce grimoire depuis une éternité ! Pourquoi le cherchez-vous ?

— Pour un travail d'école, répondit Zarya, peu convaincante.

— Et puis quoi encore, jeune demoiselle ?! riposta l'homme, les yeux plissés. Est-ce que vous me prenez pour un vieux fou ? On ne demande pas aux étudiants de faire une recherche sur ce livre maudit !

— Disons que…

— Pour qui travaillez-vous ? C'est Brahma qui vous envoie ? Il veut revenir à la charge après toutes ces années, ce vieux sénile ?

— Non, monsieur Emiliano, je vous assure ! Nous ne connaissons pas cet homme, répliqua Abbie, déconcertée par l'insistance du vieux libraire. C'est seulement pour une recherche qu'on doit faire dans un cours.

— Vraiment ?

— Oui, monsieur !

Monsieur Emiliano prit une grande inspiration.

— Alors, suivez-moi.

Les deux filles lui emboîtèrent le pas vers l'arrière-boutique. Curieuse comme pas une, Abbie lui demanda :

— Qui est ce monsieur Brahma ?

— Un collectionneur de livres. Il croit que je détiens le Grimoire de Trotsky. Il m'a harcelé pendant une dizaine d'années pour que je le lui vende. Mais, malheureusement, je le l'ai jamais eu en ma possession. De toute façon, si je l'avais eu, je ne l'aurais jamais, au grand jamais, vendu à qui que ce soit !

— Ah non ? Pourquoi ? l'interrogea Zarya.

— Pour la simple raison que ce serait le joyau de ma collection. Non pas pour ses pouvoirs maléfiques, ne vous méprenez pas, mesdemoiselles ! Je ne tiens pas à vivre dans ce vieux corps que vous voyez ici pour l'éternité.

Les deux adolescentes lui sourirent.

L'homme s'arrêta devant une porte cadenassée, fouilla à l'intérieur de sa chemise et en sortit une vieille clef qui était attachée à son cou par une ficelle usée. En pénétrant dans la minuscule pièce sans fenêtre, Zarya et Abbie furent suffoquées par la chaleur qui y régnait. Des étagères fixées aux murs assombris par une tapisserie centenaire, bien conservée dans cet endroit où la lumière n'entrait pratiquement jamais, étaient encadrées à la hauteur du plafond par une bande de bois sculpté devenu noir comme l'ébène. Des livres rares, selon les filles, étaient rangés, soigneusement cette fois, sur chacune des tablettes. Une table de travail trônait au centre de la pièce. Y étaient posées une lampe antique coiffée d'un abat-jour fleuri et une énorme loupe.

— C'est votre collection personnelle, monsieur Emiliano ? demanda Zarya.

— Oui, cent vingt-sept livres ! Tous plus rares les uns que les autres. L'une des plus grosses collections du pays de Dagmar, dit le vieux libraire avec fierté. D'ailleurs, le musée d'Attila m'envoie un représentant tous les ans pour me faire une offre. Rien à faire, ils ne sont pas à vendre.

Les deux amies se tournèrent en entendant un bruit de vibration, apparemment émis par un livre.

— Ne vous en faites pas ! leur lança vivement le vieillard en voyant leur visage médusé, alors qu'elles fixaient, sur la première tablette, un affreux bouquin fermement attaché par une chaîne de métal. *Le rituel de la magie noire*, écrit par nul autre que Ramos Balthazar, le sorcier qui a semé la terreur dans la ville de Freymuth, dans le monde des sorciers, au début du XIᵉ siècle.

— Pourquoi vibre-t-il ainsi ? demanda Zarya, peu rassurée.

— C'est vraiment incroyable, n'est-ce pas ?! s'exclama monsieur Emiliano, ravi qu'on lui pose la question. Ce livre déborderait tellement de paroles méchantes et agressives qu'il aurait engendré sa propre entité. Une âme maudite, bien sûr !

— C'est pour ça que vous l'avez attaché de cette façon ? demanda Abbie.

— En effet, jeune demoiselle. Sinon, lorsqu'il est ouvert, il me crie des injures, précisa le vieil homme en s'asseyant à son bureau.

Pendant que Zarya et Abbie regardaient l'étrange livre, en conservant une certaine distance par mesure de précaution, le libraire fouilla fébrilement dans l'un des tiroirs sous la table.

— Ah, voilà !

— Ce sont des documents qui sont reliés au grimoire, monsieur ? se renseigna Zarya en s'approchant de lui.

— Exactement. Ce sont toutes les informations que j'ai pu récolter à son sujet.

Les deux filles observèrent silencieusement et avec la plus grande attention le vieil homme qui étalait des feuilles sur la table. Lorsque celle-ci fut recouverte de long en large, il leur expliqua :

— J'ai travaillé fort pour me procurer ces informations, vous pouvez me croire. Pour finalement n'aboutir à rien. J'espère que vous aurez plus de succès que moi dans votre recherche.

Monsieur Emiliano semblait jubiler en feuilletant ses papiers. De toute évidence, il aurait tout donné pour mettre la main sur ce livre.

— Les renseignements que j'ai trouvés sur ce grimoire sont assez terrifiants, je dois l'admettre, dit-il d'une voix grave. Cela commence il y a fort longtemps, mesdemoiselles. La terrible histoire se situe aux environs du VIe siècle, dans un monde parallèle au nôtre qui est dépourvu de toute magie. On l'appelle l'Angleterre. Vous avez sûrement entendu parler de cette dimension à l'école ?

Les jeunes filles, sans répondre, se regardèrent en échangeant un sourire complice.

— Dans ces temps reculés, les gens croyaient à la magie. Toutefois, pour eux, ce n'était pas un don divin, mais plutôt un don du diable. Quelle sottise ! Toujours est-il qu'il s'agissait d'un endroit où l'on pourchassait les personnes qui s'adonnaient à la magie, et on les punissait avec une cruauté sans pareille.

« La chasse aux sorcières », pensa aussitôt Zarya.

— Après avoir capturé ces prétendus suppôts de Satan, poursuivit monsieur Emiliano, on les jugeait, on les condamnait, et on les faisait rôtir sur un bûcher. Imaginez un instant. Si vous aviez vécu en ce temps-là, c'est peut-être vous que l'on aurait brûlées vives !

Zarya regarda son amie avec effroi en réalisant qu'elles avaient effectivement de la chance de vivre à une époque où l'on commençait tout juste à être plus tolérant envers ceux qui possédaient des dons paranormaux.

— Mais je ne vois pas quel est le rapport entre la chasse aux sorcières et le Grimoire de Trotsky, monsieur, intervint poliment Abbie.

— J'y arrive justement. Ils auraient brûlé des centaines de personnes comme nous, expliqua le libraire avec une certaine haine dans les yeux. Et, toujours selon l'histoire, l'homme qui aurait été responsable de ces meurtres atroces et gratuits faisait partie du gouvernement de l'époque. Il s'appelait Sulmanas Trotsky.

— L'auteur du grimoire ? devina Zarya.

— Exactement ! Ce Sulmanas Trotsky était un mage noir de la pire espèce. Un homme dépourvu de toute commisération pour les sorciers et surtout pour les sorcières. Il adorait les voir souffrir.

— Cet homme était horrible ! lança Abbie avec colère.

— C'est peu dire, chère demoiselle. Le reste de l'histoire risque de vous déplaire davantage. C'est que Sulmanas Trotsky avait érigé un bouclier invisible autour du bûcher, là où les sorcières suppliciées agonisaient…

— Pourquoi un bouclier, monsieur ? Pour les empêcher de s'enfuir ? demanda Zarya, les yeux écarquillés.

— En partie, oui.

— En partie ?! répéta-t-elle, surprise.

— Leur âme ! Ce Trotsky capturait des âmes de sorcières pour une raison particulière. C'étaient les ingrédients d'une recette. Si je puis m'exprimer ainsi, sans vous offenser… Une recette de magie noire très ancienne. Mais il lui manquait quelque chose d'important pour mener à bien son plan diabolique. Il lui fallait concevoir le grimoire.

Zarya et Abbie remarquèrent que monsieur Emiliano avait prononcé cette dernière phrase d'une voix pleine de colère et d'indignation.

— La couverture… chaque page de ce grimoire… aurait, à ce qu'on dit, été fabriquée avec les restes de peau des suppliciées. Et les textes ont été écrits avec du sang humain.

Les filles se regardèrent d'un air dégoûté en entendant ces abominations. Elles avaient du mal à croire cette effroyable histoire, à imaginer qu'un être humain puisse faire une chose aussi monstrueuse.

— Et que contient ce livre ? fit Abbie qui avait de la difficulté à reprendre ses couleurs.

— Sans le moindre doute, de la magie noire… très noire ! répondit le vieil homme.

— Savez-vous où se trouve le grimoire, monsieur ? l'interrogea Zarya.

— Moi, je ne le sais pas. Par contre, je connais quelqu'un qui le sait probablement !

— Et qui est-ce ?

— Il refusera de vous le dire, j'en ai bien peur, mademoiselle. Vous n'êtes que des adolescentes et…

— On peut toujours essayer, l'interrompit Zarya avec espoir.

L'homme se frotta le menton en réfléchissant profondément à la situation, examina soigneusement le visage déterminé de la jeune gothique. Finalement, il prit un bout de papier sur la table.

— Très bien ! Je vous donne son adresse, même si je crois que c'est peine perdue.

Zarya dormit à peine la nuit suivante. Lorsqu'elle se réveilla le dimanche matin, elle envisagea très sérieusement de ne pas se rendre au Temple le soir venu : elle voulait mettre la main sur le grimoire le plus vite possible. Cependant, elle se raisonna aussitôt, se rappelant qu'elle ne pouvait rien faire pour l'instant. En effet, lorsque, en quittant la librairie, elle avait lu l'adresse de l'homme qui, selon monsieur Emiliano, savait certainement où se trouvait le Grimoire de Trotsky, elle avait constaté qu'il vivait à la campagne, loin de tous les transmoléculaires. En réfléchissant, elle en était venue à la conclusion qu'elle devait absolument demander l'aide de Jeremy, afin de s'y rendre la fin de semaine suivante.

Le lendemain après-midi, ils se retrouvèrent justement sur le terrain de psychiforce où ils se livrèrent un rude combat.

— Waouh ! Zarya ! fit Jeremy après l'affrontement, tout en s'essuyant le front avec une serviette. Je te trouve en excellente forme, aujourd'hui.

— Merci ! Tu te débrouilles bien également.

Il lui sourit.

— Jeremy ?

— Zarya ?

— Puis-je te demander un énorme service ?

Le garçon déposa sa serviette sur le banc et la regarda d'un air surpris.

— Y a-t-il un problème, Zarya ? lui demanda-t-il en voyant son visage s'empourprer.

— Je dois aller voir quelqu'un qui habite à la campagne, et… puisqu'il n'y a pas de transmoléculaire, je pensais…

— Tu veux que je t'y emmène, n'est-ce pas ? l'interrompit-il en constatant qu'elle était mal à l'aise.

— J'aimerais bien.

— Ç'a un rapport avec ta recherche, n'est-ce pas ?

— Euh… oui.

— Vous avez réellement trouvé des informations sur ce grimoire ?! lança-t-il, étonné.

— En réalité, j'ai l'adresse d'une personne qui saurait peut-être où il est.

— Alors, c'est donc vrai ! Tu vas vraiment essayer de communiquer avec Jonathan ?

— C'est mon intention.

— Je peux te comprendre, déclara Jeremy en s'asseyant sur le banc près de Zarya. Si ma Karine était… « égarée », je ferais tout mon possible pour la retrouver.

— Merci !

Il posa sa main sur son épaule en lui souriant.

— À cette adresse, va-t-il y avoir du danger ? demanda-t-il en prenant soudain son air malicieux.

— Probablement.

— Alors, tu peux compter sur moi !

Les quelques jours qui suivirent comptèrent parmi les meilleurs que Zarya avait passés au Temple des Maîtres Drakar depuis qu'elle y avait fait son entrée. En sachant qu'elle avait une chance, aussi mince soit-elle, de trouver le Grimoire de Trotsky, elle se sentait heureuse, du moins autant qu'elle pouvait l'être dans les circonstances. Son intention n'était pas de s'emparer de ce livre maudit, cela va de soi ! Elle voulait seulement demander à son propriétaire de le lui prêter le temps de l'utiliser pour communiquer avec Jonathan. Connaissant la bonté des Attiliens, la jeune fille était certaine qu'il n'y aurait aucun problème : le possesseur du vieux grimoire serait sans aucun doute honoré de lui rendre ce service ; c'est en tout cas ce qu'elle espérait !

Zarya se sentait tellement soulagée que son corps en vibrait. En revanche, elle était si fatiguée qu'elle fut tentée de rester assise dans son fauteuil douillet, au fond du dortoir, et d'y dormir toute la nuit. Au prix d'un gros effort, elle fit les quatre pénibles enjambées qui lui permirent de se laisser choir, en fin de compte, sur son lit moelleux. Ses compagnes dormaient déjà depuis un bon moment. L'adolescente tira les rideaux de son lit à baldaquin sur trois de ses quatre côtés : elle adorait fixer la lune, plus grosse, lui semblait-il, dans cette dimension.

Allongée sur son lit, elle eut, comme à son habitude, une dernière pensée pour Jonathan. Mais, aussitôt, lui revint à l'esprit la terrible histoire que lui avait racontée monsieur Emiliano à propos du Grimoire de Trotsky. Tant d'innocentes personnes étaient mortes à cause de ce livre maudit. Qu'aurait dit son grand-père s'il avait su ce qu'elle voulait faire ? Elle serrait ses bras croisés autour d'elle, en proie au désespoir. Devait-elle utiliser un objet maléfique pour son besoin personnel ? Ce livre… Monsieur Emiliano… Étaient-ce des coïncidences ? Un coup du sort, peut-être ? Elle n'en avait aucune idée, mais elle songea qu'elle aurait été bête de ne pas en profiter. À tout le moins, pour sauver l'âme de son amoureux. Zarya était décidée : elle devait le faire pour lui.

Elle luttait férocement pour ne plus penser au grimoire ; elle voulait dormir.

Alors que Zarya venait juste de fermer enfin les yeux, renversant sa tête sur son oreiller douillet et tiède, une alarme se mit à résonner comme un cri de détresse dans la nuit.

Effrayées, les cinq jeunes filles sautèrent littéralement en bas de leurs lits respectifs et virent, avec la plus grande stupéfaction, un bouclier protecteur bleuté qui recouvrait la porte : elles étaient barricadées à l'intérieur du dortoir !

Brusquement, une terrible explosion fit vibrer le Temple au grand complet !

Coalition maudite

Quelques jours avant l'explosion

Deux hommes descendaient les marches étroites qui menaient au sous-sol d'une maison de campagne. L'un d'eux transportait un grand miroir, tandis que l'autre, visiblement très nerveux, s'essuyait le front avec la manche de son manteau noir. Rendus en bas de l'escalier de pierre, ils traversèrent une petite pièce convenablement meublée et s'arrêtèrent devant une porte solidement verrouillée.

— Crois-tu qu'il va venir ? demanda celui qui transpirait.

— J'en suis certain !

L'homme qui tenait le miroir rectangulaire au cadre d'or sculpté dans sa main droite étira son bras libre pour frapper à la porte, lorsque son compagnon l'interrompit de nouveau :

— Le patron sait ce qu'il fait, n'est-ce pas ?

— Sans aucun doute.

— Ça peut se révéler très dangereux ?

— Pas pour lui, répondit l'homme au miroir d'un air impatient. Mais ça pourrait l'être pour toi, si tu continues à me poser ces questions stupides. Allez, laisse-moi frapper à la porte.

L'autre obéit.

Une immense pièce, faiblement éclairée par des centaines de chandelles noires, apparut. À l'intérieur, des personnes vêtues d'un manteau noir de style monacal, avec de larges manches et un capuchon remonté sur la tête, gardaient un silence funèbre. Tandis que ses yeux s'habituaient à la pénombre, l'homme qui portait l'étrange miroir s'avança au centre de la pièce, où trônait un autel en pierre. Personne ne lui prêtait attention, à part l'homme qui se trouvait au centre.

— Vous avez une heure de retard! grogna le chef du groupe, alias « l'inconnu du parc ». Finalement, je vois que vous avez réussi à mettre la main sur le Miroir des onirismes!

— Oui, patron, répondit l'homme en le déposant près de l'autel. Les agents de sécurité du musée ne se sont pas montrés très coopératifs… mais nous avons tout de même réussi à le prendre.

— Que Dieu ait leur âme! ajouta le froussard en riant bêtement.

Le chef le regarda sans le moindre sourire et reporta son attention sur le miroir.

— Le voici, enfin! s'exclama-t-il en s'avançant vers le mystérieux objet.

Sans le toucher, le mage noir leva un bras et dit d'une voix grave :

— *Elevatio perpetualis!*

Le miroir lévitait à présent au pied de l'autel de pierre. L'homme se tourna vers le groupe et déclara :

— Dans quelques minutes, il sera minuit. Notre hôte devrait bientôt nous honorer de sa présence. Je vous demande donc de bien vouloir retourner à votre place, mesdames et messieurs.

Sur ces paroles, les gens se placèrent comme prévu, avec une totale soumission, pendant que l'inconnu du parc s'allongeait nonchalamment sur l'autel, les deux bras de chaque côté du corps.

Les douze coups de minuit sonnèrent. Au même moment, une odeur de soufre se répandit dans la pièce.

— Ça sent mauvais, fit remarquer le trouillard.

— Tais-toi ! chuchota son compagnon en lui donnant un coup de coude dans les côtes. Il est ici, imbécile !

Tous se tournèrent et virent la silhouette d'une immonde bête de l'enfer qui faisait plus de deux mètres de hauteur et avait une longue queue dentelée. Un démon noir de pied en cap, avec des yeux globuleux blancs, regardant les humains présents d'un air indifférent. C'était Malphas ! Il était au fond de la pièce, flottant à la hauteur du plafond. Certaines personnes reculèrent instinctivement d'un pas, tellement la surprise était grande. Pour la plupart d'entre elles, c'était la première fois qu'elles voyaient de leurs propres yeux un démon d'aussi près. Quant au mage noir qui était couché sur l'autel, il le regardait avec contentement.

Un vieillard courbé et claudicant, dont la barbe grise tombait sur sa poitrine, vêtu d'une dalmatique rouge sang, s'approcha de l'homme étendu. Il posa la main sur son front en psalmodiant, d'une voix solennelle et monocorde, un hymne liturgique dans une langue très ancienne. Au son de cette étrange prière, les yeux du sacrifié se transformèrent en deux sphères noires et sa respiration s'accéléra dangereusement, tandis qu'il émettait un sifflement plaintif entre ses dents serrées. L'homme tomba ensuite dans une transe profonde.

La silhouette sombre de Malphas se mit alors à tournoyer au-dessus des têtes, dans la pièce, avec une voluptueuse lenteur. Arborant son sourire carnassier, il regardait le vieux prêtre, qui, posant à présent une main sur le Miroir des onirismes, prononça à voix basse une sorte d'incantation rituelle :

— *Ripa opponere operire minevas !*

La plaque de verre de l'étrange objet éclata en mille morceaux devant les yeux abasourdis des gens présents. Pourtant, curieusement, le miroir magique semblait avoir conservé son reflet, malgré les nombreux éclats dispersés sur les dalles de pierre autour de l'autel. Malphas s'arrêta brusquement devant le vieil homme et esquissa un sourire fugace.

— Les deux parties doivent respecter le pacte. Sans quoi, je devrai briser le Miroir des onirismes, et le maléfice sera aussitôt rompu, déclara le prêtre.

Malphas acquiesça d'un signe de tête.

— De ce fait, reprit le vieillard en s'inclinant si bas que sa barbe toucha le sol, que la coalition sacrée commence, mon seigneur !

Le démon regarda le miroir d'un air satisfait, puis y pénétra. À présent, Malphas flottait quelques centimètres au-dessus du reflet du corps de l'inconnu du parc. Ce spectacle paranormal était vraiment insolite pour les personnes qui y assistaient. D'un côté, dans le monde réel, il y avait l'homme dans une profonde transe qui respirait rapidement et, de l'autre, à l'intérieur du miroir, Malphas qui regardait l'opposé du sacrifié en souriant. C'est alors que l'entité démoniaque pénétra dans le corps de l'humain.

Quelques instants plus tard, de ce côté, le mage noir ouvrit finalement les yeux. Il se redressa doucement en regardant ses bras et ses jambes. Il se tourna vers le miroir et vit une chose qui était à la fois bouleversante et inimaginable : son reflet était toujours étendu sur la table et semblait plongé dans un profond sommeil ! En souriant, l'inconnu du parc dit à voix haute :

— Je le sens ! Je peux l'entendre chuchoter à l'intérieur de moi. Il est dans moi, je suis lui et il est moi ! Nous ne sommes qu'un à présent, mes chers disciples !

Autour de l'autel de pierre, lesdits disciples observaient Malphas avec une sorte d'exaltation fébrile. Leur chef était de retour parmi eux, après toutes ces années. Cette fois, cependant, il y avait quelque chose de différent. Le possédé avait la même ambition que l'entité elle-même : *conquérir !*

— Avez-vous l'entière maîtrise de votre corps, monsieur ? demanda le vieil homme.

— Bien sûr ! Comme prévu ! répondit le nouveau Malphas. C'était notre entente. Je tiens à conserver le contrôle de mes actes. Objectivement, nous avons fusionné pour qu'il puisse me guider dans ma périlleuse quête, me donner les directives nécessaires pour que nous atteignions notre but : la victoire contre les Maîtres Drakar !

Puis, entendant une voix en lui, il ajouta avec un sourire :

— Certainement, mon seigneur ! L'ouverture de la faille à l'intérieur du Temple.

— Ce ne sera pas facile, patron, déclara un homme bouffi et chauve dont la taille était gigantesque. Le Temple contient un grand nombre de Maîtres Drakar !

— Je sais… je sais ! fit Malphas en sautant en bas de l'autel de pierre. Alors, il faudra être patient. Il est clair que nous devrons les éliminer un à un, jusqu'au dernier.

— Mais nous ne sommes pas assez nombreux, mon seigneur ! lança une femme, près du géant.

— Eh bien, nous devrons également recruter ! Et sachez qu'en ouvrant la faille du Temple, on aura suffisamment d'aide pour dominer ce monde, sans oublier la dimension sans magie.

— Et qu'allez-vous faire du ministre Gabriel Adams ?

— Gabriel Adams ! Je m'en charge personnellement, précisa Malphas avec détermination. Sans oublier sa petite-fille, Zarya. J'ai, disons, une douce revanche à prendre sur cette *charmante* jeune fille. Un projet en commun avec mon hôte, d'ailleurs. Elle m'a, disons… contraint à retarder mes projets antérieurs. Par la même occasion, j'aimerais m'emparer de l'une de ses facultés, qui, admettons-le, pourrait m'aider à mener à bien notre quête.

— Si vous le désirez, père, je vais m'en charger ! proposa un jeune homme qui se tenait derrière les autres.

— Non, mon fils, refusa le nouveau Malphas, qui s'appelait en vérité Marcus, tu ne le peux pas pour l'instant, je le crains.

— Mais quand le pourrai-je ? grogna le garçon, les yeux pleins de rage.

— Je te demande d'être patient. Tu retrouveras tes pouvoirs bientôt. Pour l'heure, c'est ta sœur Cylia qui devra faire une chose importante pour moi.

Marcus s'approcha de sa fille et posa sa main sur son épaule. Celle-ci était grande, avec des cheveux et des yeux noirs ; elle avait le même regard froid et sévère que son père.

Tout en gardant un imperturbable silence ponctué seulement d'un soupir de satisfaction, l'adolescente fixa son frère d'un air supérieur.

— Du fait qu'ils t'ont enlevé momentanément tes pouvoirs, reprit Marcus en regardant Devon, c'est Cylia qui aura la lourde tâche d'accomplir cette mission.

◊ ◊ ◊

Au Temple, quelques minutes avant l'explosion
Cylia sortit de sa chambre à pas feutrés en veillant à bien refermer la porte derrière elle, sans faire de bruit. Tout en longeant l'un des interminables couloirs du Temple, elle vérifia le contenu de son sac pour s'assurer qu'elle n'avait rien oublié. Cela fait, elle palpa de sa main tremblante l'étrange collier qu'elle portait cette nuit-là. Malgré l'air frais qui circulait à l'intérieur de l'immense bâtisse, l'adolescente transpirait à grosses gouttes. Et il y avait de

quoi, puisqu'elle était sur le point d'exécuter une tâche à la fois minutieuse et très périlleuse, dont son père lui avait ordonné de s'acquitter au nom de la révolution. Ce dernier avait une confiance absolue dans les possibilités de sa fille. Indubitablement, elle ne manquait pas d'audace et de détermination. Elle l'avait déjà prouvé lors de la compétition du camp d'été des Maîtres Drakar.

Comme prévu, les couloirs étaient déserts. À première vue, la jeune Ekin ne semblait pas savoir où elle allait. Elle tournait à gauche, puis partait vers la droite, descendait des marches et en remontait d'autres un peu plus loin. Mais, en réalité, le trajet interminable qu'elle suivait avait été méticuleusement étudié. Depuis deux mois, elle avait essayé plusieurs parcours. Et, de toute évidence, c'était celui qu'elle devait emprunter aujourd'hui pour éviter d'arriver face à face avec un professeur ou, pire encore, avec un Maître Drakar. Cependant, avant de se rendre à l'endroit où elle devait aller, il fallait que Cylia passe par la classe de la professeure Bignet afin d'y prendre un objet qui lui serait indispensable.

Cylia s'arrêta devant la porte et l'ouvrit. Comme d'habitude, celle-ci n'était pas fermée à clef, madame Bignet ne la verrouillant jamais. « Elle aurait dû le faire cette fois », pensa la jeune Ekin avec un sourire malicieux. Juste avant de fermer la porte derrière elle, elle s'assura que personne ne l'avait suivie. Elle savait exactement où se trouvait l'objet dont elle avait besoin. La pièce étant trop sombre pour qu'elle fasse un pas de plus, l'adolescente ne tarda pas à sortir une petite pierre de son sac, un cristal transparent qu'elle frotta avec sa main et qui, aussitôt, se mit à éclairer. Elle avait à peine franchi la moitié de la classe lorsqu'elle entendit un bruit de pas dans le couloir. Instantanément, elle couvrit le cristal de sa main libre pour cacher la clarté qui s'en dégageait. Son cœur battait la chamade. Qui pouvait bien se promener dans les couloirs du Temple à cette heure tardive ? Ça ne pouvait être qu'un Maître

Drakar en service. « Pourtant, les autres nuits, personne ne se promenait dans ce coin du Temple », pensa-t-elle. Le bruit s'éloigna. Cylia reprit son souffle, puis son travail.

Arrivée devant l'armoire, elle l'ouvrit, se pencha vers la tablette du bas et saisit l'étrange objet dans sa main. Heureusement pour elle, l'Œil de l'elfe noir était inactif, pour l'instant du moins. Il avait la propriété de paralyser la personne qui avait le malheur de croiser son regard ensorcelé. C'était un outil maléfique, empreint d'une magie noire très efficace. Avant de le mettre dans son sac, la jeune fille devait s'assurer qu'il fonctionnerait quand elle aurait à l'utiliser. Aussi, elle chuchota :

— *Activus maleficium wardôn maledicere !*

Comme son père le lui avait dit plus tôt, l'œil se mit à irradier une chaleur presque insupportable ; il était donc fonctionnel. Par la suite, en veillant bien à ne pas le fixer du regard, elle le déposa délicatement dans son sac.

À présent, alors qu'elle avançait à grands pas le long d'un couloir désert, l'adolescente se sentait de plus en plus nerveuse. En vérité, chaque enjambée lui demandait un effort incroyable. Elle respirait profondément afin de se calmer, ouvrant la voie à une autre crainte, celle que la tâche qu'elle devait accomplir aujourd'hui soit trop difficile pour elle. « Serai-je à la hauteur ? » se demandait-elle, inquiète des conséquences qu'aurait un échec. Maudissant cette peur de ne pas réussir, elle s'efforça de chasser cette anxiété de sa tête. Elle voulait prouver à son paternel qu'elle était capable de faire ce qu'il lui avait demandé.

Quelques instants plus tard, Cylia arriva à l'endroit où sa mission allait vraiment commencer. Elle s'approcha de la porte, mais, avant de l'ouvrir, elle fouilla dans son sac et en sortit l'Œil de l'elfe noir. Ensuite, elle tendit une main tremblante vers la poignée, la tourna doucement et l'ouvrit de quelques centimètres à peine. Elle vit par l'ouverture un endroit bien éclairé, où elle aperçut la forteresse inversée.

De la grandeur d'une maison attilienne standard, cette dernière ressemblait à une pyramide carrée tronquée, en pierres blanches et entourée d'un champ magnétique qui empêchait les démons de s'en échapper. Sur tout le pourtour, il y avait un fossé rempli d'un liquide bleu lavande, communément appelé « myostypil », constituant une mesure de protection dans le cas où un démon réussirait à s'enfuir.

Cylia déposa l'objet maléfique sur le plancher, en prenant bien soin de ne pas croiser son regard envoûté. Puis, grâce à son pouvoir télékinésique, elle le fit rouler sur le sol en direction des deux Maîtres Drakar qui étaient de garde. La sphère maléfique se dirigea sournoisement vers eux, sans faire de bruit.

— Je suis allé chez ta sœur en croyant t'y trouver, dit l'un des Maîtres Drakar à son partenaire.

— Pas du tout, je t'ai attendu à la porte de la boutique pendant une bonne heure !

— Ta sœur ne voulait pas que je parte, tu peux me croire ?

— Ce serait bien, Mégane et toi, fit l'autre en lui adressant un clin d'œil. Tu sais, elle me demande tout le temps de tes nouvelles.

— C'est vrai ? Peut-être que… Mais c'est quoi, ça ?!

Les deux jeunes Maîtres Drakar regardèrent l'Œil de l'elfe noir s'immobiliser à leurs pieds.

— NON ! Il ne faut pas le regar…

D'une façon très soudaine, les deux hommes furent pris d'étourdissements ; leurs jambes devinrent chancelantes et lourdes ; leur vision, floue. Puis, de violents spasmes musculaires commencèrent à se faire sentir dans leurs bras et leurs jambes. Ils tombèrent brutalement sur le sol, sans pouvoir se rendre au bouton d'urgence. Le plus jeune des deux, en s'écroulant de tout son long, se frappa durement la tête et perdit aussitôt connaissance. L'autre homme, essayant la télépathie, réalisa assez rapidement qu'il ne pouvait plus communiquer avec personne, ni d'aucune autre manière en fait. Déstabilisé, joue contre terre, il sentit avec effroi une vibration sur le plancher : des pas venaient vers lui. Le responsable de cette attaque perverse était dans la même pièce que lui ! La seule chose qu'il pouvait encore voir, c'était l'Œil de l'elfe noir qui le fixait de sa pupille dilatée. Le Maître Drakar devait tourner sa tête dans une autre direction, mais il était totalement paralysé. Il sentit la présence se rapprocher de lui.

Cylia regardait le premier homme inconscient, la figure baignant dans son propre sang, puis l'autre qui faisait face à l'objet maléfique. Pour être certaine que ce dernier ne la voie pas, elle prit, sur une chaise, une veste noire qu'elle lança sur sa tête, tout en veillant à laisser son œil découvert.

Puis l'adolescente se tourna vers le champ magnétique, prit dans son sac quatre pierres de la grosseur d'un dé à coudre et en déposa trois, soigneusement, sur le sol autour de la pyramide blanchâtre, pour finalement faire léviter la dernière au-dessus du champ de protection, selon un schéma bien précis.

Son père lui avait fourni la bonne combinaison de pierres pour démagnétiser le champ de protection qui entourait la pyramide. Il se l'était procurée par l'intermédiaire de l'un de ses complices, qui était un spécialiste dans ce domaine. Maintenant que les pierres étaient disposées de façon à former une pyramide, Cylia recula de quelques pas en prononçant la formule magique permettant de les activer. Elle le fit à voix basse pour être sûre que le Maître Drakar encore conscient ne l'entende pas :

— *Ativas steen protectum !*

Sur ces mots, les quatre pierres prirent vie : un faisceau de lumière bleu céleste les relia, formant ainsi une immense pyramide lumineuse qui avait deux mètres de plus que l'originale. Le tétraèdre brillant enveloppait entièrement le champ protecteur. La lueur verte du champ magnétique se mit graduellement à changer de couleur. Elle passa du vert émeraude à un rouge flamboyant, avec un léger crépitement. En se dirigeant vers la sortie, Cylia regarda l'énergie des pierres entrer en conflit avec le champ magnétique de la pyramide tronquée, puis s'éteindre. L'alarme se mit à résonner partout dans le Temple.

La jeune fille ouvrit son sac et en sortit une boule gélatineuse bleutée. Elle leva la main droite, et la boule explosive vint léviter cinq centimètres au-dessus. Malgré sa grande nervosité, Cylia restait bien concentrée. Elle fit alors un mouvement de propulsion, mais sans toucher la boule qui fut projetée vers la pyramide de pierre. BOUM !!! Une énorme fissure se forma.

N'étant plus sous l'emprise de l'œil maléfique — lequel avait été balayé par l'extraordinaire souffle qu'avait créé l'explosion —, le Maître Drakar se releva, très ébranlé, mais parvint néanmoins à aller secourir son partenaire, toujours inconscient.

— Jimmy ! Je t'en prie, lève-toi ! s'écria-t-il en le secouant énergiquement.

— Que s'est-il passé ? demanda Jimmy en remarquant qu'il avait les doigts tachés de sang.

— Tu t'es fracturé le nez. Mais ce n'est pas tout ! dit vivement son copain en se tournant vers le mur de poussière qui couvrait entièrement la pyramide.

— Que Dieu nous vienne en aide !

Des cris effroyables se firent entendre, provenant de l'intérieur de la forteresse inversée endommagée.

Se disant que les secours allaient arriver d'une seconde à l'autre, les deux hommes décidèrent de se rapprocher de la forteresse en essayant de percer du regard le mur de poussière très opaque, pour finalement conclure :

— Le bouclier a été désactivé !

— La forteresse !

Avant de réaliser que le pire s'était produit, les deux Maîtres Drakar virent avec effroi des démons sortir avec difficulté par la fissure d'à peine un mètre de large. Les douze premiers tombèrent dans le fossé rempli de myostypil. Poussant des hurlements horribles, les bêtes moururent dans d'atroces souffrances. Cependant, les quatre démons suivants marchèrent sur les corps inanimés, se servant d'eux comme d'une passerelle pour se rendre de l'autre côté. Le Maître Drakar au nez cassé créa un bouclier invisible pour retenir les autres démons qui essayaient de sortir. Pendant ce temps, son partenaire essaya de rattraper les démons qui prenaient la fuite par la porte, déjà ouverte par Cylia.

Une trentaine de Maîtres Drakar armés de pierres de combat pénétrèrent dans l'immense salle où ils constatèrent les dommages irréversibles qu'avait subis la forteresse inversée.

Cylia Ekin courait à toutes jambes dans le long couloir où pas une ombre ne bougeait. On entendait seulement le bruit de l'alarme stridente qui retentissait dans tout le bâtiment. L'apprentie mage noire venait de commettre l'un des crimes les plus graves de cette dimension. Portée par l'adrénaline que cette mission très ardue avait fait couler dans ses veines, elle n'avait jamais couru aussi vite. Mais pas assez pour le démon qui la talonnait et qui gagnait sérieusement du terrain. La jeune fille s'arrêta net, se retourna et lui fit face. La bête luciférienne aux membres démesurés, qui arborait un sourire carnassier dévoilant des crocs formidables entre lesquels coulait une bave écumeuse, regarda la jeune humaine avec ses yeux blancs injectés de sang. Alors que l'ange noir s'apprêtait à tuer sa première proie dans cette dimension tant convoitée par ses semblables, son regard se posa sur l'étrange collier qu'elle portait autour du cou. Il recula jusqu'au mur, passa à côté de la jeune fille et reprit immédiatement sa course.

Au même moment, dans le dortoir de Zarya

Zarya, Abbie, Ève et les deux sœurs Salse étaient debout, déconcertées, face à la porte.

— Quelle est cette alarme ? Et pourquoi nous a-t-on enfermées dans notre dortoir ? demanda Ève, angoissée.

— Je n'en sais rien, répondit Zarya. Mais c'est sans doute pour notre bien.

— Regardez par ici, les filles, lança Abbie qui se tenait près de la fenêtre. Il y a des Maîtres Drakar qui courent partout autour du Temple.

— On dirait qu'ils cherchent quelque chose ! fit Danika en regardant à son tour par la fenêtre.

— Ou peut-être quelqu'un ? suggéra sa sœur.

— Non, regardez, dit Zarya, ils encerclent le Temple en créant un bouclier télékinésique. Ils empêchent plutôt quelqu'un d'en sortir.

Elle ne se trompait pas. Il y avait un Maître Drakar tous les dix mètres et, tous ensemble, ils formaient une chaîne humaine autour de l'immense bâtisse. Même si elles comprenaient ce qu'ils faisaient, les adolescentes ignoraient totalement pourquoi ils avaient recours à cette tactique défensive.

Des cris abominables se firent soudain entendre, s'infiltrant au travers de la porte du dortoir des jeunes filles. Celles-ci se regardèrent avec effroi.

— Mais qu'est-ce que c'est, tous ces hurlements ?! demanda Ève en reculant vers le mur du fond.

Ses amies l'imitèrent, sans répondre. Elles fixaient la porte et son bouclier translucide teinté de bleu. Maintenant, elles préféraient être enfermées de ce côté de la porte.

— On dirait qu'il y a eu une évasion, présuma Zarya en entendant des Maîtres Drakar passer dans le couloir à toute vitesse.

— Attention, il vient par ici ! cria l'un d'eux.

Les adolescents fixèrent la porte avec les yeux exorbités.

— Il ne faut pas qu'il s'enfuie !

Un vacarme de tous les diables retentit dans le couloir. Zarya pouvait même entendre les cris des filles qui se trouvaient dans les autres dortoirs, près du leur.

— Il ne faut pas qu'il réussisse à passer, répéta le Maître Drakar. Il faut l'abattre, ce sont les ordres du directeur Adams !

« Pour dire ça, cet homme parle sûrement d'une bête de l'enfer », pensa aussitôt Zarya. En jetant un regard par la fenêtre, et en écoutant le violent affrontement qui avait lieu dans le couloir, surtout après l'explosion qui avait secoué le Temple quelques instants plus tôt, elle en était certaine : il y avait une invasion de démons !

Bang ! bang ! Le démon essayait de défoncer la porte du dortoir de Zarya et de ses amies, afin de s'enfuir par la fenêtre. C'était sa seule issue, puisqu'il était encerclé.

— Empêchez-le d'entrer ! hurla un Maître Drakar. Il ne faut pas qu'il entre dans les dortoirs !

En jetant des cris effroyables, la bête frappa avec une force herculéenne sur la porte qui se fendit sur toute sa longueur. Danika poussa un hurlement d'horreur en voyant la figure démoniaque apparaître dans la fissure. Devant cette scène qui dépassait l'entendement, Zarya leva ses mains et créa un bouclier télékinésique pour une double sécurité, n'étant pas sûre que le bouclier bleuté résisterait à la force formidable de la bête. La voyant faire, les autres adolescentes l'imitèrent. Tout à coup, un cordon rouge s'enroula autour du cou musclé du démon, et celui-ci tomba violemment sur le sol. Le trou de la porte ainsi dégagé, les filles s'approchèrent et virent six hommes vêtus de noir qui essayaient désespérément de le maîtriser. Cependant, la bête réussit à se relever en frappant de son bras puissant un homme qui était près d'elle. Alors qu'elle essayait de mordre la tête de ce dernier, un autre Maître Drakar la fit léviter. Elle fut soufflée vers le haut, les pattes au plafond. Zarya et ses amies firent une grimace de dégoût en entendant un craquement sinistre : le cou du démon s'était brisé sous la force télékinésique du Maître Drakar.

— Alex, Evan, venez avec moi ! ordonna un homme qui se mit à courir. Ils ont besoin de nous, il y en a deux autres qui se dirigent vers l'aile ouest…

— Allons-y !

« L'aile ouest ! » pensa Zarya avec effroi.

— Les démons se dirigent vers… l'infirmerie, souffla-t-elle en regardant Abbie d'un air horrifié. Enlevez le bouclier ! cria-t-elle à un Maître Drakar qui était en train de vérifier si la bête était morte. Je dois sortir absolument !

— Restez à l'abri, mademoiselle. Le danger rôde toujours dans les couloirs du Temple. Vous êtes en sécurité là où vous êtes.

— Il a raison, approuva Abbie en prenant son amie par les épaules.

— Mais… Jonathan, il est sans défense !

— Ne t'inquiète pas, Zarya. Ils vont arrêter ces bêtes avant qu'elles ne puissent atteindre l'infirmerie, il y a des Maîtres Drakar partout, fit son amie, peu convaincue elle-même.

16

La nuit
la plus longue

L es adultes ont tous disparu ?! répéta une jeune
fille qui voulait être certaine d'avoir bien
compris.

— Oui, j'ai vérifié dans la serre et aussi dans le réfectoire.
Je n'ai vu personne ! Ils ne sont plus là, je suis sûre qu'ils
nous ont tous abandonnés !

Au même moment, les orphelins sentirent un souffle froid
anormal s'infiltrer dans le grand hall d'entrée. Les lumières
du plafond furent aspirées, tout comme celle du soleil qui
était dissimulé derrière l'épais brouillard, lequel continuait
de s'épaissir peu à peu : on se serait cru au beau milieu de la
nuit. Les orphelins tournèrent sur eux-mêmes pour essayer
de trouver un brin de clarté, en vain. C'était le silence absolu ;
seules les respirations saccadées de certains d'entre eux étaient
audibles. L'atmosphère qui les entourait était devenue lourde
et inquiétante.

Elliott, qui avait volontairement quitté le groupe, suivait le mur à tâtons en tentant de retrouver le chemin qui menait à l'entrée du sous-sol.

— Ah, les voilà !

Le garçon ouvrit l'armoire, en sortit les deux lampes à huile, les alluma et retourna vers le hall d'entrée.

Dès qu'il y mit les pieds, il constata qu'une certaine confusion s'était installée. Quelques filles pleuraient et d'autres se tenaient par la main en s'efforçant de se convaincre qu'il ne se passait rien d'anormal et que tout rentrerait dans l'ordre d'un instant à l'autre.

— Elliott ! lança Laurie, soulagée, en se tournant vers la lueur provenant du couloir. Où étais-tu ?

— Je suis allé chercher ceci, répondit-il en lui donnant l'une des lampes.

Pendant un instant, Elliott songea à raconter aux autres orphelins tout ce qui lui était arrivé depuis quelques jours. Mais il y renonça, se disant qu'il valait mieux ne rien leur révéler pour l'instant. Ils avaient eu leur lot de mystères pour aujourd'hui. Et de toute façon, Elliott n'avait pas de preuve tangible d'un lien quelconque entre l'arbre de l'Unus cornu, les étranges symboles sur l'horloge de la directrice, la disparition des adultes et l'atmosphère surréaliste qui régnait à ce moment dans l'orphelinat et aux alentours.

Il décida tout de même de briser le silence en essayant, dans un premier temps, de rassurer ses compagnons.

— Je ne sais pas ce qui se passe ici, et je sais encore moins où sont passés les adultes. Quoi qu'il en soit, nous devons rester calmes et attendre patiemment leur retour.

— Et s'ils ne reviennent pas ? lui demanda immédiatement un garçon, près de Tommy.

— Il doit y avoir une explication logique à tout ça. Cependant, je ne la connais pas, répondit Elliott, navré. Malgré l'obscurité à l'extérieur, c'est encore le jour. Mais la nuit tombera rapidement. Alors, nous devrions nous préparer pour son arrivée.

— Mais que devons-nous faire ? demanda Yanis qui faisait de son mieux pour conserver son calme.

— Nous pouvons rassembler tout ce qui pourrait nous éclairer. Ensuite, allons chercher nos matelas dans nos dortoirs et rassemblons-nous dans le réfectoire. Il serait préférable que nous dormions tous dans la même pièce cette nuit.

Elliott entendit des voix qui murmuraient autour de lui, sans vraiment comprendre ce qu'elles disaient. Cependant, plus de la moitié des orphelins lui obéirent sans discuter. Les autres se contentèrent de rester là et d'attendre patiemment le retour des adultes. À vrai dire, Elliott était convaincu que ceux-ci ne reviendraient pas. Cela ne faisait aucun doute pour lui, car il se souvenait parfaitement du bout de papier qu'il avait trouvé dans la maison près du lac :

... que nous sommes en sécurité dans cette maison, mes amis et moi. Les autres membres du groupe ont disparu. Les choses les ont sûrement tous tués. Nous allons essayer de rester en vie en attendant les adultes. Nous avons découvert une chose vraiment étonnante et nous allons nous en servir contre eux...

« Le passé refait surface », pensa-t-il, perplexe.

— Que va-t-il nous arriver, Elliott ? demanda Laurie.

— Il ne t'arrivera rien, Laurie. Je te protégerai !

Elle lui sourit ; elle lui faisait entièrement confiance.

◊ ◊ ◊

Cette nuit-là, personne ne dormit. Le brouillard était toujours présent, et on pouvait à peine voir la lueur de la pleine lune, qui était d'un rouge inquiétant, pénétrer par les hautes fenêtres du réfectoire. Les adolescents avaient ramassé, dans un temps record, toutes les chandelles qu'il y avait dans l'orphelinat. Il était temps, car les lampes commençaient à manquer de combustible.

Elliott regarda l'horloge sur la crédence près de la porte : elle indiquait 11 h 47.

— Dans quelques minutes, il sera minuit, murmura-t-il à Laurie qui était étendue près de lui.

— Et alors ?

— Je ne sais pas, fit-il en se levant.

— Où vas-tu comme ça ?

— Me chercher un livre à la bibliothèque, répondit-il en prenant le bougeoir.

— Puis-je venir avec toi ?

— Si tu veux.

En sortant de la salle, le garçon tourna vers la gauche et Laurie lui précisa :

— La bibliothèque est de ce côté, Elliott, dit-elle en tendant une main vers la droite.

— Pas celle-là ! L'autre !

— Ah, d'accord, fit l'adolescente, surprise.

Elle lui emboîta le pas sans poser davantage de questions.

Le couloir paraissait interminable dans cette obscurité sinistre, et un lourd silence, qui devenait de plus en plus insupportable, donnait la chair de poule à Laurie. Celle-ci avait l'impression d'entendre les murs centenaires respirer et crut même pendant un instant qu'ils bougeaient. Mais c'était évidemment l'illusion que créait la lueur vacillante de la chandelle d'Elliott. Après avoir descendu l'escalier qui menait à la bibliothèque, le garçon se dirigea directement vers l'une des tablettes du bas.

— Il est ici !

Laurie s'approcha de lui et regarda par-dessus son épaule.

— *Formulation des sortilèges de protection*, lut-elle. Protection ?! Mais protection contre quoi ?

— Je ne sais pas, dit sombrement Elliott. Mais je ne suis pas à l'aise avec tous les événements étranges qui se sont produits dernièrement.

— Tu me fais peur !

— Ne t'en fais pas. Je prends justement ce livre pour nous protéger de… enfin, pour être plus rassuré.

— Crois-tu être capable de formuler l'un de ces sortilèges ?

— Je vais justement en essayer un, répondit le garçon en feuilletant le gros livre illustré de drôles de petits dessins colorés, et dont le texte était écrit d'une façon très simple, facile à comprendre. Tiens, je vais expérimenter celui-ci ! indiqua-t-il en le pointant du doigt.

— Le sortilège de la fulguration, lut Laurie en fronçant les sourcils. Et que permet-il de faire ?

— Attends, je vais l'essayer.

Elliott sortit un œuf de bois de sa poche et le pressa dans sa main. Son bâton druidique reprit alors sa forme originelle. L'adolescent le pointa vers le mur de pierre en prononçant la formule d'une voix monocorde :

— *Fulguratio limitarium !*

Rien ne se passa.

— *Fulguratio limitarium !* lança-t-il d'une voix plus forte.

— On peut en essayer un autre si tu veux…, suggéra Laurie tout en gardant son optimisme.

— Non, attends ! J'avais oublié d'y mettre de l'émotion.

Elliott pointa de nouveau sa branche magique et déclara, cette fois avec une détermination inébranlable :

— *Fulguratio limitarium !*

Un éclair verdâtre sortit tout droit de son bâton et alla frapper violemment le mur. Bien que ce dernier fût résistant comme du ciment, un trou étroit s'était formé, là où le sortilège avait frappé.

Les deux amis restèrent bouche bée pendant quelques secondes.

— Pas mal, hein ? finit par s'exclamer Elliott en bombant le torse.

— Waouh ! Vraiment surprenant !

— Il y en a beaucoup d'autres. On va choisir un sortilège moins… éclatant cette fois.

— Oh, regarde celui-là !

— *Frigidius brusco !* D'accord.

Il brandit de nouveau son bâton druidique, mais n'eut pas le temps d'en faire plus.

— Elliott, Laurie ! hurla Yanis d'une voix étranglée par l'émotion, d'en haut de l'escalier. Venez vite !

— Allons-y ! lança Elliott en rétrécissant son bâton et en le glissant délicatement dans sa poche.

Laurie déposa le livre sur la table et le suivit au pas de course.

— Que se passe-t-il ? demanda Elliott qui talonnait son ami.

— On a vu une silhouette noire passer devant la fenêtre, expliqua ce dernier, les yeux exorbités. Je l'ai vue à peine une petite seconde, mais assez pour savoir que c'était quelque chose d'effroyable et d'irréel.

— J'ai peur, Elliott ! s'écria Laurie en s'approchant de lui.

— Alors, reste près de moi.

En entrant dans le réfectoire, Elliott vit que les orphelins étaient tous groupés dans un coin et se demanda avec étonnement pourquoi ils le fixaient tous dans un silence terrifié. Cependant, il comprit vite qu'en réalité ils regardaient plutôt au-dessus de sa tête. Le garçon fit alors demi-tour et aperçut une chose qui le pétrifia. Laurie poussa un cri d'effroi.

Une ombre flottait à la hauteur du plafond. On pouvait à peine distinguer les lueurs des chandelles qui scintillaient dans ses yeux démesurés, mais on voyait clairement qu'elle éprouvait une terrible haine pour les enfants présents. La créature mystérieuse était vêtue d'une ample cape déchiquetée en barbe d'écrevisse, qui flottait bizarrement dans un courant d'air surnaturel : le vêtement semblait être totalement constitué d'une vapeur dense et noirâtre.

— Que voulez-vous ? lui demanda Elliott en reculant d'un pas tout en tenant fermement son bâton compacté à l'intérieur de sa poche.

L'entité ne répondit pas.

— Partez ! On ne veut pas de vous ici ! lança le garçon avec un trémolo dans sa voix.

— Elliott ! s'écria Laurie. Il y en a d'autres !

En effet, deux autres silhouettes se faufilèrent par la porte entrouverte et s'installèrent dans une position stratégique autour des orphelins. Ces derniers étaient terrorisés. Ils n'avaient jamais vu une chose pareille, même dans leurs pires cauchemars.

L'entité qui faisait face aux adolescents sembla communiquer, pendant quelques instants, avec celles qui venaient d'arriver. Puis elle fixa Elliott droit dans les yeux. Le jeune druide, sentant que l'entité se préparait à passer à l'attaque, sortit son œuf de bois, le pressa et brandit devant lui le sceptre magique sous les yeux étonnés de ses compagnons ainsi que de la créature. Celle-ci poussa alors un râlement effroyable et fonça droit sur le garçon, sous les cris terrifiés des autres orphelins.

— *Frigidius brusco !* lança Elliott d'une voix puissante.

À cet instant, il vit jaillir du bâton un crachin glacé qu'il dirigea sans scrupules vers son assaillante. Cette dernière se figea au contact du givre et se transforma en statue de glace. Les deux autres entités s'arrêtèrent en voyant Elliott pointer le bâton dans leur direction et regardèrent leur semblable, étendue sur le sol. Pendant que l'une allait porter secours à sa chef statufiée, l'autre chargea le garçon.

— *Fulguratio limitarium !*

Un éclair verdâtre jaillit spontanément de son bâton et vint frapper son assaillante de plein fouet. L'entité fut projetée à travers la fenêtre qui éclata en mille morceaux. Ce fut justement par celle-ci que l'autre créature, tenant sa chef toujours captive de la glace, prit la fuite.

Le bâton druidique toujours en main, Elliott regardait autour de lui en essayant de repérer l'une de ces choses, mais elles avaient toutes disparu. C'est en se tournant vers une Laurie soulagée qu'il vit les autres orphelins tout autant pétrifiés. Cependant, c'était de lui qu'ils avaient peur, maintenant. Pour leur montrer qu'il ne voulait en aucun cas leur faire du mal, Elliott remit son bâton dans sa poche.

— N'ayez crainte !

— C'est pour ça que tu m'as battu l'autre jour, maugréa David d'un ton amer. Tu es aussi un démon ! Tu es l'un d'eux ?

En entendant ce mot, les autres reculèrent, médusés.

— Non, ce sont eux, les démons, précisa Laurie en pointant du doigt l'extérieur. Elliott nous a sauvé la vie !

— Nous pouvons le confirmer, approuvèrent Yanis et Tommy en se plaçant à côté de leurs amis.

— Et qui es-tu, alors ? demanda une jeune fille en avant du groupe.

— Je suis comme vous… Un druide !

Il y eut un long silence de stupéfaction, puis quelqu'un éclata de rire.

— Je suis un druide, et puis quoi encore ?! lança David en regardant le reste du groupe.

Cependant, personne ne sembla apprécier son humour, encore une fois. Tout le monde fixait le jeune druide sans prononcer un mot. C'est alors qu'une adolescente s'avança d'un pas méfiant et l'interrogea :

— Et eux, que nous voulaient-ils ?

— Je n'en sais rien. Mais j'ai la forte impression qu'ils n'ont pas eu ce qu'ils voulaient. Alors, je crois qu'ils vont revenir...

— Tu seras là pour nous protéger, n'est-ce pas ? lança la même fille, visiblement très inquiète.

— Oui, bien sûr. Cependant, comme je vous l'ai dit, je ne suis pas le seul à être un druide, vous pourrez vous défendre aussi.

— Mais on n'a pas de branche comme la tienne...

— Ce n'est pas une branche, c'est un bâton druidique, l'interrompit Laurie.

— C'est là, le problème, fit Elliott.

— Quel problème ? demanda Laurie. Il y en a plein dans la forêt, près de l'arbre...

— Oui, je sais, Laurie. Mais les démons s'y trouvent également !

Bien que la situation fût très inquiétante, Elliott se sentait tout de même énormément soulagé d'avoir enfin dévoilé aux autres son secret. Il avait raison, et ses compagnons semblaient être d'accord avec lui : ils devaient impérativement se procurer un bâton magique pour combattre les entités mystérieuses, sinon ils n'auraient aucune chance de rester en vie...

◊ ◊ ◊

Yanis et Tommy montaient la garde avec le sceptre magique de Laurie. Ils n'avaient pas réussi à le faire fonctionner, mais les entités, elles, ne le savaient pas. Laurie leur avait prêté son bâton à contrecœur, mais ils lui avaient promis d'y faire attention. Préférant rester auprès d'Elliott, elle était descendue avec lui à la bibliothèque du sous-sol pour faire une recherche sur les entités. Les deux garçons remarquèrent qu'un vent violent s'était levé : les branches des arbres géants autour de l'orphelinat ployaient sous sa force extraordinaire. Ils virent également, aux abords de la forêt, un phénomène météorologique préoccupant. Les éclairs qui zébraient le ciel étaient silencieux et avaient une teinte rougeâtre plutôt inquiétante. En observant ces lueurs sinueuses, ils crurent pendant un instant qu'elles sortaient directement du sol.

Pendant ce temps, au sous-sol, Laurie dit à Elliott :

— Nous possédons seulement deux bâtons druidiques et ce n'est pas suffisant pour les combattre.

— Non, je le crains.

— En revanche, nous possédons tous les ingrédients possibles et inimaginables pour concocter des potions de défense.

— Tu as raison, Laurie ! C'est une excellente idée !

Un sourire triomphant étira les lèvres purpurines de la jeune fille. Mais, soudain, elle fronça les sourcils en disant:

— Tu m'as l'air préoccupé, Elliott.

— Une heure que nous sommes ici, et ces choses ne se sont pas encore manifestées.

— Moi, j'en suis ravie !

— Ces démons préparent sûrement quelque chose, dit le garçon d'un ton grave. Il faut trouver un moyen pour parvenir à l'arbre de l'Unus cornu sans se faire repérer par eux, avant qu'ils décident de revenir à la charge.

— As-tu une idée ?

— Non, pas encore, fit-il, déçu. Mais crois-moi, j'y travaille.

— Je te fais confiance. Tu vas trouver la solution.

— Il y a peut-être ce sortilège à la page 54, mais je ne l'ai pas encore essayé…

— Page 54 ?

Laurie prit le livre, s'assit sur une chaise, dans le coin de la pièce, et le déposa sur ses genoux en tournant les pages.

— Ah, voilà !

— Oui, c'est ça. *Temporem interruptio !*

L'adolescente lut la description de l'enchantement, puis elle demanda à son ami, avec un étonnement mêlé de curiosité :

— Tu veux arrêter... le temps ?!

— Grâce à ce sortilège, je pourrais me rendre à l'arbre sans me faire attaquer par ces choses...

— Tu crois que ça va fonctionner ?

— Si on n'essaie pas, on ne le saura jamais...

◊ ◊ ◊

La question que se posait Elliott trouva sa réponse dès qu'il eut essayé le sortilège permettant d'arrêter le temps.

— Ça ne dure qu'une petite minute à peine, expliqua-t-il à Laurie, désappointé. Ensuite, le temps revient à la normale. L'arbre de l'Unus cornu est beaucoup trop loin d'ici pour que je puisse en faire usage.

— Tu pourras le faire plusieurs fois et...

— C'est écrit noir sur blanc dans le paragraphe qui énumère les aspects négatifs de l'enchantement : après l'avoir utilisé, le druide perd ses pouvoirs pendant un laps de temps plus ou moins long, en fonction de son évolution. Ça peut prendre quelques minutes. Donc, je ne pourrai pas jeter ce sortilège plusieurs fois de suite.

— Alors, il faudra trouver autre chose.

— Oui, j'en ai bien peur. Et toi, as-tu trouvé une potion qui pourrait nous aider ? demanda-t-il en regardant le livre qu'elle tenait entre ses mains.

— Oui, je crois. Si nous trouvons tous les ingrédients nécessaires pour la préparer, nous devrions être en sécurité avec cette poudre...

— Une poudre ?!

— Oui, de la poudre envoûtée, dit Laurie en sortant de la pièce.

Pendant qu'elle allait chercher tout ce dont elle avait besoin pour fabriquer la fameuse poudre, Elliott, qui n'avait trouvé aucun renseignement sur les entités dans les nombreux livres qu'il avait consultés, reprit son bouquin intitulé *Formulation des sortilèges de protection* et essaya de mémoriser quelques formules qui lui seraient utiles si les mystérieuses créatures décidaient de revenir à la charge.

— Elliott! Viens avec moi, fit Laurie en le tirant par le bras, un instant plus tard. J'ai besoin de toi pour accomplir le rituel magique.

— Le quoi?!

Elliott et Laurie retournèrent dans le réfectoire, où étaient réunis les autres orphelins. Ceux-ci étaient en cercle et semblaient observer quelque chose, au centre. Le jeune druide s'approcha et vit un simple chaudron de cuivre rempli d'une poussière jaunâtre.

— C'est ça?!

— Oui.

— Et comment ça fonctionne?

— Il faut en répandre autour de l'endroit où on veut être en sécurité, expliqua Laurie. Malheureusement, comme on a manqué d'ingrédients, on n'en a pas suffisamment pour faire le tour de l'orphelinat.

— Alors, on devrait au moins en étaler autour de cette pièce, puisque c'est ici que nous allons dormir cette nuit.

— Très bien, fit la jeune fille en regardant autour d'elle. Nous devrions en avoir assez pour faire un cercle autour de tous les matelas.

— Alors, qu'est-ce qu'on attend? demanda Elliott, impatient de voir le résultat.

Laurie lui fit un sourire, prit le contenant et s'éloigna du groupe.

C'est en sifflotant — une habitude qu'Elliott trouvait mignonne — qu'elle répandit la poudre magique sur le sol. En reculant lentement, elle traça une ligne parfaite de cinq centimètres de largeur. Tous les orphelins regardaient la jeune fille aux longs cheveux roux et bouclés, sans prononcer une parole. Même Yanis et Tommy, qui montaient toujours la garde près de la grande fenêtre, l'observaient avec un petit sourire.

Lorsqu'elle eut fini, Laurie déposa le chaudron vide sur une table qui était appuyée contre le mur.

— C'est tout ? l'interrogea Elliott.

— Non, maintenant, il faut l'activer.

— Et comment est-on censé faire ça ? demanda David qui prenait à présent la magie très au sérieux.

L'adolescente prit le livre sur les potions entre ses mains.

— J'aurai besoin de tout le monde pour dire la formule magique. Selon ce qui est écrit, plus on est nombreux à participer au rituel et plus le bouclier protecteur sera puissant.

— D'accord, fit David en s'avançant près d'elle.

— Toi, Elliott, prends ton bâton druidique et pointe-le vers la ligne en prenant bien soin d'y toucher.

Laurie se tourna vers les autres, puis elle leur expliqua :

— Maintenant, nous devons absolument nous tenir par la main pour former un tout et canaliser notre énergie. Quand je réciterai la formule incantatoire, répétez-la après moi.

En formant un cercle, les orphelins se tinrent par la main, et Laurie posa sa main libre sur l'épaule d'Elliott. Puis elle dit d'une voix sérieuse :

— L'Entité contre nous est tournée… Notre groupe en cette heure de la nuit est troublé… Nous formons le cercle de protection… Sa puissance est notre maison… Nous t'ordonnons de quitter ce lieu… Aussi promptement que tu y es venue… Que cette magie blanche te chasse… Que ton énergie noire s'efface !

Une fois qu'ils eurent fini de réciter cette formule incantatoire, les adolescents regardèrent, bouche bée, la ligne jaune qui devint d'un rouge scintillant. C'était comme des milliers de minuscules lucioles déposées sur le sol, formant un cercle parfait autour d'eux.

— Je ne sais pas pour vous, dit Laurie qui se trouvait à l'intérieur du cercle de protection, mais je ne sens plus aucune mauvaise vibration, ni rien de ce genre !

— Tu as raison, approuva David, les yeux grands ouverts malgré la fatigue qui le gagnait. Je me sens comme dans un immense aquarium.

— Je ne peux pas en dire autant, fit remarquer son ami avec un rictus moqueur. Je ne suis jamais entré dans un aquarium !

Elliott gloussa en imaginant le colosse dans cette position grotesque.

— Si je peux vous donner un petit conseil, suggéra-t-il en s'adressant au groupe, vous devriez vous reposer un peu. Car demain, si les adultes ne sont pas revenus, il faudra aller chercher nos bâtons magiques dans la forêt.

— C'est une très bonne idée, approuva une fille en bâillant de fatigue. Je suis épuisée !

— Yanis et Tommy, venez vous étendre un peu, dit Elliott en se dirigeant vers eux. Je vais vous remplacer.

— Non, ça va pour nous, Elliott. Tu as travaillé plus fort que nous. Si David et un autre garçon veulent bien nous remplacer dans deux heures, ce serait grandement apprécié.

— Je suis d'accord ! Je vais prendre le relais avec Jonas, fit David en donnant une tape puissante dans le dos du garçon en question, qui faillit tomber à plat ventre.

Lorsqu'il s'allongea sur son matelas, Elliott ressentit une grande satisfaction. Il ne s'était jamais senti aussi important de toute sa vie. Il devait admettre qu'il avait joué un rôle crucial et qu'il avait su obtenir des autres écoute et respect, tout au long de cette soirée pourtant très mouvementée. C'est sur ces belles pensées qu'il put enfin glisser dans le sommeil.

◊ ◊ ◊

— Ils sont là ! Les démons reviennent ! cria David à pleins poumons pour avertir ses camarades, quelques heures plus tard.

— Venez vous réfugier à l'intérieur du cercle de protection ! lança Elliott en leur faisant un signe de la main.

Armés du bâton de Laurie, David et Jonas coururent vers les autres orphelins pour se mettre à l'abri, en espérant de tout cœur que le bouclier fonctionne.

Ils posèrent leurs pieds à l'intérieur du cercle juste à temps. Deux créatures butèrent violemment contre la paroi invisible en essayant de les capturer. Les pensionnaires de l'orphelinat regardèrent avec effroi la chef des entités pénétrer dans la salle avec lenteur. Celle-ci survola le sol à quelques centimètres, tout en observant le cercle magique. Elle se redressa de toute sa hauteur en jetant sur les adolescents un regard plein de mépris.

— Que voulez-vous ? demanda Elliott en prenant son bâton.

La chef répondit non pas avec sa voix, mais avec son doigt démesuré, qu'elle pointa vers tous les orphelins présents.

— Qu'avez-vous fait des adultes ? fit encore Elliott.

L'entité lui adressa un sourire carnassier qui dévoila ses longs crocs jaunâtres et tranchants. Tous reculèrent d'un pas devant cette infâme vision.

— Vous les avez… tués ?! lança Laurie en mettant sa main sur sa bouche.

Soudain, une porte claqua derrière les entités, et une jeune fille apparut. La pauvre avait quitté le cercle de protection, quelques instants plus tôt, pour aller aux toilettes.

— Cours, Lisa, cours ! cria David de sa grosse voix.

En voyant les trois entités entre le cercle et elle, Lisa lâcha un cri de désespoir ! À une vitesse incroyable, l'une des ombres noires s'empara d'elle et prit la fuite à travers la fenêtre pour disparaître dans la forêt obscure et brumeuse.

Au même moment, Elliott brandit son bâton druidique en direction des deux autres entités qui prenaient à leur tour la fuite avec satisfaction.

— *Fulguratio limitarium !*

L'éclair verdâtre sortit tout droit du bout de la branche et frôla de peu la tête de la chef...

— *Fulguratio...* Noooooon !...

Elliott, la rage au cœur, animé d'une détermination instinctive, se mit à courir vers la fenêtre, l'enjamba sous les pleurs des autres orphelins, pour finalement disparaître à son tour dans l'inquiétante forêt...

Sinistres appréhensions

Zarya, Abbie, Ève et les sœurs Salse étaient assises sur leurs lits respectifs. Depuis une trentaine de minutes, un silence absolu régnait dans les couloirs du Temple. C'était le calme plat. Pourtant, le bouclier protecteur bleuté qui recouvrait la porte était toujours là. Abbie jeta un coup d'œil à l'extérieur et constata que les Maîtres Drakar formaient encore une chaîne humaine pour empêcher les démons de s'enfuir. Le plus surprenant, c'était qu'aucun d'eux ne bougeait d'un millimètre ; même leur respiration semblait s'être arrêtée ; ils étaient comme de vraies statues de pierre.

Danika et Maelie se regardaient sans prononcer un mot. Ève avait pris un livre dans ses mains et fixait la même page depuis un bon moment. Abbie s'approcha de la porte et, sans remuer un cil, scruta le couloir, par le trou, en espérant voir quelqu'un arriver. Zarya, pour sa part, tenait sa figure dans ses mains en souhaitant de tout son être que les Maîtres Drakar aient réussi à intercepter les démons avant que ces derniers n'aient atteint l'infirmerie.

Tout à coup, un «pop!» brisa le silence. Zarya leva la tête et vit que le bouclier avait disparu. Elle bondit sur ses pieds et ouvrit la porte. Sans prêter attention à cette dernière qui était tombée en morceaux sur le sol, elle avait déjà parcouru une dizaine de mètres dans le couloir avant même que ses amies ne se soient levées de leur lit.

Zarya courut à perdre haleine dans les couloirs, à présent bondés d'académiciens, en direction de l'infirmerie. Elle était trop absorbée par sa course pour s'apercevoir que les murs étaient couverts d'éraflures et de trous, sûrement causés par les tirs de boules télékinésiques.

Aussi brusquement qu'elle était partie, Zarya s'arrêta devant la porte de l'infirmerie en constatant que celle-ci était toujours intacte. Fort heureusement, un bouclier protecteur avait dû la recouvrir.

— Zarya!

La jeune fille se retourna.

— Je ne t'ai... jamais vue courir... aussi vite! lança Abbie, essoufflée.

— Il n'a rien! fit Zarya, soulagée.

— Je te l'avais pourtant dit. Il ne faut pas oublier que nous sommes dans un établissement à haute sécurité et que nous sommes entourées par des Maîtres Drakar.

— Oui, tu as sûrement raison, répondit Zarya, malgré tout inquiète. Mais il y a *tout de même* eu une explosion suivie d'une évasion de démons!

Cette fois, Abbie resta bouche bée. Elle ne savait pas quoi répondre.

◊ ◊ ◊

Le soleil était déjà levé lorsque Zarya avait enfin réussi à s'endormir. Étant donné les circonstances exceptionnelles, les cours du jeudi avaient été annulés.

À son réveil, le dortoir était désert. En se regardant dans le miroir au-dessus de sa commode, l'adolescente se dit à elle-même :

— Tu as une mine épouvantable !

Elle s'habilla rapidement, puis descendit au réfectoire où elle trouva Ève et les sœurs Salse en train de discuter des événements de la nuit précédente.

— Bonjour, les filles ! Où est Abbie ?

— À l'université.

— Ah, c'est vrai. Elle avait un cours ce matin, dit Zarya en s'asseyant près d'Ève.

— On a préféré te laisser dormir, précisa Danika, tu semblais faire un beau rêve.

— Je ne m'en souviens pas, c'est dommage.

— Qui est Livia ? demanda Ève en prenant une bouchée de son croissant.

— Livia ?!

— Oui, tu as prononcé ce prénom à plusieurs reprises dans ton sommeil, affirma Maelie.

— Livia, dit Zarya innocemment en pensant immédiatement à la sœur de Jonathan. Ai-je dit autre chose ?

— Non, seulement ce prénom accompagné de petits ricanements.

Zarya haussa les épaules.

— Il va y avoir une réunion dans la salle de sport à midi, signala Danika. Le directeur Adams veut nous parler. Et tout le monde doit y être sans exception. Ils ont spécifié que ça ne devrait pas être long.

— Et qui t'a dit ça ? l'interrogea Zarya, curieuse.

— Waouh ! tu devais dormir profondément, lança Ève avec un petit rire. Le message a résonné fortement dans les haut-parleurs.

Après avoir terminé son petit-déjeuner, comme il restait un peu de temps avant la réunion, Zarya décida d'aller constater les dégâts qu'avaient causés les démons. Les ouvriers avaient déjà commencé les travaux de réparation, et l'adolescente remarqua que la sécurité avait considérablement augmenté dans tout le bâtiment, surtout près de l'entrée de la forteresse inversée, à l'endroit où s'était formée la faille méphistophélique. D'ailleurs, quelques curieux essayaient d'y pénétrer, mais les Maîtres Drakar en interdisaient formellement l'accès.

— Désolé, mademoiselle, dit justement l'un d'eux à Zarya, vous ne pouvez pas entrer.

— D'accord, je peux très bien comprendre, répondit-elle en tournant les talons.

— Attendez, mademoiselle Adams ! fit son partenaire. On ne vous avait pas reconnue. Vous pouvez entrer !

— Non, merci, monsieur. Je suis une académicienne comme les autres, et je dois respecter les règles de sécurité comme il se doit.

— Très bien, mademoiselle Adams.

Elle leur sourit en leur souhaitant une bonne journée. Alors qu'elle s'était éloignée de quelques mètres, elle crut entendre l'un des deux hommes dire : « Elle est vraiment comme son grand-père ! » Elle prit cette remarque comme un compliment.

Marchant d'un pas lent dans le couloir voûté en direction de la salle de sport, Zarya eut une pensée pour son grand-père. Ce dernier devait vivre des moments très difficiles après cette terrible infraction. Elle ignorait totalement si un incident similaire s'était déjà produit dans le passé. Mais elle se demandait quelles seraient les conséquences de celui d'aujourd'hui. Faudrait-il fermer temporairement l'établissement durant l'enquête ? Si oui, pour combien de temps ? Elle ne tarderait pas à le savoir, se dit-elle en regardant sa montre : il restait quarante-cinq minutes avant que la réunion ne commence.

En levant les yeux, Zarya vit le jeune professeur qui venait dans sa direction.

— Bonjour, Olivier !

— Salut ! Comment vas-tu ?

— Je vais bien, et toi ?

— Ouais, un peu fatigué… J'ai l'impression de ne pas avoir dormi depuis des siècles.

— Je comprends, avec toute cette agitation, dit la jeune fille en regardant quatre Maîtres Drakar qui passèrent à côté d'eux d'un pas pressé.

— Oui, disons que nous avons eu notre lot de réunions depuis l'explosion…

— Avez-vous trouvé le coupable ?

— Il est clair que ça provient de l'intérieur. D'ailleurs, tous les professeurs et les Maîtres Drakar doivent être interrogés sous hypnose ce soir devant le Grand Conseil.

— Et nous, les élèves, quand serons-nous interrogés ?

— C'est là, le problème ! répondit Olivier d'un ton irrité. Pour que les étudiants puissent passer ce test de vérité, ton grand-père doit demander un mandat pour chacun d'eux. Malheureusement, cette étape peut prendre quelques jours, voire des semaines. Et nous sommes jeudi, donc les étudiants partent demain pour la fin de semaine. Si l'un d'entre eux a vraiment commis ce crime abominable, on enlèvera sans aucun doute ce souvenir fatidique de son cerveau avant son retour.

— Ce n'est pas juste !

— Tu as raison. Cependant, c'est la loi !

Zarya atteignit enfin la salle de sport dont les portes étaient déjà ouvertes. En y pénétrant, elle remarqua que, contrairement au jour où Gabriel avait fait son discours de début d'année, aucune chaise n'avait été installée pour les étudiants au centre de la piste. Voyant Abbie qui se trouvait près des gradins faisant face à la loge du directeur, elle alla la rejoindre. Les tribunes de chaque côté étaient remplies d'hommes en uniforme noir, et les académiciens continuaient à entrer dans l'immense salle rectangulaire, dans un silence absolu. Celle-ci était plus sombre que d'habitude, à cause des rideaux qui masquaient les hautes fenêtres, seulement éclairée par les torches dont jaillissaient des flammes étrangement bleutées.

Tous les Maîtres Drakar se levèrent d'un même mouvement. Gabriel Adams venait de pénétrer dans la salle, accompagné, cette fois, des six autres membres du Grand Conseil, dont il faisait également partie. Chacun de ces derniers alla à la chaise qui lui était réservée, pendant que Gabriel se dirigeait vers le lutrin se trouvant au centre de la loge. Ce n'était pas le directeur que les étudiants connaissaient, plein de charisme et affichant toujours un calme olympien, qui apparut ce jour-là devant eux, mais plutôt un homme accablé par les récents événements.

— Bonjour à tous ! Merci d'être venus à cette réunion spéciale. Ne vous en faites pas, ce ne sera pas long, fit-il d'un air sombre. Comme vous le savez tous, un délit extrêmement grave a été perpétré cette nuit à l'intérieur de ce Temple. La forteresse inversée a subi des dégâts considérables, provoqués par une violente explosion d'origine criminelle. Il en a résulté une invasion de plusieurs démons, parmi lesquels quatre ont réussi à franchir la douve remplie de myostypil, pour ainsi blesser trois de nos valeureux Maîtres Drakar.

Gabriel prit quelques secondes pour regarder les autres membres du Grand Conseil, puis il se tourna de nouveau vers les étudiants pour leur dire d'une voix grave :

— Ce n'est pas la première fois que ce genre de chose arrive depuis la construction de cette forteresse inversée. Cependant, un fait reste des plus inquiétants : la menace provenait de l'intérieur. Et selon toute logique, le, la ou les coupables… seraient parmi nous, en ce moment même.

Une soudaine agitation s'empara des étudiants. On pouvait sentir chez eux une indignation furieuse. Ils se dévisageaient les uns les autres en essayant de deviner qui aurait pu, parmi les centaines d'adolescents présents, faire une chose aussi atroce.

Cylia était derrière le groupe et s'efforçait de garder une expression impassible malgré l'énorme stress qu'elle vivait.

— Silence, je vous prie ! s'écria Gabriel en faisant un geste de la main, avant de reprendre : Si vous avez des informations relatives aux événements de la nuit passée, et quelle qu'en soit l'importance, veuillez nous en faire part le plus tôt possible. Il va sans dire que ces témoignages resteront totalement confidentiels. Mais, croyez-moi, tôt ou tard, nous trouverons les coupables ! Merci de votre attention.

Sur cette dernière parole, le directeur quitta les lieux, suivi des autres membres du Grand Conseil.

◊ ◊ ◊

Le lendemain, Zarya descendit prendre son petit-déjeuner en compagnie de ses camarades de dortoir. Dans le réfectoire, la tension était tout aussi palpable que la veille. Normalement, on pouvait entendre un brouhaha ambiant, entrecoupé de rires s'élevant çà et là. Mais, cette fois, seuls de vagues chuchotements couraient dans l'immense salle.

— D'après vous, qui pourrait être le coupable ? demanda Ève à ses amies.

En se regardant les unes les autres d'un air troublé et perplexe, elles haussèrent les épaules.

— Je ne sais pas qui a pu faire une chose pareille ! répondit Abbie, manifestement indignée. Mais la personne qui a commis ce crime doit se tenir tranquille dorénavant, puisqu'il y a des Maîtres Drakar partout dans les couloirs et autour du Temple.

— Quand j'ai vu le directeur Adams quitter la salle de sport après la réunion, fit remarquer Danika à ses compagnes, j'avais l'impression qu'il portait le poids du monde sur ses épaules.

— Son poste comprend beaucoup de responsabilités, précisa Jeremy qui venait de se joindre à elles. Mais je suis certain qu'il va trouver le coupable un jour ou l'autre, comme il l'a toujours fait. Et toi, Zarya, as-tu parlé avec ton grand-père depuis ?

— Non, pas encore. Mais j'ai l'intention d'aller le voir cet après-midi, après mon cours de démonologie.

Pendant qu'Ève discutait avec Abbie, Jeremy s'approcha de Zarya et lui chuchota :

— J'ai eu la permission !

— La quoi ?

— Mon père me prête la camionnette pour toute la journée de samedi. Je lui ai dit que c'était pour vous faire visiter la campagne, à Abbie et à toi. Il m'a même conseillé d'aller vous montrer le moulin de Beneich, près du village de Lambours. Pour une raison inconnue, les énormes ailes qui sont fixées aux bras du moulin tournent en sens inverse de celui où souffle le vent.

— Étrange ! fit la jeune fille en fronçant les sourcils.

— Es-tu toujours partante pour ta recherche ?

— Plus que jamais !

Zarya ne vit pas le temps passer durant la dernière journée de cette semaine mouvementée. Certes, quelques élèves avaient interrogé les professeurs sur ce qui s'était passé à la forteresse inversée, mais les cours avaient repris normalement, comme s'il n'y avait jamais eu d'invasion de démons.

Le premier cours de l'après-midi fut celui de psychiforce. Le professeur Erich Vernet, qui, soit dit en passant, n'avait aucun lien de parenté avec Jeremy et Élodie, préférait donner son cours derrière le Temple, près des serres expérimentales. Ce n'était pas la première fois qu'il le faisait, mais aujourd'hui, c'était loin d'être le temps idéal pour pratiquer ce genre d'exercice. Il pleuvait à boire debout ; le vent impétueux faisait courber les cimes des hauts arbres et gémir leurs feuillages abondants. Le terrain était dans un état épouvantable, pour la plus grande satisfaction du professeur. Heureusement, les étudiants étaient vêtus pour l'occasion d'un imperméable jaune canari fait d'un épais caoutchouc qui protégeait un peu leur corps des nombreuses chutes sur le sol humide et accidenté.

Zarya regardait Jeremy affronter, sur le terrain glissant, un type bien plus balèze que lui, lorsqu'elle vit Cylia qui se trouvait de l'autre côté de la piste. Curieusement, celle-ci semblait fuir son regard. Maintenant qu'elle y pensait, Zarya trouvait bizarre que Cylia se tienne si tranquille depuis quelques jours. Normalement, celle-ci aimait faire des remarques désobligeantes lorsque Jeremy s'entraînait à la psychiforce. Mais là, elle restait parfaitement indifférente à ce qui se passait autour d'elle. Zarya ne connaissait pas la raison de ce changement soudain de comportement, mais elle ne s'en plaignait surtout pas. La seule chose qui l'inquiétait vraiment pour l'heure, ce n'étaient certainement pas les préoccupations de cette fille, mais plutôt celles de son grand-père. Elle eut un pincement au cœur en regardant les rideaux fermés de son bureau, derrière elle, près de la tour centrale du Temple. Elle n'avait jamais vu Gabriel dans un tel état émotif. De toute évidence, la personne qui avait provoqué l'invasion des bêtes lucifériennes avait touché un point sensible : la sécurité des académiciens. Le bien-être de ceux-ci était sans aucun doute la priorité du directeur du Temple. Cependant, autre chose le perturbait. Depuis plusieurs générations, les Adams avaient réussi à protéger les Attiliens de créatures perverses et sournoises qui vivaient dans une autre dimension, en les barricadant dans une forteresse conçue pour les maintenir dans leur enfer.

Mais là, sous sa direction, quelqu'un avait essayé de mettre un terme à cet engagement sacré. Pour le vieil homme, c'était une tache noire dans sa carrière.

Zarya voulait justement rendre visite à son grand-père après ses cours, car elle savait qu'il quitterait Attilia pour quelques jours ; il devait assister à une réunion importante avec les hauts dirigeants du monde des sorciers.

◊ ◊ ◊

Malgré les doutes qui l'assaillaient, Zarya se dirigea vers le bureau de Gabriel. Elle ne voulait surtout pas le déranger dans un moment pareil, mais, en même temps, elle souhaitait que sa visite lui fasse du bien ; elle tenait à essayer de lui remonter le moral, d'une façon ou d'une autre, comme il l'avait fait pour elle à plusieurs reprises dans le passé. Avançant d'un pas de plus en plus hésitant dans le couloir bondé d'académiciens qui marchaient en sens inverse pour quitter le Temple, la jeune fille esquissa un petit sourire en pensant qu'elle ne devait surtout pas parler à son grand-père de ce qu'elle allait faire durant la fin de semaine. Ce n'était certes pas le moment de lui dire qu'elle avait l'intention de partir à la recherche du grimoire maudit pour l'utiliser à des fins personnelles.

Zarya replaçait une mèche de cheveux rebelle, de ses doigts fins et légèrement tremblants, quand la porte du bureau du directeur s'ouvrit. Deux quinquagénaires élégamment vêtus passèrent à côté d'elle sans même la regarder.

— Entre, ma chère Zarya ! fit le vieil homme avec un sourire accueillant.

La jeune fille referma la porte derrière elle et s'approcha de Gabriel, soulagée de voir qu'il semblait avoir retrouvé son humeur habituelle.

— Bonjour, grand-père. J'espère que je ne te dérange pas...

— Jamais ! Tu peux me croire ! s'exclama-t-il en pressant son épaule délicate d'une main affectueuse. Bien au contraire, je suis ravi de voir enfin un visage frais et joyeux qui contraste remarquablement avec ces deux enquiquineurs de la Sécurité publique, ajouta-t-il en lui faisant un clin d'œil.

— Tu as des ennuis avec ces hommes, grand-père ?

— Non, ne t'en fais pas, dit-il en s'asseyant sur le coin de son bureau. Ils voulaient s'assurer que l'incident de l'autre nuit ne se reproduirait pas. Ce sont des agents qui ont été envoyés par le Très Honorable Hamas Sarek.

— Ah, lui !

Gabriel sourit en voyant sa petite-fille rouler les yeux et faire une grimace d'aversion.

— Ce cher ministre Sarek ! reprit Gabriel. Je ne serais pas surpris qu'il soit, de près ou de loin, mêlé à cette affaire...

— Il serait impliqué dans l'invasion ?!

— Exactement. Il est toujours le premier à intervenir lorsqu'il y a un problème dans cette académie. J'ai la forte impression qu'il ferait tout pour la voir fermer.

— Mais c'est insensé ! s'écria Zarya, offusquée. Les Attiliens ont besoin de la protection des Maîtres Drakar... Et la faille ? Qui va surveiller la faille ? Si personne ne la gardait, les démons envahiraient cette dimension en très peu de temps !

— Tu as raison, ma chère. Nous avons besoin de nos valeureux protecteurs.

— Alors, je souhaite que les coupables de ce méfait soient arrêtés le plus rapidement possible, grand-père. Et que l'on arrive à prouver, hors de tout doute, que ce type fait partie de cette organisation criminelle.

Le vieil homme lui sourit tout en se dirigeant vers le fond de la pièce.

— Viens par ici, Zarya. En tant que future directrice de cette académie, je tiens à te montrer quelque chose.

Celle-ci eut un léger frisson en entendant ces paroles.

— Est-ce une boule du Savoir ? demanda-t-elle en voyant une sphère vitreuse opaque posée sur un piédestal en bois magnifiquement ouvragé.

— J'avoue que ces deux appareils se ressemblent, répondit Gabriel en se tournant vers sa petite-fille, mais celui-ci est un Oculus Scrutator. En termes plus clairs, c'est un récepteur qui est relié aux caméras de surveillance placées à des endroits stratégiques partout dans le Temple.

— Alors, tu as vu la personne qui a commis ce crime ?! fit Zarya, les yeux exorbités.

— En quelque sorte.

L'adolescente regarda son grand-père avec étonnement en essayant vainement de saisir le sens de ses dernières paroles.

— J'aimerais bien répondre de manière plus explicite à ta pertinente question, dit Gabriel en lui faisant signe de s'approcher de l'Oculus Scrutator. Mais je préfère plutôt te laisser regarder.

— Dois-je poser mes mains sur le dessus ?

— Oui, absolument. Couloir 34B, 5 décembre à 1 h 58. Tu dois retenir le moment et l'endroit.

— D'accord, fit Zarya en posant ses paumes sur la sphère magique.

Lorsque sa peau entra en contact avec le verre, elle sentit son esprit se dédoubler et elle se retrouva dans un endroit sombre. Puis une lumière jaillit au loin et un jeune homme apparut, vêtu d'un complet à la mode attilienne, ajusté, de couleur bleu marine. Cependant, une microseconde avant de fermer ses yeux, Zarya crut voir son grand-père poser également ses mains sur l'Oculus Scrutator. En effet, à sa gauche, elle aperçut un Gabriel translucide debout près d'elle, affichant un léger sourire.

— Bonjour ! Je me nomme Vincent Pozios… À tout moment, vous pouvez indiquer l'endroit et le moment que vous désirez voir…

« Couloir 34B, 5 décembre à 1 h 58 », pensa aussitôt Zarya.

Un couloir faiblement éclairé et désert lui apparut. Seul l'esprit de son grand-père était à ses côtés. D'un signe du doigt, celui-ci l'exhorta à regarder derrière elle. La jeune fille fut abasourdie en voyant une silhouette vaporeuse rouge sang passer près d'elle en se dirigeant vers la classe de la professeure Bignet. L'étrange créature s'arrêta devant la porte et l'ouvrit.

Zarya la suivit en direction de l'armoire et, là, lorsque la silhouette se pencha, elle aperçut le curieux collier qui pendait à son cou. Alors, la jeune fille comprit l'origine de ce camouflage insolite : le pendentif dégageait une radiation lumineuse rougeâtre qui dissimulait le corps entier de la personne qui le portait.

Cette dernière prit un objet que Zarya connaissait bien. « L'Œil de l'elfe noir ! » se dit-elle en regardant cette chose maléfique qui avait failli causer sa perte dans le passé. Curieusement, la personne qui s'était introduite dans la salle de cours savait exactement où il se trouvait.

— *Activus maleficium wardôn maledicere !*

Il n'y avait pas que son aspect physique qui avait été camouflé par le pendentif magique, devina aussitôt Zarya en écoutant la personne prononcer la formule incantatoire : sa voix avait quelque chose de désagréable, une tonalité à la fois âpre et étouffée ; rien d'humain.

Regarder dans l'Oculus Scrutator était d'une réalité aussi troublante que frustrante. Zarya était témoin d'un crime et marchait à côté du malfaiteur sans pouvoir faire quoi que ce soit. « Mais qui es-tu ? » pensa-t-elle en tournant autour de l'étrange silhouette rougeâtre, les yeux plissés pour essayer de trouver un indice, si petit soit-il, mais en vain.

Après avoir assisté à l'épouvantable invasion des démons par la fissure de la forteresse inversée, causée par la terrible explosion, Zarya suivit d'un pas rapide la fuite du mystérieux criminel. Après avoir découvert un autre pouvoir étonnant du pendentif — celui de repousser les démons —, l'adolescente reprit sa poursuite pour ainsi découvrir où il avait l'intention de se cacher. Cependant, soudain, tout s'arrêta ; ce fut l'obscurité totale !

Zarya enleva ses mains de la sphère magique, mécontente.

— Ça ne fonctionne plus ! Que se passe-t-il ?

— Six caméras ont été sabotées, expliqua aussitôt Gabriel, trois avant l'entrée du malfaiteur dans la classe de la professeure Bignet, et trois autres après sa rencontre avec le démon. Voilà ce qui explique la raison pour laquelle nous ne savons rien de l'endroit par où il est sorti, ni de celui où il s'est dissimulé pendant que les Maîtres Drakar pourchassaient les démons.

— Je suis surprise qu'il ait réussi à endommager les caméras sans que personne ne l'aperçoive !

— Il y avait une seconde personne, précisa Gabriel. Il les sabotait pratiquement en même temps que l'individu progressait dans sa mission.

— S'est-il échappé également ?

— Non. En fait, nous le connaissons bien, puisqu'il travaille dans les cuisines depuis plusieurs années. Nous avons dû le relâcher.

— Mais pourquoi ?!

— Il avait été ensorcelé, expliqua Gabriel en voyant le visage surpris de Zarya. Quand nous l'avons trouvé, il avait la tête dans une poubelle et il ronflait paisiblement.

La jeune fille eut envie de rire, mais elle se retint.

— Le collier… Il camouflait le corps entier du criminel, conclut-elle en reprenant ses esprits.

— L'individu l'a jeté dans une corbeille à linge près de la salle de sport. La professeure Bignet est justement en train de l'étudier.

— Que va-t-il se passer à présent, grand-père ?

— Je ne crois pas qu'ils vont récidiver de sitôt. Du moins, pas à l'intérieur de ce Temple.

— Crois-tu qu'ils sont plusieurs ?

— Sans aucun doute !

Zarya fixa le vieil homme, bouche bée.

— Pour quelle raison libère-t-on des démons tout en sachant qu'on ne peut avoir le contrôle sur eux ? reprit-il en s'approchant de sa petite-fille. Ça n'a aucun sens ! Sauf si on est certain de pouvoir les maîtriser. Malphas a ce pouvoir. Et nous savons tous les deux qu'il est en liberté. Alors, tout porte à croire qu'il serait derrière tout cela.

— Crois-tu qu'il s'est trouvé un corps à posséder ?

— Cela fait maintenant onze jours que les Rodz ne l'ont pas vu. Alors, oui, c'est possible.

— Qu'est-ce que ça veut dire, tout ça, grand-père ?

— Que Malphas prépare une guerre !

18

Le vieil homme

Zarya et Abbie sortirent du transmoléculaire dans la petite localité d'Amalthée. Le ciel clément du matin et sa voûte infinie étaient couverts de petits cumulus, qui, semblables à des draps de soie, déroulaient à l'horizon leurs bordures frangées. Les adolescentes n'avaient jamais connu un tel silence, pas même à bord de la magnifique *Pertuisane III*, lorsqu'elle avait vogué paisiblement sur la mer Scylla en direction de Vonthruff, dans un passé très proche : il n'y avait pas le moindre souffle de vent ; le monde semblait suspendu entre une inspiration et une expiration.

Les deux amies se tournèrent vers le joli bâtiment qui ressemblait à un petit café et virent Jeremy debout près de la fourgonnette de son père, attendant patiemment leur arrivée.

Pendant qu'ils roulaient en direction de l'adresse que monsieur Emiliano avait donnée à Zarya, celle-ci réfléchissait à ce que son grand-père lui avait dit à propos du projet machiavélique de Malphas. Il va sans dire que l'adolescente avait été terrifiée en entendant Gabriel prédire une guerre entre ce terrible démon épaulé par ses mages noirs et les Maîtres Drakar. Toutefois, il l'avait immédiatement rassurée en lui disant que les Maîtres Drakar s'entraînaient tous les jours pour des moments difficiles comme celui-là. Malgré tout, elle était ravie de lui avoir rendu visite. Enfin soulagée, elle conservait dans sa mémoire l'image d'un grand-père souriant et rassuré. Cependant, l'était-il vraiment ?

Après avoir parcouru plusieurs kilomètres pour enfin arriver dans le petit village d'Astreillon, ils découvrirent un ensemble de bâtiments aux formes identiques, mais aux couleurs différentes, collés les uns aux autres, qui semblaient avoir été déposés là par la main d'un titan.

— Arrête-toi ici, Jeremy ! lança Abbie en lui tapant sur l'épaule. Je vais m'informer auprès de cette personne.

En voyant la camionnette s'arrêter près d'elle, la vieille dame se tourna en devinant que les adolescents avaient besoin d'informations.

— Bonjour, les enfants ! dit-elle, souriante. Puis-je vous aider ?

— Oui, nous cherchons la maison d'Ulysse Leskovac, madame…

La dame recula d'un pas.

— Je ne le connais pas ! s'écria-t-elle en prenant un air offusqué, sans raison apparente, puis elle poursuivit son chemin sans se retourner.

— Charmante, cette dame ! lança Jeremy en la regardant s'éloigner.

— Regardez, il y a une épicerie de l'autre côté de la rue. Je vais aller demander, lança Zarya qui était déjà sortie de la fourgonnette.

En entrant dans le magasin, elle vit un commerce semblable à ceux de l'autre monde. Suivie de près par Abbie, elle s'avança vers le caissier.

— Bonjour, monsieur ! fit-elle en lui montrant le bout de papier où l'adresse était inscrite. Pouvez-vous nous expliquer comment nous rendre à cet endroit ?

L'homme s'étira le cou pour mieux être en mesure de le lire.

— Pourquoi cherchez-vous cette adresse ? demanda-t-il, perdant instantanément ses couleurs. Ce n'est pas un endroit pour vous...

— Et pourquoi ?! l'interrompit Zarya qui avait de la difficulté à comprendre l'angoisse évidente qu'inspirait Ulysse Leskovac aux gens du coin.

— Il se passe de drôles de choses, là-bas ! Il ne faut pas y aller, insista le caissier en faisant tourner son crayon nerveusement entre ses doigts.

— Mais on veut juste lui poser une question.

— Il serait plus sage pour vous de poursuivre votre chemin pendant qu'il est encore temps, mesdemoiselles !

Zarya hésita une fraction de seconde, puis elle tourna finalement les talons.

— La dame de tout à l'heure, puis maintenant cet homme, lui dit Abbie. Monsieur Emiliano nous a dit que c'était un vieil homme. Alors, pourquoi avoir peur d'un vieillard ?

Un garçon de dix ans, qui avait écouté la conversation à l'intérieur de l'épicerie, sortit en même temps que les adolescentes.

— Vieux, c'est peu dire ! souffla-t-il avec un petit ricanement.

Les filles se tournèrent vers lui en le fixant. Puis Abbie lui demanda :

— Que veux-tu dire ?

— Mon grand-papa m'a dit que monsieur Leskovac a toujours été vieux ! Il doit avoir plus de cent cinquante ans, d'après lui, déclara-t-il sur un ton décontracté.

Stupéfaite, Zarya regarda son amie dans les yeux et comprit que celle-ci pensait la même chose qu'elle.

— Pourrais-tu nous montrer le chemin pour se rendre chez lui ? demanda-t-elle.

— Je pourrais même vous y emmener, si vous voulez, proposa le garçon avec un sourire encore plus grand. Il habite en face de chez moi.

Les deux filles échangèrent un sourire.

— Ce serait gentil de ta part.

— Aucun problème.

— Et pourquoi n'as-tu pas peur de lui comme les autres ? l'interrogea Abbie en se dirigeant vers la fourgonnette.

— Moi, je n'ai peur de rien ! Un jour, je veux devenir Maître Drakar.

— Tu seras manifestement un très bon Maître Drakar, prédit Zarya en jetant à Abbie un regard complice.

— Je vais pouvoir vous présenter mon ami, Idris !

— Qui ?

— Idris. Il habite avec monsieur Leskovac. Il est un peu bizarre, je dois l'avouer, mais il est gentil.

Lorsque le garçon arriva près de la fourgonnette, Jeremy s'approcha de lui en lui demandant :

— Qui es-tu, jeune homme ?

— Enzo, et toi ?

— Jeremy. On ne t'a jamais dit de ne jamais suivre des étrangers ? Encore moins de monter dans leur voiture ?

— Pourquoi ? As-tu peur de moi ?

Les filles se regardèrent en s'esclaffant.

— Il veut devenir Maître Drakar lorsqu'il aura l'âge requis, dit Zarya à Jeremy en lui faisant un clin d'œil.

— Sage décision, mon ami ! lança l'adolescent en ébouriffant ses blonds cheveux.

Le trajet du village à la maison d'Enzo fut de très courte durée. Jeremy gara la camionnette dans la cour des parents du garçon. La mère du gamin était sur la terrasse en train d'arroser les fleurs.

— Enzo ! Mais qu'as-tu fait encore ? s'écria-t-elle en se précipitant vers lui, son arrosoir à la main.

— Rien, maman. J'aidais mes nouveaux amis.

— C'est exact, madame, confirma Zarya. Nous cherchions une adresse et il a gentiment proposé de nous y amener.

— Ici ?! Vous cherchiez notre adresse ? demanda la femme.

— Non, maman, celle de monsieur Leskovac, indiqua Enzo en pointant du doigt le terrain qui se trouvait de l'autre côté de la route.

La propriété du vieil homme était ceinturée d'un haut mur de pierre qui la mettait à l'abri des curieux, surmonté d'un panneau prévenant les indésirables qu'ils s'exposaient à de lourdes conséquences s'ils osaient le franchir.

— Le connaissez-vous personnellement ? demanda la mère d'Enzo.

— Non, pas vraiment, répondit Zarya.

— Alors, je ne sais pas si c'est une bonne idée d'aller voir cet homme. Il déteste les contacts humains.

— Est-ce que vous lui avez déjà parlé ?

— Jamais en trente ans !

Le garçon prit la main de Zarya et l'entraîna de l'autre côté de la rue. Abbie et Jeremy les suivaient de près.

— Enzo ! Tu reviens ici dès qu'ils seront entrés, ordonna la mère qui préférait rester de ce côté de la route.

Maintenant, ils faisaient face à une porte grillagée dévorée par la rouille. Zarya regarda à travers les barreaux d'acier et remarqua qu'il n'y avait pas de maison visible de l'endroit où elle était. Seulement des arbres matures entourés par des arbustes rabougris poussant d'une façon désordonnée. Le gazon ne devait pas être coupé souvent : il faisait au moins un mètre de haut.

Enzo étira son bras et appuya sur un bouton : aucun son ne se fit entendre. Le garçon se tourna vers Zarya et lui sourit. La jeune fille lui rendit son sourire, éprouvant néanmoins un sentiment de crainte. Son cœur battait très vite : elle était sur le point de parler à un homme qui, selon monsieur Emiliano, savait certainement où se trouvait le Grimoire de Trotsky ! Mais si ce qu'avait dit Enzo se révélait exact, l'homme en question avait un âge qu'un individu normal ne pouvait atteindre, sauf s'il possédait le grimoire maléfique.

Zarya, Abbie, Jeremy et Enzo se tournèrent en entendant un bruit qui provenait de l'autre côté de la porte métallique. Pourtant, personne à l'horizon. Il est vrai qu'on n'y voyait pas grand-chose de l'autre côté du mur, à cause des arbres qui projetaient sur ce dernier une ombre dense. Jeremy, qui était le plus grand, vit l'herbe bouger.

— Regardez ! Je crois qu'il y a quelqu'un qui vient vers nous, fit remarquer Abbie qui voyait à cet instant la même chose que Jeremy.

— Je ne vois personne, déclara Zarya en s'étirant le cou.

— Ne vous en faites pas, c'est Idris ! les rassura le jeune garçon.

Tout à coup, une petite silhouette sortit de l'ombre pour apparaître sous les éclats dorés du soleil. C'était un petit être d'à peine un mètre de haut avec de longs et magnifiques cheveux rouge rubis et une petite bouche ourlée. En le voyant, les adolescents reculèrent d'un pas.

— Salut, Idris ! s'écria Enzo en s'approchant de la porte.

Idris lui sourit en regardant fixement les trois adolescents de ses yeux en amande aux pupilles exceptionnellement dilatées.

— C'est un Korrigan, chuchota Jeremy à ses deux amies.

— On a remarqué, dit Abbie, qui ne faisait pas confiance aux créatures de cette espèce.

— Mes amis veulent parler avec monsieur Lesko…

— Impossible ! le coupa immédiatement le Korrigan.

— Idris ! Sois gentil avec mes nouveaux amis, lança Enzo en fronçant les sourcils. Et emmène-les voir ton maître.

— Il ne veut voir personne, insista la créature.

— On aimerait seulement lui poser une question, intervint Zarya avec politesse.

Le Korrigan la regarda d'un œil torve et lui demanda :

— À quel sujet ?

Zarya se tourna vers Abbie, puis vers Jeremy, hésita quelques secondes.

— Le Grimoire de… Trotsky, répondit-elle d'une voix à peine audible ; elle n'était pas certaine que lui révéler la raison de leur présence soit une si bonne idée.

Idris fixa intensément l'adolescente dans les yeux sans remuer un cil. Il sembla avoir été pétrifié par ses paroles. Jeremy et Abbie se regardèrent en fronçant les sourcils. Puis le Korrigan se tourna vers Jeremy et l'examina de haut en bas. Ses yeux démesurés s'arrêtèrent sur ses pieds.

— Alors, je veux ses souliers !

— Quoi ?! s'écria Jeremy, indigné.

— Donnez-moi ses souliers et je vous ouvrirai la porte, insista Idris en regardant Zarya.

— Donne-lui tes souliers, Jeremy, demanda Abbie. Ce n'est qu'une paire de souliers après tout.

— Mais ce sont les chaussures que ma mère m'a offertes pour mon entraînement au Temple… Elles valent une fortune !

— Vas-y, Jeremy, le supplia Abbie avec un grand sourire. Zarya et moi, on va t'en acheter une autre paire. Ta mère n'en saura rien !

— Mais… Bon, d'accord, grogna Jeremy en regardant le Korrigan d'un air mauvais.

Ce dernier lui adressa un sourire de satisfaction, mêlé de malice.

L'adolescent enleva ses souliers à contrecœur pour enfin les passer à travers les barreaux. Le petit diablotin aux cheveux rouge vif s'en empara d'un mouvement sec. Il enleva ses pantoufles vert lime, dont les bouts étaient usés jusqu'à la corde, avant d'enfiler sa nouvelle paire de chaussures sous le regard courroucé de Jeremy.

Comme promis, Idris ouvrit la lourde grille pour faire entrer les adolescents dans la propriété du vieil homme. Après avoir remercié Enzo de les avoir menés à cet endroit, Zarya, Abbie et Jeremy suivirent de près le Korrigan. En effet, ils ne devaient surtout pas le quitter des yeux, car aussitôt qu'il passait dans une zone sombre du terrain, Idris disparaissait. Olivier leur avait déjà expliqué que les Korrigans devenaient invisibles lorsqu'ils posaient un pied sur un endroit ombragé, et redevenaient visibles aussitôt qu'ils revenaient dans la clarté.

La première chose que les trois amis virent, aussitôt arrivés en haut d'une petite colline onduleuse, fut une grande maison près d'une rivière cristalline. Contrairement aux bâtisses colorées du village, elle était de couleur sombre et mal entretenue. Le toit, recouvert de tuiles d'ardoise plus noires que la pénombre, était sur le point de s'effondrer, et les plantes grimpantes envahissaient littéralement les murs extérieurs. Pour les adolescents, il ne faisait aucun doute que cette demeure tombait en ruine.

En y pénétrant, les jeunes filles furent stupéfaites de reconnaître la musique qui résonnait partout dans la maison. Sans être des spécialistes en musique classique, elles reconnaissaient fort bien la *Symphonie n° 9* de Ludwig Van Beethoven. « De la musique de l'autre monde ! » pensa

Zarya, étonnée. Ils traversèrent le hall d'entrée pour entrer dans le salon aux plâtres écaillés et meublé de vieux meubles recouverts de poussière.

— Qu'est-ce que c'est, tous ces disques noirs ? demanda Jeremy en prenant l'un d'eux dans ses mains.

— Ce sont des disques de platine de l'autre monde, expliqua Zarya en s'étirant le cou pour lire son titre. On les utilise pour faire jouer de la musique.

— Regarde celui-là, Zarya, fit Abbie. Un disque de Luciano Pavarotti !

— Ah oui ! Pavarotti !

— Qui est-ce ? lança Jeremy. Un musicien ?

— Non, un très grand ténor, expliqua Abbie. Il chantait l'opéra comme personne, il était le plus grand !

— Il ne l'est plus ?

— Non, il est décédé.

— Voulez-vous voir monsieur Leskovac, oui ou non ? s'écria Idris avec impatience.

Connaissant la réputation des Korrigans et voyant le visage sévère de celui-ci, les adolescents accélèrent le pas et le suivirent sans dire un mot de plus. Ils traversèrent une autre pièce pour aboutir près de la porte qui menait au jardin. En sortant, Zarya fut ébahie par la beauté du paysage environnant. Une rivière sinueuse aux flots limpides coulait devant la maison, bordée par des arbres centenaires semblables à des géants déployant leurs bras massifs vers un ciel où volaient des oiseaux tropicaux.

— Qui êtes-vous ? hurla soudain une voix rauque derrière eux.

Ils se tournèrent et virent un vieil homme, assis dans un fauteuil roulant, qui les observait sévèrement de la tête aux pieds. Zarya voulut lui répondre, mais elle était médusée. Elle n'avait jamais vu une personne aussi vieille de toute sa vie. C'était un homme au visage aussi blême qu'un linceul.

Ses longs cheveux gris tombaient en boucles sur ses épaules déformées par l'âge. Il avait une seule dent noircie qui frottait son menton fuyant, et il était vêtu d'un habit ample de soie verdâtre à boutons de métal argenté, dans lequel se perdait son corps fluet. Il était hideux à voir.

— Avez-vous perdu votre langue ? lança le vieillard acariâtre en fixant la jeune gothique de ses yeux plissés derrière ses épaisses lunettes.

— Bonjour, monsieur Leskovac, fit Zarya en s'approchant timidement de lui. On aimerait… euh… plutôt, j'aimerais vous… si ça ne vous dérange pas…

— Allez droit au but ! cracha le vieil homme, impatient.

— Ils veulent des informations sur le grimoire ! répondit Idris à la place de la jeune fille.

Ulysse Leskovac eut sensiblement la même réaction que le Korrigan un peu plus tôt : il demeura immobile comme une statue de pierre et plongea son regard dans celui de Zarya. Puis un sourire apparut sur son visage profondément ridé.

— Le Livre des Morts !

L'adolescente sentit ses jambes ramollir dangereusement.

— Oui, ce livre, intervint Abbie.

— Alors, suivez-moi, ordonna monsieur Leskovac en faisant demi-tour.

Zarya trouva étrange que le fauteuil roulant avance sans que personne ne le pousse. En marchant à ses côtés, elle remarqua que le vieillard tenait dans sa main droite une branche d'arbre qu'il pointait dans la direction où il voulait aller. C'était plutôt étrange, puisqu'il n'avait rien dans sa main quelques secondes plus tôt. Ce morceau de bois semblait être apparu comme par magie. Ils traversèrent deux pièces pour finalement arriver dans le salon, où trônait un vieux piano à queue.

Le vieil homme s'arrêta et pivota sur ses roues en direction de ses visiteurs.

Zarya regarda les nombreux cadres, sur le dessus du majestueux instrument de musique, dans lesquels se trouvaient des vieilles photos en noir et blanc.

— Regardez cette photo, fit monsieur Leskovac en levant son bâton pour la faire léviter jusqu'à la main de Zarya.

On pouvait y voir deux jeunes enfants assis l'un près de l'autre dans une balançoire et qui semblaient bien s'amuser.

— Je suis celui de droite… le garçon qui a une tache sur sa chemise, expliqua-t-il en regardant par la fenêtre, l'air perdu dans ses souvenirs lointains.

Zarya fit à Abbie un sourire discret ; elle avait du mal à imaginer que cet homme, un jour, avait été un beau garçon blondinet.

— Cette photo a cent quatre-vingts ans. Donc, si vous ajoutez l'âge que j'avais sur cette photo, c'est-à-dire neuf ans, j'ai cent quatre-vingt-neuf ans.

— C'est impossible ! s'exclama Abbie d'une voix beaucoup plus forte qu'elle ne l'aurait voulu. Aucun être humain ne peut vivre aussi longtemps… sauf si…

— Sauf s'il possède le Grimoire de Trotsky ! termina Jeremy.

L'excitation de Zarya était à son comble. Le grand âge de monsieur Leskovac ne pouvait être attribuable, en effet, qu'au Grimoire de Trotsky. Mais elle ne comprenait pas la raison qui poussait un individu à vouloir vivre de cette façon pour l'éternité. « C'est une chose insensée ! » pensa-t-elle en regardant l'état pitoyable de ce pauvre homme.

— Je ne le possède pas.

Sous le choc, Zarya ne réagit pas tout de suite. Quelque chose, de la déception peut-être, commençait à oppresser son thorax. Jeremy et Abbie la regardèrent reposer le cadre sur le piano avec un indéfinissable air de découragement.

— C'est mon frère qui l'a.

Zarya releva le menton pour regarder le vieil homme droit dans les yeux, et elle lui demanda vivement :

— Je ne comprends pas ! Alors, pourquoi êtes-vous aussi vieux ?

— Je suis d'accord avec Zarya, ajouta Abbie. C'est votre frère qui possède le grimoire, et c'est vous qui bénéficiez de son enchantement…

— Regardez cette photo, jeunes gens, répondit Ulysse Leskovac en faisant léviter un autre cadre.

Les trois adolescents regardèrent alors la photo de deux hommes dans la vingtaine, debout l'un près de l'autre, et constatèrent qu'ils se ressemblaient comme deux gouttes d'eau.

— Exactement, c'est mon frère jumeau, s'exclama le vieil homme devant l'air étonné des adolescents. Notre lien de jumeaux monozygotes est très fort. C'est pour cette triste raison que je *bénéficie*, comme vous dites, mademoiselle, des effets maléfiques du grimoire.

— Où est votre frère, maintenant ? l'interrogea Zarya.

— Je crains qu'Oswald n'ait quitté le monde des mages pour celui des druides-gaïens, il y a fort longtemps de cela, jeune demoiselle, dit-il en baissant les yeux vers son bâton.

— C'est une dimension dans laquelle nous, les mages, n'avons pas le droit d'entrer, précisa Jeremy aux filles.

— Tu as raison, approuva Ulysse Leskovac.

— Pourquoi n'avons-nous pas accès à ce monde ? s'empressa de lui demander Abbie, en voyant le visage déconcerté de Zarya.

— Je peux vous affirmer que mon frère est derrière tout ça, fit l'homme en élevant légèrement le ton.

Zarya pouvait lire, dans les yeux du vieillard, la haine qu'il avait pour son frère jumeau.

— Comme il dispose d'un certain pouvoir dans cette dimension, poursuivit-il, toujours avec la rage au cœur, il en aurait interdit l'accès aux mages parce qu'il craignait par-dessus tout de se faire voler ce fichu Livre des Morts.

— Selon la charte des peuples qui ont les pouvoirs les plus évolués, expliqua Jeremy à ses deux amies, les mages et les druides se situent au plus haut niveau.

— Donc, les druides craignent la puissance des mages ? conclut Abbie.

— Je dirais plutôt que c'est mon frère qui les craint, pas le peuple des druides-gaïens. Eux, ils sont aussi pacifiques que vous, les mages.

Ulysse Leskovac prit sa branche entre ses mains et en poussa les deux extrémités l'une vers l'autre comme s'il voulait la rétrécir. Les adolescents échangèrent un regard stupéfait : le bâton était à présent de la taille d'un œuf. Le vieillard le mit dans sa poche.

— Vous êtes un druide, n'est-ce pas, monsieur Leskovac ? demanda Jeremy.

— Oui, j'en suis un. Et je devine votre prochaine question, jeune homme. J'ai essayé dans le passé, quand j'étais jeune, de lui prendre ce fichu livre pour le détruire. Mais j'ai failli à ma tâche et j'ai été banni de la dimension des druides-gaïens pour toujours.

L'homme se tourna en direction du Korrigan qui, assis sur un petit banc, admirait ses nouveaux souliers.

— C'est pour cette raison qu'Idris vous a laissés pénétrer dans mon domaine, continua-t-il. Toutes les personnes qui veulent des renseignements sur ce grimoire sont les bienvenues !

— Alors, je n'étais pas obligé de lui donner ma paire de souliers ?! fit Jeremy en regardant le Korrigan quitter la pièce à toute vitesse.

Ignorant la remarque de l'adolescent, monsieur Leskovac enchaîna :

— Ce n'est pas un crime de vouloir vivre éternellement.

— Non, mais il vous a entraîné dans sa malédiction…, ne put s'empêcher de dire Abbie, offusquée par le mépris d'Oswald à l'égard de son frère jumeau.

— Je le conçois. Cependant, il y a un crime plus grave que vous ignorez, les enfants, fit-il en les regardant à tour de rôle pour être certain qu'ils étaient assez concentrés pour bien écouter ce qu'il s'apprêtait à leur dévoiler.

Les adolescents se regardèrent, intrigués.

— Le pouvoir du Grimoire de Trotsky n'est pas éternel. Et, si vous voulez mon avis, c'est une ruse de Lucifer. Ce livre doit être nourri par une nouvelle âme chaque pleine lune.

L'homme s'arrêta de parler et essuya une larme qui se faufilait dans ses profondes rides. Il prit une inspiration, leva la tête et vit que ses trois visiteurs le fixaient d'un air pétrifié.

— Oswald Leskovac, mon frère, enlève de jeunes sorcières pour assouvir son besoin de vivre éternellement, et cela, depuis le début !

— L'avez-vous dit aux autorités attiliennes ? lança Jeremy, manifestement bouleversé.

— Oh oui ! Mais ces gens me prennent pour un vieux fou. De toute façon, aucun d'entre eux ne pourrait franchir l'Arche des druides…

— L'Arche des druides ?! répéta Zarya.

— La porte interdimensionnelle des druides-gaïens, précisa le vieillard.

Il fit signe à Zarya de s'approcher et lui tendit sa main décharnée, qu'elle prit. Fixant les yeux perçants de la jeune gothique, Ulysse Leskovac lui dit, d'une voix profondément suppliante :

— Mon frère Oswald… quelqu'un doit l'arrêter !

19

Le mauvais conseil d'Abbie

L a dimension des druides-gaïens ! C'était donc à cet endroit qu'Oswald Leskovac, le propriétaire du Grimoire de Trotsky, vivait paisiblement depuis plusieurs décennies. Zarya, depuis qu'elle avait quitté la résidence du malheureux frère jumeau de cet homme, réfléchissait à ce qu'elle avait appris à propos de cette interdiction, imposée aux mages, d'entrer dans ce monde parallèle. Aucun Maître Drakar, avait dit Ulysse Leskovac, ne pouvait franchir l'Arche des druides ; les autorités attiliennes non plus. « Les autorités attiliennes ! » songea la jeune fille en secouant la tête. Sachant que le ministre de la Sécurité publique n'était nul autre que Hamas Sarek, elle aurait été bien stupide de croire qu'il prendrait ne serait-ce que cinq minutes de son précieux temps pour écouter l'histoire du Livre des Morts, surtout si c'était la petite-fille de Gabriel Adams qui la lui racontait. Et pour ce qui était de son grand-père, pas question de lui divulguer un mot de l'entretien qu'elle avait eu avec Ulysse Leskovac, ni de ses intentions.

Mais un détail lui revenait sans cesse à l'esprit : aucun mage ne pouvait franchir l'Arche !

« Je suis une mage, pensa-t-elle, troublée, mais j'ai du sang de sorcière. Est-ce que mon sang mêlé pourrait m'aider à pénétrer dans cette dimension druidique ? » se demanda-t-elle, avec un infime espoir.

Le dimanche matin, Zarya s'habilla à la hâte pour aller rejoindre Abbie, Olivier, Jeremy, Karine et Élodie. Mais, avant de partir, elle devait prendre son petit-déjeuner.

En pénétrant dans la cuisine, elle vit madame Phidias en train de siroter tranquillement sa tasse de thé.

— Bonjour, madame Phidias !

— Bonjour, ma chère ! répondit la dame avec son sourire habituel. J'ai préparé tout ce qu'il faut pour votre journée au lac Stella Matutina.

— Oh, c'est gentil !

— Avant d'aller retrouver vos amis, vous voudriez certainement un bol de céréales et quelques fruits ?

— Oui, merci. Il me reste un peu de temps pour me mettre quelque chose sous la dent.

— Il est très important de bien manger, mademoiselle Zarya, fit Mitiva qui versa du lait dans un bol et le lui donna. Il ne faut pas oublier que vous devrez marcher longtemps dans la forêt pour vous rendre à la plage.

— Vous avez encore raison, approuva Zarya avec un sourire aimable, en s'assoyant près d'elle.

— Hier, vos amis et vous, vous avez visité la campagne. Avez-vous vu des choses intéressantes ?

— Oui, c'était très intéressant, dit l'adolescente, un peu mal à l'aise de dissimuler la vérité à cette gentille femme. D'ailleurs, nous nous sommes fait un nouvel ami. Il s'appelle

Enzo. Ce jeune garçon nous a indiqué notre chemin et nous a dit qu'il voulait devenir Maître Drakar.

— Si ça se trouve, vous allez peut-être le revoir un jour au Temple !

— Je l'espère bien.

Zarya savait que madame Phidias pourrait sans problème répondre à ses questions sur les druides et leur dimension. C'était une érudite, autrefois enseignante d'histoire à l'Université d'Attilia.

— Connaissez-vous le monde des druides-gaïens, madame Phidias ?

— Bien sûr ! Et où avez-vous entendu parler d'eux ? demanda Mitiva, curieuse.

— C'est Jeremy qui m'en a parlé, répondit la jeune fille, ne mentant qu'à moitié. Il m'a dit qu'ils sont aussi évolués que nous en magie.

— Il a raison. Nos écritures nous révèlent que, parmi les six rescapés de l'Atlantide, il y avait justement un druide. Il était le plus vieux et le plus sage des survivants. La force de ce peuple réside évidemment dans sa symbiose avec la nature et les potions magiques. Ce druide nous a heureusement transmis ses connaissances sur les préparations médicamenteuses, et nous lui en sommes encore très reconnaissants aujourd'hui.

— Et pourquoi vivent-ils dans une autre dimension que la nôtre ?

— C'est une très bonne question, Zarya, fit Mitiva, appréciant encore une fois sa curiosité. Cela remonte au temps de Joshua Drakar.

L'adolescente eut un petit sourire en coin en entendant le nom de son illustre ancêtre.

— Les druides ont été de fidèles compagnons pour notre sauveur, reprit la femme. Cependant, ils se sont fait de nombreux ennemis redoutables parmi les mages noirs de cette époque. Après la guerre, un groupe de druides a décidé de quitter le pays de Dagmar pour partir à la recherche d'une terre de repos.

— C'est à ce moment-là que ces druides ont trouvé la porte interdimensionnelle ?

— Oui. Toujours selon la légende, Trea Kloetzer, qui était le plus sage et le plus puissant d'entre eux, a décidé de la franchir seul pour aller vérifier par lui-même si ce lieu inconnu était à la hauteur de leurs attentes.

— Et puis ? fit Zarya, impatiente de connaître la suite.

— Ce qu'il a trouvé là dépassait largement ses espérances. C'était un endroit paisible, où un peuple vivait en harmonie avec la nature.

— Les Gaïens ! devina aussitôt l'adolescente.

Mitiva acquiesça d'un signe de tête et poursuivit :

— Depuis trois mille cinq cents ans, les deux peuples vivent en parfait accord. Au fil des siècles, ils ont engendré les druides-gaïens. Cependant, je dois vous préciser que ce ne sont pas tous les gens de cette dimension qui possèdent des pouvoirs magiques. Seuls les descendants directs des druides ont ce privilège.

— Ça doit être un endroit magnifique !

— Oui, vraiment magnifique ! approuva Mitiva. Bien que je n'y aie jamais mis les pieds…

— Jamais ? insista la jeune gothique, qui voulait en savoir plus sur l'inaccessibilité de ce lieu.

— J'aurais bien aimé. Mais l'accès à cette dimension nous est totalement interdit, à nous, les mages, depuis près d'un siècle. Prétendument à cause d'un groupe de mages qui auraient commis un acte de terrorisme. Mais ça n'a jamais été prouvé.

La jeune fille pensa aussitôt à ce qu'avait dit Ulysse Leskovac quand Abbie lui avait demandé pourquoi les mages n'avaient pas le droit de pénétrer dans ce monde : «Je peux vous affirmer que mon frère est derrière tout ça. Comme il dispose d'un certain pouvoir dans cette dimension, il en aurait interdit l'accès aux mages parce qu'il craignait par-dessus tout de se faire voler ce fichu Livre des Morts ! »

◊ ◊ ◊

Les pieds de Zarya foulaient le sol caillouteux de la forêt antique, sous le soleil brûlant de cette région équatoriale, en direction du lac Stella Matutina. Elle marchait à côté d'Élodie, tout en prenant le temps d'observer un troupeau de kalats cornés qui passait tout près. Ces magnifiques bêtes aux cornes dorées trottinaient paisiblement, sans se soucier outre mesure de la présence des humains. Elles s'enfoncèrent dans l'épaisse forêt sauvage, où il y avait des étangs ombreux, pour finalement y disparaître. En gardant un silence contemplatif, la jeune gothique avançait lentement à travers la végétation abondante qui avait l'allure d'une jungle de l'autre monde. Au bout de ce chemin sinueux, elle distingua enfin un immense lac, bordé de tous côtés par une multitude de palmiers.

Un instant plus tard, Zarya et Abbie, assises sur un gros rocher, regardèrent, avec un léger sourire, Olivier, Jeremy et Loïk, le pyracmun des eaux, sauter en bas d'un gros arbre qui était fortement incliné au-dessus d'une eau plutôt calme.

Zarya se tourna vers son amie et lui parla de la discussion enrichissante qu'elle avait eue avec madame Phidias, plus tôt dans la matinée.

— Tu lui as demandé des informations sur la dimension druidique ?! lança Abbie, estomaquée.

— Oui. Mais ne t'en fais pas, je ne lui ai rien dévoilé à propos du Grimoire de Trotsky, et encore moins sur monsieur Leskovac.

— Ni sur son frère jumeau, j'espère ?

— Jamais ! la rassura Zarya.

D'ailleurs, elle n'avait pas osé demander à Mitiva si les sorciers avaient également été bannis de cet endroit. Elle ne voulait surtout pas éveiller ses soupçons. Car, sachant que la jeune fille possédait du sang de sorcière, la vieille dame aurait posé davantage de questions. Zarya aurait ainsi pu se trahir, et Mitiva aurait découvert le pot aux roses.

— Selon elle, poursuivit Zarya, les mages ne peuvent franchir l'Arche des druides, et cela, depuis près de cent ans.

— Alors, c'est donc vrai. Monsieur Leskovac a dit la vérité. Maintenant, que vas-tu faire, Zarya ? Tu es une mage !

La jeune gothique resta muette en fixant Karine et Élodie qui se faisaient bronzer sur la plage sablonneuse.

— Peut-être que…, commença Abbie.

Son amie se tourna vers elle.

— Sais-tu ce que je pense que tu penses ? lança Abbie, d'un seul souffle.

Zarya sourcilla légèrement.

— Veux-tu *un mauvais conseil* de ta meilleure amie ? demanda Abbie.

Sachant pertinemment que Zarya devrait tôt ou tard faire face à un danger bien réel en allant dans cette dimension, lui donner ce conseil allait à l'encontre de sa propre conscience. Cependant, sans lui laisser le temps de répondre, elle continua :

— Contacte ta grand-mère Martha et demande-lui si ton sang de sorcière pourrait t'aider à entrer dans cette dimension. Elle est sûrement au courant !

— Tu crois que mon sang de sorcière pourrait me permettre de franchir l'Arche ?

— C'est possible.

Zarya sourit en comprenant que sa meilleure amie l'appuyait fortement dans sa quête.

— Toutefois, souviens-toi de ce que le vieil homme nous a dit à propos des enlèvements de jeunes sorcières et de leur sacrifice, ajouta Abbie en prenant tout à coup un ton plus sérieux. Et c'est sûrement là que tu vas me dire que le jeu en vaut la chandelle ?!

Son amie acquiesça d'un signe de tête.

— Mais je ne crois pas, réfuta Abbie promptement. S'il t'arrive quelque chose… de grave…, bafouilla-t-elle, n'osant pas prononcer un mot qui s'apparentait à « mort », ça ne ferait pas revenir Jonathan.

Zarya fixa son amie d'un regard qui contenait toute son inflexible détermination.

— Ne t'en fais pas, je peux très bien te comprendre, Zarya. Je ferais sans doute la même chose si c'était mon Olivier qui était à la place de Jonathan, même si je savais qu'il n'y avait qu'une mince possibilité de le sauver.

Abbie regarda son amie au fond des yeux et lui dit avec douceur, en posant sa main sur la sienne :

— Je t'en prie… si tu sens le moindre danger, reviens vite dans notre dimension !

Zarya lui sourit à demi, en pensant qu'elle était prête à affronter les pires dangers pour faire revenir son amoureux auprès d'elle. Toutefois, pour la rassurer, elle lui dit d'une voix convaincante :

— D'accord, je ne prendrai aucun risque.

Sans crier gare, Abbie se leva d'un bond, prit le bras de Zarya et l'entraîna vers la plage. Apparemment, pour l'adolescente, c'était l'heure d'aller se rafraîchir dans cette eau invitante.

◊ ◊ ◊

Durant le peu de temps qui lui restait de cette fin de semaine mouvementée, Zarya se sentit heureuse et soulagée de savoir que son amie de toujours la soutenait dans sa quête.

Après l'avoir accompagnée à sa résidence, elle se dirigea vers le numéro 10 de la rue Adams en marchant d'un pas lent et en pensant à la superbe journée qu'elle venait de passer avec ses amis. Rien à voir avec celle de la veille qui, disons-le, avait été très bouleversante et plutôt singulière.

Zarya était à quelques mètres de chez elle lorsqu'elle s'immobilisa. Elle tourna la tête vers le transmoléculaire, au coin de la rue, puis jeta un bref regard à la maison de Gabriel.

« Pourquoi pas ? » se dit-elle en regardant sa montre qui indiquait 19 h 17.

Zarya se précipita vers la maison, déposa son sac à dos à l'intérieur, pour finalement ressortir et se diriger au pas de course vers le transmoléculaire.

Quelques microsecondes plus tard, dans un léger crépitement, l'adolescente jaillit du transmoléculaire numéro 555, celui qui était situé près du Temple des Maîtres Drakar. Elle savait que madame Phidias serait absente pour la soirée et que son grand-père serait de retour seulement le mardi suivant. Aussi pouvait-elle rendre visite à Jonathan à l'infirmerie comme bon lui semblait. Depuis son arrivée dans cette dimension, c'était la première fois qu'elle y allait un dimanche.

Zarya était tout excitée, tant elle avait hâte d'annoncer à son amoureux qu'elle avait progressé dans sa recherche. À vrai dire, elle connaissait à présent l'identité de la personne qui détenait l'élément clé susceptible de le faire revenir dans le monde réel.

Après avoir parcouru silencieusement les couloirs éclairés par la lueur crépusculaire qui entrait par les grandes fenêtres donnant sur la forêt, Zarya arriva enfin devant la porte vitrée de l'infirmerie, qu'elle ouvrit puis referma derrière elle. En se retournant, elle vit une jeune fille qui était assise en face de la porte de la chambre de Jonathan. Elle la reconnut immédiatement : c'était Livia, la sœur de ce dernier.

Une partie d'elle-même voulait tourner les talons et revenir un autre jour, tandis qu'une autre lui disait d'aller près de cette jeune fille et d'enfin discuter seule à seule avec elle. Au prix d'un gros effort, Zarya s'approcha doucement de la chaise libre qui se trouvait juste à côté de Livia. Celle-ci fixait le plancher, visiblement perdue dans ses pensées.

Encore réticente à lui dévoiler sa véritable identité, et par la même occasion, la raison de sa visite, Zarya leva ses sourcils en mordillant sa lèvre et engagea résolument la conversation.

— C'est une belle musique, n'est-ce pas ? lança-t-elle timidement, en écoutant la mélodie qui répandait dans la salle une chaleureuse atmosphère.

— Oui, elle est très jolie, confirma Livia de sa voix douce.

En espérant que son frère ne lui avait jamais parlé d'une fille prénommée Zarya, la jeune gothique déclara :

— Moi, je m'appelle Zarya, et toi ?

— Livia.

Leurs yeux se croisèrent pour la première fois. Zarya fut troublée de voir la ressemblance qu'il y avait entre le regard de Livia et celui de son frère.

— Travailles-tu ici ? demanda Livia.

— Non, je suis académicienne. Je suis en première année.

— Alors, tu viens visiter quelqu'un ?

Il y eut une petite hésitation.

— Euh… non, fit Zarya. Je suis venue chercher un médicament pour mon amie Ève. La pauvre, elle a la nausée ! Et toi ? l'interrogea-t-elle pour vite passer à autre chose.

— Moi, je suis venue voir mon frère, Jonathan, répondit Livia en pointant du doigt la chambre de celui-ci. Il est un Maître Drakar. Mais… maintenant, il est dans un profond coma.

— Je suis vraiment désolée, dit Zarya avec la plus grande sincérité.

Livia ferma les yeux et, pour la première fois, ses traits se crispèrent de douleur. Zarya en fut peinée.

— Je suis certaine que tu l'aurais adoré, reprit Livia en se tournant vers l'adolescente toute vêtue de noir. Il est si gentil ! Je m'ennuie tellement de lui !

Les yeux de la pauvre jeune fille s'humectèrent sur ces paroles touchantes.

Zarya posa sa main sur la sienne sans être capable de prononcer quelque parole réconfortante que ce soit, puisqu'elle souffrait du même mal.

Se ressaisissant, Livia se tourna vers cette adolescente qu'elle trouvait fort sympathique, et lui expliqua :

— Il était parti en mission durant les fêtes de Noël à Vonthruff. Juste avant son départ, il m'avait confié qu'il allait rencontrer une fille, là-bas. Je crois que mon frère était amoureux.

Le cœur de Zarya se mit à battre la chamade et elle sentit une chaleur lui brûler l'intérieur des paupières. Elle pencha la tête vers l'avant pour cacher discrètement son visage attristé sous son épaisse chevelure noire de jais.

— Il voulait me la présenter en revenant de sa mission… Je n'aurai jamais eu la chance de la connaître ou même de lui parler !

— Il va se réveiller un jour très proche et il te la présentera, j'en suis certaine.

— Je l'espère…

Livia se leva, se dirigea vers la porte, l'entrouvrit de quelques centimètres, puis la referma aussitôt.

— Mes parents discutent avec la docteure, précisa-t-elle à Zarya. J'ai bien peur de deviner leur sujet de conversation…

La jeune gothique l'observa sans dire un mot, attendant patiemment qu'elle se rassoie et s'explique.

— L'autre jour, reprit Livia, j'ai surpris mes parents en train de se disputer à propos de l'avenir de mon frère.

— De... son avenir ?!

— Mon frère... vit des moments très difficiles parfois. Tous les deux jours... et à la même heure. Ma mère pense que les démons qu'il a combattus lorsqu'il était en mission viennent le hanter dans les limbes, là où il se trouve actuellement. Elle dit qu'ils le font souffrir.

Il y eut un bref silence, puis Zarya expliqua, en s'efforçant de conserver son sourire :

— C'est un Maître Drakar... J'aurais tendance à croire que les démons ont plus peur de ton frère que lui d'eux.

La sœur de Jonathan lui sourit.

— Moi, je le crois aussi. Mais ma mère, non. Mon père n'était pas d'accord au début, mais, là, je ne suis plus certaine de rien...

— Tu n'es plus certaine de quoi ?

— Ma mère veut le ramener à la maison, et puis... le laisser partir.

Un silence insupportable et cruel s'installa. Les mots que venait de prononcer Livia avaient eu l'effet d'un coup de couteau pour Zarya, provoquant en elle une souffrance atroce. La réalité, un doute horrible qu'elle avait volontairement enfoui au plus profond d'elle-même, venait de lui bondir en pleine figure : la perspective de la mort de Jonathan.

Zarya émit quelques paroles inintelligibles, faute de mieux, et se leva en saluant Livia le plus naturellement possible.

Déconcertée, cette dernière la regarda sortir de la pièce en bousculant par inadvertance un infirmier qui se trouvait sur son passage.

Zarya courut à perdre haleine en direction du transmoléculaire, sous une pluie dont les gouttes exceptionnellement froides martelaient son visage déjà ruisselant de chaudes larmes. Elle pénétra dans la cabine argentée sans toutefois franchir le rideau cristallisé. Elle n'avait pas du tout envie de regagner sa maison vide et encore moins de voir qui que ce soit. Elle se tourna vers l'extérieur et enfonça son poing dans sa bouche pour étouffer son cri de désespoir. À présent, les traits de son visage trahissaient son incroyable optimisme.

En revanche, au fond d'elle-même, une petite voix lui demandait si tout cela avait de l'importance, puisqu'elle était sur le point de faire revenir Jonathan.

◊ ◊ ◊

Assise sur son lit depuis une trentaine de minutes, devant son miroir mural, et tenant une boîte en acajou entre ses mains, Zarya semblait réfléchir profondément, examinant scrupuleusement le nouveau problème qui se présentait à elle : son temps était compté. Elle devait agir le plus rapidement possible pour la survie de Jonathan.

«Puis-je franchir la porte interdimensionnelle des druides-gaïens ?» se demanda-t-elle, perplexe.

Selon le bon jugement de son amie Abbie, Martha était sans aucun doute la personne toute désignée pour dire à Zarya si elle avait une chance de réussir à franchir l'Arche des druides.

Zarya pensait la même chose, mais elle appréhendait tout de même la réaction qu'aurait sa grand-mère quand elle lui exposerait ce projet singulier. En effet, elle devrait d'une part lui raconter la tragique histoire de Jonathan, et d'autre part lui exposer la seule solution qu'elle avait trouvée, soit se rendre dans un monde dont les mages étaient bannis depuis un siècle, trouver le Grimoire de Trotsky et l'utiliser pour communiquer avec son amoureux.

Finalement, Zarya ouvrit la boîte en acajou d'un mouvement lent et s'empara de l'objet circulaire qui s'y trouvait.

Elle examina soigneusement le disque argileux de quatre centimètres et demi de diamètre qui était posé au creux de sa main et personnifiait le dieu Bès. C'est sa grand-mère Martha qui le lui avait offert lors de leur première rencontre. L'amulette bien en main, l'adolescente ferma les yeux et se concentra : chaque fibre de son corps appelait sa grand-mère. Quelques secondes passèrent, puis une chaleur sembla émaner de l'objet égyptien. Zarya ouvrit les paupières et vit des centaines de petits éclats lumineux violets se dégager de l'objet. Maintenant, elle le tenait fermement à bout de bras et observait les petits cristaux qui ondoyaient au-dessus de sa tête. C'est alors que, dans un sifflement aigu, les cristaux filèrent à travers la fenêtre à une vitesse ahurissante.

Avec le plus grand soin, Zarya remit l'amulette magique dans sa boîte et la dissimula dans sa table de chevet. En se retournant, elle sursauta en voyant un visage autre que le sien dans le miroir.

— Tu m'as fait peur !

— Excuse-moi, ma chérie. Mais je dois te signaler que c'est toi qui voulais me voir ! indiqua Martha avec un petit rire.

— Tu as raison, fit la jeune fille en replaçant une mèche de cheveux derrière son oreille. Je ne te dérange pas, grand-mère ? J'entends des voix derrière toi.

— Non, ne t'en fais pas, ma chérie, tu ne réussiras jamais à me déranger. Je suis avec quatre vieilles amies. Une réunion d'anciennes professeures d'école.

Zarya hésita de longues secondes quand elle sut que des étrangères pourraient entendre leur conversation. Mais Martha sentit son appréhension.

— Ne t'en fais pas, mon enfant, elles sont comme mes sœurs, la rassura-t-elle en les regardant. Tu dois savoir qu'elles te connaissent beaucoup mieux que tu ne peux le croire.

L'adolescente lui sourit en baissant légèrement la tête. Ce geste n'échappa pas à la vieille dame.

— Y a-t-il quelque chose qui te tracasse ?

Zarya saisit son pendentif de sa main droite, puis elle se lança.

— Je dois te raconter une chose qui me rend extrêmement triste, grand-mère, fit-elle en relevant la tête. Tu te souviens du jeune homme qui m'a accompagnée jusque chez toi lors de notre première rencontre ?

— Oui, je m'en souviens très bien… le jeune Maître Drakar.

— Il est tombé dans un profond coma.

La vieille dame, consternée par cette nouvelle, regarda sa petite-fille avec consternation.

— Non, ce n'est pas vrai ! Je… je suis vraiment désolée, ma chérie, balbutia-t-elle avec sincérité. Si je peux faire quelque chose…

— Je crains que personne ne puisse rien faire. Sauf lui-même, peut-être !

En voyant le visage interrogateur de Martha, Zarya devina qu'elle n'avait pas compris ses dernières paroles.

— Mon grand-père m'a dit que l'âme de Jonathan est dans les limbes. Et selon la docteure Drius, cette dimension serait un lieu irréel. Elle m'a expliqué que si Jonathan ne peut plus distinguer la différence entre la réalité d'ici et cet endroit fictif, il serait prisonnier de ses rêves… pour toujours !

L'adolescente remarqua que le silence régnait à présent de l'autre côté du miroir : les sorcières prêtaient une attention particulière à ce qu'elle disait.

Martha regardait derrière elle, comme si elle avait besoin d'un conseil de l'une de ses amies.

— Mais selon ma professeure de goétie, madame Bignet, reprit Zarya, il existerait peut-être un moyen de communiquer avec lui…

— Ah oui ? De quelle façon ? demanda la grand-mère.

— Avec un objet magique… Le Grimoire de Trotsky.

Un étonnement phénoménal et une frayeur épouvantable s'emparèrent soudain de Martha. La jeune fille fut surprise de la façon dont elle avait réagi. C'est alors que quatre autres figures apparurent derrière celle de sa grand-mère dans l'encadrement du miroir.

— Avez-vous mentionné le Grimoire de Trotsky, mademoiselle Zarya ? demanda l'une d'elles.

— Oui, c'est exact, madame, répondit Zarya, visiblement troublée.

— *Damnatio æternalis!* lança la plus grande des sorcières. Détournez-vous de cette idée le plus vite possible, ma chère !

— Elle a raison, Zarya, approuva Martha, qui avait de la difficulté à reprendre son souffle. Ce livre est une calamité pour nous, les sorcières. Tous ceux qui se sont trouvés en présence de ce grimoire n'y ont pas survécu. Je t'en supplie, Zarya, tu ne dois en aucun cas partir à sa recherche.

— D'ailleurs, personne ne sait où il est, dit celle qui se trouvait à la gauche de Martha. Et c'est mieux ainsi…

— Moi, je le sais, l'interrompit poliment l'adolescente.

Les sorcières se regardèrent, stupéfaites. Maintenant, Zarya pouvait seulement entendre leurs chuchotements. C'est alors que Martha se tourna vers sa petite-fille et lui demanda :

— Où est-il ?

— Dans le monde des druides-gaïens.

Les chuchotements recommencèrent de plus belle.

— Grand-mère, les mages ne peuvent pas franchir la porte interdimensionnelle, l'Arche des druides, précisa Zarya. Mais moi, comme je possède du sang de sorcière, ai-je la capacité de le faire ?

Avant même que son aïeule ne puisse lui répondre, la grande sorcière lui précisa :

— Si vous avez le pouvoir d'utiliser une baguette de sorcière, alors vous le pouvez !

— Je ne crois pas qu'il était nécessaire de lui mentionner ce détail, Evelyse, fit Martha, un peu fâchée contre son amie, puisqu'elle n'ira pas dans cette dimension.

— Mais, grand-mère, c'est la seule façon de le faire revenir de ce lieu !

— Et toi, qui va te ramener ?

— Je vous prie de me pardonner ma curiosité, dit la sorcière qui semblait être la plus vieille des cinq et, sans aucun doute, la plus sage. Mais comment comptez-vous utiliser le Grimoire de Trotsky pour éveiller votre ami ?

Zarya ne savait pas si c'était par intérêt ou par respect pour cette vieille dame que les autres sorcières s'étaient immédiatement arrêtées de parler ; sûrement un mélange des deux.

— Ma professeure de goétie nous a dit que ce grimoire permet de communiquer avec les gens de l'au-delà, répondit-elle, intimidée par le regard de la vieille sorcière.

— Cette professeure a raison, confirma cette dernière. Cependant, je crains fort que le fait de lui parler par l'intermédiaire de ce livre ne suffise pas à le faire sortir de son coma. Il est vrai que votre ami va vous entendre, mais, pour lui, ce ne sera qu'une petite voix dans sa tête.

— Alors, quelle est la solution ? demanda Evelyse, curieuse.

— Il existe une autre solution, expliqua la doyenne en regardant la jeune gothique droit dans les yeux. Pour ce faire, vous devrez nous rapporter ce grimoire...

Martha perdit instantanément ses couleurs en entendant cette requête.

— Alors, mes sœurs et moi ferons en sorte de vous aider à ramener votre ami dans cette dimension...

Zarya écarquilla les yeux. Elle n'en croyait pas ses oreilles. Pendant un instant, elle se demanda si elle n'était pas en train de rêver, tant la proposition que venait de lui faire la sorcière était inattendue.

— Ainsi, je pourrai par la suite désenvoûter ce Livre des Morts pour libérer les âmes des sorcières qui y sont emprisonnées depuis des siècles.

— Mais quels seront les risques pour ma petite-fille ? s'enquit avidement Martha qui, malgré ses inquiétudes, faisait tout de même confiance au jugement de la doyenne.

— Malheureusement, répondit cette dernière, je ne peux prédire l'avenir de votre petite-fille. Les risques seront bien réels, ça ne fait aucun doute. Toutefois, je décèle une très grande puissance chez Zarya et j'ai un très bon pressentiment pour elle.

— Comment ferons-nous pour faire revenir son ami des limbes ? demanda alors Martha.

— Nous savons toutes, mes sœurs, que le Livre des Morts a la propriété magique de ramener une personne récemment décédée dans son propre corps.

— C'est exact, Honora, je suis entièrement d'accord avec vous. Cependant, je ne suis pas certaine de comprendre, déclara Martha. Son ami est dans un profond coma… Il n'est pas mort.

La vieille sorcière lui répondit, mais en fixant cette fois les yeux bleu électrique de l'adolescente.

— Je n'ai pas fait allusion à ce jeune homme, Martha, mais plutôt à votre petite-fille. Pour être en mesure d'atteindre l'âme de son ami, Zarya devra… mourir.

20

Les spiritus des ombres

erriblement angoissée, la jeune fille rousse regardait, à travers la fenêtre, le chemin qu'avait emprunté Elliott vingt minutes plus tôt pour aller à la rescousse de la pauvre Lisa. Cette dernière avait été enlevée par les mystérieuses entités et emmenée de force dans une forêt encore voilée par l'inquiétant brouillard. Laurie jeta un coup d'œil vers l'horloge avec désespoir : une éternité s'était écoulée depuis son départ précipité ; elle avait de la difficulté à concevoir que le temps puisse ralentir à ce point.

L'orpheline eut un frisson à cause de l'air frisquet et humide qui pénétrait par la fenêtre fracassée. En se frottant les épaules, elle traversa lentement l'immense pièce pour se diriger vers le cercle de protection, en regardant les orphelins qui étaient toujours confinés en son centre, dans un silence anxieux.

— Tu n'as rien vu ? lui demanda Yanis.

— Non, ils ne sont pas de retour, répondit-elle en s'asseyant près de Tommy.

— Ne t'en fais pas, Laurie, dit ce dernier en remarquant son visage contrarié. Il ne faut pas oublier qu'Elliott est armé de son puissant bâton !

— Je sais… je sais. Mais il devrait être de retour, non ?

Yanis haussa les épaules, et Tommy préféra ne pas répondre. Malgré cela, Laurie resta silencieuse en leur souriant le plus naturellement possible, bien qu'elle sentît son cœur cogner anormalement dans sa poitrine. L'orpheline connaissait Elliott depuis peu ; pourtant, pour une raison qu'elle ignorait, elle s'était attachée à lui très rapidement.

Lorsqu'elle pensait à la témérité d'Elliott et à sa soif de justice, elle en était très fière, certes. Toutefois, lorsqu'elle l'avait vu sauter par la fenêtre avec une indescriptible fureur, cela l'avait rendue extrêmement nerveuse. « J'aurais préféré qu'il soit un peu moins téméraire, cette fois-ci », pensa-t-elle en regardant la ligne de protection scintiller autour d'elle. Juste à l'idée qu'il était seul dans une forêt hantée par des démons sans pitié, elle en avait la chair de poule. Elle était littéralement pétrifiée par la peur qu'il ne revienne pas.

Pour le moment, elle se contentait d'observer du coin de l'œil David qui était à ses côtés. Celui-ci lui avait chuchoté quelques mots. Mais elle n'avait pas compris ce qu'il avait dit. Le colosse se leva et fronça ses gros sourcils en essayant de percer du regard l'épais brouillard. Il en était sûr, il avait aperçu quelque chose d'anormal !

— Regardez ! J'ai vu un éclair verdâtre dans le ciel. Exactement comme celui qu'Elliott a produit avec son truc magique !

Tous se levèrent, mais Laurie avait été la plus rapide : elle était déjà près de la fenêtre, les mains sur le cadrage.

— Oui, c'est bien Elliott, j'en suis certaine, s'écria-t-elle en regardant les faisceaux lumineux qui traversaient un ciel d'un noir profond.

— En voilà encore un ! s'exclama un autre orphelin, qui était monté sur une chaise derrière le groupe pour être en mesure de mieux voir.

— Nous devrions aller l'aider ! suggéra Laurie en regardant le groupe d'adolescents massés autour d'elle.

— On n'a aucune chance sans bâton magique, dit une jeune fille.

— Je crois qu'elle a raison, Laurie, approuva Tommy. On n'a aucune chance de combattre ces bêtes sans être armés d'un bâton druidique.

— Moi, j'en possède un, spécifia Laurie en regardant derrière elle. Il est justement dans le...

La jeune fille se pétrifia littéralement sur place alors qu'apparut une vision terrifiante qui dépassait tout ce que son imagination pouvait concevoir ; en déglutissant avec difficulté, elle réussit malgré tout à hurler à pleins poumons :

— MON DIEU !!! ILS SONT LÀ !!!

Tous pivotèrent sur leurs talons et aperçurent avec frayeur deux silhouettes noires, stratégiquement placées entre eux et le cercle de protection. Les orphelins se mirent à courir en tous sens. C'était la cohue générale. Heureusement pour lui, Tommy parvint à déjouer l'une des horribles bêtes pour finalement atteindre l'endroit le plus sûr de l'orphelinat, soit l'intérieur du cercle magique. Il encouragea fortement ses compagnons à le rejoindre. De ses longs bras, il réussit même à en agripper un, puis un autre. David, qui était à l'autre bout de la pièce, prit une petite table de bois et la lança de toutes ses forces sur l'une des créatures qui était arrivée à attraper une jeune fille. Sous le violent choc, la chose lâcha prise et l'adolescente put aller rejoindre son sauveur. Ce dernier l'entraîna avec lui au centre de la pièce. Maintenant, ils étaient tous en sécurité, sauf une : Laurie ! Yanis crut, pendant un instant, que les monstres en voulaient particulièrement à cette fille.

La pauvre orpheline, en essayant d'échapper à l'une des choses, se fit piéger dans le coin de la pièce, tout près du hall d'entrée. Maintenant, son étrange assaillante lui faisait face. Elle s'avança tranquillement vers sa victime ; elle semblait jubiler ! Puis elle la saisit par le bras avec sa poigne d'acier. Laurie hurla de douleur. Tommy regarda autour de lui, cherchant désespérément un objet solide à lui lancer. Mais il n'y avait que les matelas en mousse et... le bâton druidique de Laurie. Le garçon le saisit et s'efforça de se souvenir des paroles magiques qu'avait prononcées Elliott plus tôt. Ensuite, il pointa la branche vers la chose et s'écria maladroitement :

— *Fulgaratio latama... rium !*

— Non, ce n'est pas ça ! lança Yanis, qui était tout près de lui. C'est : *fulguratio limitarium !*

— *Fulguratio limitarium !* répéta Tommy d'une voix forte.

L'éclair verdâtre sortit tout droit de la branche pour atteindre sa cible dans le dos. Déstabilisée par la secousse, celle-ci lâcha aussitôt sa victime. Apeurée, Laurie se mit à courir en direction de ses amis, lorsque la deuxième entité lui barra le passage.

— *Fulguratio limitarium !* lança de nouveau Tommy.

L'éclair manqua de peu la créature et alla frapper le haut de la porte de bois : un trou noir se forma sous l'impact. L'entité était folle de rage et s'élança encore une fois sur sa proie. Mais Laurie décida de prendre la fuite dans l'autre sens, vers la porte de sortie.

— *Fulguratio limitarium !*

Cette fois, Tommy atteignit sa cible derrière la tête, et l'entité fut projetée avec violence sur l'armoire de bois, manifestement ébranlée.

— LAURIE !!! cria Yanis.

L'adolescente ne l'entendit pas, puisqu'elle avait déjà parcouru une trop longue distance à l'extérieur.

◊ ◊ ◊

Quelques minutes plus tôt

Elliott courait à toutes jambes dans la forêt, poursuivant l'entité qui flottait au-dessus des arbres, portant Lisa entre ses bras démesurés. Il remarqua que la jeune fille était sûrement inconsciente, car elle ne se débattait plus et avait la tête qui basculait dangereusement vers l'arrière.

C'est alors que l'entité ralentit son allure pour finalement s'immobiliser, à quelques mètres du sol, à un endroit qu'Elliott connaissait déjà.

« Pourquoi s'arrête-t-elle près de l'arbre de l'Unus cornu ? » se demanda-t-il en fronçant les sourcils.

— *Virnamia goustiass !* dit la créature de sa voix rauque, tout en fixant l'arbre de ses immenses yeux pâles.

Aussitôt, l'arbre se mit à bouger. Elliott fixa l'Unus cornu sans faire le moindre mouvement et vit, les yeux exorbités, une branche s'allonger pour venir saisir l'adolescente. Dès qu'elle toucha le pied de Lisa, elle s'y enroula. À présent, l'innocente victime était suspendue entre ciel et terre, la tête vers le bas.

La créature jeta un dernier regard à son butin, puis elle se retourna pour aller rejoindre ses épouvantables congénères. Elliott la regarda s'éloigner avec un sentiment de soulagement. Ensuite, d'un pas prudent, il s'approcha de l'arbre en regardant autour de lui pour être sûr de ne pas avoir de mauvaise surprise.

« Comment vais-je grimper là-haut ? » s'interrogea-t-il en remarquant que la branche la plus proche se trouvait à quatre mètres du sol. Il était hors de question d'aller chercher une échelle à l'orphelinat. Elliott eut alors une pensée pour Laurie et ses amis. « J'espère qu'ils sont tous en sécurité à l'intérieur du cercle », se dit-il. Il reporta son attention sur la pauvre adolescente qui était toujours inconsciente, six mètres au-dessus de sa tête. Il devait tenter quelque chose le plus rapidement possible, avant que la créature n'ait la mauvaise idée de revenir sur ses pas. Donc, il examina le tronc d'arbre, puis il décida de grimper pour atteindre la première branche. Afin de faciliter son ascension, il déposa sa veste sur un rocher, près de l'arbre. C'est à ce moment qu'il entendit distinctement un tintement de verre à l'intérieur de sa poche.

— Et si j'essayais ?... se dit-il en fouillant dans son veston pour sortir le flacon qui contenait l'étrange liquide noir : le *traucum temporarius*, le trou temporaire.

Elliott l'ouvrit et versa minutieusement quelques gouttes de la potion sur le tronc à la hauteur de sa ceinture, ainsi que trente centimètres au-dessus de sa tête.

— Ça fonctionne !

Deux petits trous ovales s'étaient formés sur la paroi lisse de l'arbre. De cette manière, le garçon put enfoncer facilement le bout de son pied dans le premier et les doigts de sa main libre dans celui du haut. Il répéta l'opération jusqu'à la première branche. Cela fait, il remit le flacon dans la poche de son pantalon et escalada lestement l'arbre en utilisant les branches anguleuses, pour finalement arriver près de la jeune fille qui était encore inconsciente.

— Réveille-toi, je t'en prie ! lui ordonna-t-il en lui secouant énergiquement la main.

De là-haut, Elliott avait un champ de vision assez large, mais limité en distance à cause du brouillard. Il essaya de repérer l'orphelinat, ou même l'une des entités, mais en vain. En reportant son regard sur Lisa, il constata avec soulagement qu'elle ouvrait enfin les yeux.

— Aaaaaaaaaaaaah !!! cria-t-elle en voyant le sol, la tête à la renverse. Où suis-je ?

— Ça va aller, je suis là !

— Mon pied est coincé ! Je suis coincée…, s'alarma-t-elle. Et où sommes-nous ? Où sont les monstres ?

— Nous sommes seuls, ne t'inquiète pas. Tout d'abord, il faut te défaire de ce piège, dit Elliott en regardant la branche qui faisait trois tours autour de sa cheville.

Il examina l'épaisse ramification sous tous les angles et conclut assez rapidement qu'elle était trop solide pour être brisée par la seule force de ses bras.

Alors, il réfléchit et finit par lancer à l'adolescente :

— J'ai trouvé ! Tiens-moi par le cou et ne me lâche sous aucun prétexte.

— OK !

Lisa saisit Elliott avec tant de force que celui-ci avait de la difficulté à respirer. Il se dépêcha de fouiller dans sa poche et sortit de nouveau le flacon.

— Ne me lâche pas ! Ça va donner un coup ! dit-il en versant une petite goutte sur la branche.

Celle-ci céda immédiatement.

— Maintenant, il faut descendre et quitter les lieux avant qu'ils ne reviennent, conseilla Elliott.

Lisa tremblait de tout son corps. Prise de vertige, elle n'osait pas lâcher le garçon qui s'en rendit compte.

— Ne regarde surtout pas en bas, lui suggéra-t-il en essayant de se défaire de son emprise.

— J'ai peur !

— Alors, allons rejoindre nos amis et nous mettre à l'abri.

Prenant son courage à deux mains, la jeune fille entreprit la descente malgré sa crainte.

— Vas-y doucement et ça va bien aller.

Ce qu'elle fit.

Elliott eut la présence d'esprit de discuter avec elle pour lui changer les idées.

Aussitôt arrivée en bas, Lisa se tourna vers lui. Il était en train de déposer une substance noire dans son flacon, qu'il remit ensuite dans sa poche. L'adolescente regarda par-dessus l'épaule de son compagnon et vit que les trous dans le tronc avaient mystérieusement disparu.

Elliott remarqua sa stupéfaction.

— Bien quoi ? Je rapporte mes trous ! dit-il tout bonnement en lui faisant un petit clin d'œil.

— Tes quoi ?!

— Je t'expliquerai ça aussitôt qu'on sera en sécurité.

Le garçon se pencha pour ramasser sa veste lorsque son regard se porta sur les branches éparpillées sur le sol.

— Aide-moi, s'il te plaît, Lisa. C'est bien Lisa, ton prénom ?

— Oui.

— Moi, c'est Elliott.

— Je sais.

Il étendit sa veste sur le sol humide.

— On va mettre le plus de branches possible dedans.

— D'accord, fit Lisa en regardant autour d'elle. Combien doit-on en prendre ?

— Une pour chaque orphelin.

— Je ne suis pas sûre que tout va entrer...

— Tu dois les rapetisser comme ceci.

Elliott prit un bâton et le porta, horizontalement, à la hauteur de son menton. Puis il rapprocha ses mains l'une vers l'autre, jusqu'à ce que le bâton soit de la dimension d'un œuf.

Avec l'aide de la jeune fille, il remplit sa veste.

— Maintenant, allons-y !

Ils avaient parcouru seulement quelques mètres quand ils furent obligés de s'arrêter. Elliott déploya son bâton sous le regard pétrifié de Lisa. Cette dernière se dissimula derrière lui, terrorisée. L'ignoble créature leur faisait face. Dès lors, les deux adolescents n'étaient plus en mesure d'atteindre l'orphelinat, puisqu'elle leur barrait le seul chemin qui y menait. Il y avait des marécages tout autour.

L'entité flottait à un mètre du sol, un sourire triomphant aux lèvres.

— Prends-toi un bâton, Lisa, murmura Elliott, discrètement.

La jeune fille obéit.

— Presse-le.

La branche s'allongea.

— Tu dois prononcer ces mots sur un ton convaincant : *fulguratio limitarium*.

Lisa acquiesça d'un signe de tête sans bouger.

Elliott l'entendit chuchoter et en déduisit qu'elle mémorisait la formule en la prononçant à voix basse.

— Écarte-toi de notre chemin ! lança-t-il avec colère, en pointant son bâton vers l'entité.

Cette dernière le regardait avec une avidité démentielle et, sans plus attendre, elle fonça sur ses innocentes proies, les bras grands ouverts.

— *Fulguratio limitarium* ! cria la jeune fille.

Celle-ci avait été plus rapide que son compagnon.

L'éclair bleuté frappa de plein fouet l'arbrisseau qui se trouvait près de leur adversaire, qui s'enflamma aussitôt. L'entité s'envola promptement au-dessus des arbres en essayant tant bien que mal d'éviter les multiples attaques des deux jeunes druides. Elliott réussit à la toucher à l'épaule, ce qui ne l'empêcha pas de continuer de tournoyer au-dessus de la tête des adolescents. Ceux-ci couraient aussi vite qu'ils le pouvaient, malgré le poids du contenu de la veste d'Elliott. Tout en se dirigeant vers l'orphelinat, ils attaquaient sans arrêt leur implacable persécutrice, créant un feu d'artifice anormal dans un ciel tourmenté.

— Nous y sommes presque, Lisa! dit le garçon en voyant l'orphelinat à cinq cents mètres devant eux.

Cependant, la créature n'avait pas dit son dernier mot. Immobile au-dessus d'un gros rocher granitique, elle fouilla sous sa cape vaporeuse et en sortit une branche qui ressemblait étrangement à celle d'Elliott. D'un mouvement sec, elle la déploya en direction du jeune garçon. Par instinct, ce dernier brandit son bâton verticalement devant lui. L'éclair ricocha sur un bouclier invisible qu'avait créé, bien malgré lui, l'apprenti druide.

Voyant que le danger était toujours là et qu'ils n'avançaient plus, Elliott ordonna à Lisa :

— Prends ma veste avec les branches, et rends-toi à l'orphelinat le plus rapidement possible sans te retourner.

— Et toi?

— Je vais me débrouiller! cria-t-il en bloquant une autre attaque. Cours, Lisa! Et ne t'arrête surtout pas!

L'adolescente obtempéra.

La créature la regarda s'éloigner, mais reporta vite son attention sur Elliott. À présent, celui-ci était dissimulé derrière un tronc mort et lançait des attaques sans répit depuis que Lisa l'avait quitté. L'entité était d'une rapidité frustrante pour le garçon : elle esquivait facilement ses attaques.

Elliott réfléchit pendant que la créature contournait un arbre gigantesque.

— Je dois essayer autre chose!

Il regardait partout et s'arrêta sur un petit tronc d'arbre brisé. Il brandit son bâton en lançant :

— *Elevatio!*

Le rondin s'éleva à deux mètres du sol.

Au même instant, l'affreuse entité chargea Elliott, et ce dernier lui lança son projectile... Bang! La créature tomba sur le sol : elle avait reçu le rondin en plein estomac.

Le garçon s'approcha avec prudence de la chose, l'examina sommairement, puis il prit ses jambes à son cou sans se retourner.

Elliott se sentit profondément soulagé en pénétrant dans l'orphelinat Kloetzer. Il le fut encore plus lorsqu'il aperçut Lisa. Celle-ci, en distribuant les bâtons druidiques aux orphelins qui l'entouraient, lui fit un sourire reconnaissant.

Tommy et Yanis se précipitèrent vers lui. Elliott regarda derrière eux et leur demanda :

— Où est Laurie ?

— On ne le sait pas ! répondit Yanis avec un trémolo dans la voix. Elle s'est enfuie dans la forêt…

— On croyait qu'elle était avec toi ! ajouta Tommy, anxieux.

— Effectivement, nous supposions qu'elle devait…

Yanis ne put finir sa phrase : Elliott avait déjà franchi le seuil de la porte.

◊ ◊ ◊

Pendant la première attaque d'Elliott, près de l'arbre magique
Laurie trébucha sur une racine et s'affala de tout son long dans une boue noirâtre et glissante. Elle était exténuée. Cependant, il était hors de question qu'elle reste une seconde de plus dans cette bourbe nauséabonde. Elle se releva de peine et de misère, sortit du petit fossé marécageux et reprit sa course pour échapper aux entités qui la poursuivaient. L'orpheline jeta un regard derrière elle, s'efforçant de percer la lugubre obscurité. Seule la silhouette de l'orphelinat Kloetzer se découpait vaguement sur cette sinistre toile, à laquelle la lueur rougeâtre de la lune donnait un aspect terrifiant.

— Elliott, je t'en prie, où es-tu ? murmura Laurie en continuant son difficile parcours.

Elle n'était plus qu'à quelques mètres de la petite maison abandonnée, près du lac, lorsque des faisceaux lumineux lui frôlèrent la tête. Elle se tourna vers ses mystérieuses poursuivantes qui flottaient entre les arbres et constata avec stupéfaction qu'elles avaient gagné du terrain.

« Je dois me mettre à l'abri », se dit-elle, effrayée.

Laurie respira un grand coup et se précipita vers la maison. Un dernier regard par-dessus son épaule et elle poussa la porte pour y pénétrer. Elle se retrouva dans la petite pièce où elle était déjà venue avec ses amis. Cette fois, cependant, l'endroit était plongé dans une obscurité terrifiante. L'adolescente scruta ce qui l'entourait pour trouver un endroit où se cacher. Une grande armoire était placée juste à côté de la cheminée en pierres des champs, où elle avait préparé la potion du *traucum temporarius* avec Elliott. La pauvre jeune fille jugea que cet endroit serait un bon refuge pour attendre les secours. L'une des créatures passa à toute vitesse devant l'une des fenêtres, et Laurie se contorsionna pour se faufiler entre plusieurs caisses en bois poussiéreuses. Alors qu'elle s'apprêtait à ouvrir l'armoire, un vrombissement infernal retentit et une lumière éclatante se répandit dans la pièce. Apeurée, elle poussa un cri de désespoir :

— Elliott !

◊ ◊ ◊

Dans la forêt, au moment où Laurie pénétrait dans la maison
Parvenu à l'endroit où il avait laissé la créature inconsciente, Elliott aperçut le morceau de bois sur le sol détrempé : curieusement, aucune trace de l'entité. Il regarda autour de lui et crut l'apercevoir, filant entre les arbres vers la maison abandonnée, près du lac.

« C'est sûrement à cet endroit que Laurie s'est réfugiée ! » devina aussitôt le jeune garçon.

Pris de panique, il se mit à courir comme un fou dans cette direction. Le vent qui fraîchissait de plus en plus, gémissant inopportunément à travers la forêt ténébreuse, lui brouillait la vue.

« Que voulait-elle faire de Lisa en la suspendant la tête en bas dans l'Unus cornu ? Fera-t-elle la même chose avec Laurie ? Vais-je arriver à temps pour l'en empêcher ? Sinon, jusqu'où ira sa cruauté ? » se demanda-t-il en accélérant encore le pas.

Elliott progressait péniblement, à cause du sol boueux, parmi ces insolites silhouettes gigantesques qu'étaient les arbres. Il tenta le tout pour le tout en essayant de prendre un raccourci afin d'arriver plus vite à la maison du lac. Plus il descendait la pente abrupte, plus le vent se dissipait. En revanche, l'humidité et la fraîcheur des lieux lui brûlaient les poumons. Elliott ne pourrait courir à cette allure bien long-temps. Fort heureusement, il vit soudain le pourtour de la maison abandonnée se dessiner, cent mètres devant lui.

Il ne faisait aucun doute que Laurie s'y était réfugiée. En effet, le garçon pouvait apercevoir les ombres maléfiques qui tournoyaient autour de la petite construction, tels des vautours au-dessus d'une carcasse d'animal. Il devait s'approcher le plus possible sans se faire voir par ces êtres démoniaques. Alors qu'il longeait des arbrisseaux à fleurs, à trois mètres de la maison, Elliott discerna une ombre glissant sur le sol raboteux : une des créatures passait juste au-dessus de sa tête. Il fit un pas de côté pour se cacher dans l'ombre de la cheminée en pierres des champs.

Il ne pouvait plus avancer, car la chef des entités était postée devant la porte.

— Elliott ! entendit-il.

Le jeune druide colla son oreille contre le conduit de la cheminée. Puis il recula d'un pas, se dépêcha de fouiller dans sa poche et lança son flacon de *traucum temporarius* sur le mur : la petite bouteille de verre éclata en mille morceaux et le liquide se répandit. Dès lors, un trou d'un mètre de diamètre se forma. Elliott vit Laurie qui lui tournait le dos. Sans crier gare, il étendit le bras pour la saisir par son chandail et la tira au travers du trou. La jeune fille s'apprêtait à pousser un cri, mais il lui mit la main sur la bouche.

— Chut ! C'est moi, Elliott !

Elle se tourna vers le garçon et lui sauta au cou.

— Il faut quitter ce lieu, Laurie. Je connais un raccourci.

— D'accord ! dit-elle en s'étirant le cou pour voir que les démons s'introduisaient finalement dans la maison.

Fort heureusement pour les deux adolescents, les entités ne les suivirent pas. Lorsqu'ils pénétrèrent dans l'orphelinat quelques minutes plus tard, Yanis et Tommy furent les premiers à les accueillir.

— Vous voilà enfin ! s'exclama Yanis, soulagé.

Elliott, en lui souriant, constata que les autres orphelins n'étaient plus à l'intérieur du cercle, mais dispersés un peu partout dans le réfectoire, avec un bâton entre les mains.

— Que font-ils en dehors du cercle ? demanda Laurie, légèrement agacée, puisqu'elle avait pris la peine de tracer cette barrière de protection pour eux. Les entités vont sûrement revenir lorsqu'elles se rendront compte que je ne suis plus dans la maison du lac.

— Alors, c'était là que tu te cachais ? l'interrogea Tommy en regardant Yanis du coin de l'œil. Je te l'avais bien dit qu'elle se réfugierait à cet endroit !

— On s'apprêtait justement à aller vous chercher, précisa Yanis en brandissant son bâton magique.

— Est-ce que tu es capable de le faire fonctionner ? lança Laurie.

— Euh… non, pas encore, répondit Yanis, dépité.

— Mais, moi, j'en suis capable ! s'écria Tommy avec fierté en exhibant le sien.

— Je ne crois pas que cela suffise, déclara Elliott en regardant un garçon, près de la fenêtre, qui tentait désespérément de faire fonctionner son bâton.

— Que veux-tu dire, Elliott ? fit Laurie, surprise par cette remarque.

— J'ai utilisé à plusieurs reprises le sortilège de la fulguration. Mais ça ne fait rien d'autre que les ébranler.

— Il doit exister des formules magiques… plus puissantes, non ? demanda Yanis en fronçant les sourcils.

— J'imagine.

— Il faut aller chercher au sous-sol le livre qui s'appelle *Formulation des sortilèges de protection*, indiqua Laurie. Il décrit plein d'autres enchantements.

— C'est vrai, approuva Elliott. J'y vais immédiatement.

Cependant, Yanis posa sa main sur son épaule pour l'arrêter.

— Non, attends ici, Elliott, dit-il. Tommy et moi allons le chercher. Tu as sûrement besoin d'un peu de repos après tes escapades de cette nuit.

— Bonne idée ! s'exclama Laurie. Il est sur la table. C'est un petit livre doré d'une centaine de pages.

— D'accord, on le trouvera sans peine.

Pendant qu'Elliott se laissait choir sur un matelas au centre du cercle, ses deux amis, équipés de leur bâton druidique, marchèrent d'un pas hésitant vers le long couloir qui était plongé dans une profonde obscurité. Laurie jeta un coup d'œil à la lueur ambrée de la lampe à huile que Yanis avait emportée, laquelle se dissipa graduellement pour finalement disparaître.

C'est lorsqu'ils descendirent les marches menant au sous-sol qu'ils comprirent pleinement le sens de cette locution : « les ténèbres de la nuit ». En effet, le noir semblait vouloir engloutir le maigre éclairage de la lampe. C'était palpable, oppressant ! Yanis s'en voulait presque d'avoir proposé à Elliott d'aller chercher le livre à sa place.

— Pas compliqué ! lança-t-il en regardant le visage crispé de Tommy qui, il en était certain, regrettait aussi de l'avoir accompagné. On vient seulement chercher un livre, n'est-ce pas ?

— Ouais ! Facile !

— Alors, pourquoi est-ce que je me sens aussi mal ?

— Prenons ce fichu livre et allons-nous-en ! proposa Tommy qui partageait son appréhension.

Sans plus attendre, ce dernier s'avança vers la table, tendit la main pour attraper le bouquin. Soudain, cependant, il s'immobilisa et demanda :

— Yanis ?! C'est toi qui...

Les deux garçons percevaient un léger mouvement d'oscillation sur le sol, derrière eux.

— Non, ce n'est pas moi ! répondit Yanis en pointant sa lanterne vers l'endroit d'où venait l'étrange bruit.

— C'est sûrement les murs qui craquent, déclara Tommy. Tu sais, ce bâtiment est très vieux.

— Ouais, tu as sûrement raison. Prends ce fichu livre et partons !

Tout à coup, la flamme de la lampe s'éteignit. La pièce au grand complet se transforma en un abîme d'obscurité. Essayant de conserver son calme, Yanis tourna le piston de la lampe, pour finalement s'apercevoir qu'il n'y avait probablement plus de combustible : il faisait trop noir pour en voir le niveau.

— Que se passe-t-il ? l'interrogea Tommy.

— La lampe... la lampe ne fonctionne plus !

— Alors, quittons cet endroit. Moi, je ne reste pas une minute de plus ici.

Soudain, un violent claquement se fit entendre derrière eux. Ils se retournèrent d'un bond.

— Mais qui a fermé la porte ? aboya Tommy, qui n'en menait pas large. Ce n'est pas drôle du tout, là-haut !

— Bah, laisse tomber. Si ça peut les amuser, grogna Yanis à voix haute, voulant que les responsables de ce mauvais tour l'entendent.

Tommy, après avoir réussi à trouver le livre en passant ses mains de gauche à droite sur la table, pivota sur ses talons et s'avança prudemment dans la direction de Yanis en se repérant grâce à sa voix.

— Aïe ! lâcha-t-il tout à coup en se massant le genou.

— Que se passe-t-il ?

— Rien, je me suis cogné sur une chaise. On peut y aller maintenant, je l'ai récupéré.

— Très bonne idée ! s'exclama Yanis avec soulagement.

— Hé, attention ! fit Tommy. Tu vas déchirer mon chandail.

— Mais qu'est-ce que tu racontes ?! Je suis près des escaliers, précisa son ami.

En effet, sa voix venait de l'autre bout de la pièce.

— Il y a quelque chose qui m'a tiré par le chandail, expliqua Tommy avec un trémolo dans la voix.

— Viens, Tommy, sortons d'ici !

— Mais où est la porte ? Je ne vois absolument rien ! répondit Tommy dans un cri de panique.

— Je suis ici !

Tommy s'élança dans la direction qui lui semblait être celle de la sortie. Yanis, pour sa part, monta les marches quatre à quatre. Il tira vivement sur la poignée de la porte, mais celle-ci refusa de s'ouvrir. Il commençait à avoir de la difficulté à respirer. La panique le gagnait.

Brusquement, un bruit déchira le silence, semblable à un corps tombant sur le sol.

— Tommy ?

Pas de réponse.

— Tommy ? Dis quelque chose, je t'en prie !

Yanis entendit alors un murmure étouffé. Il descendit deux marches et s'arrêta net. Il ne voyait pas plus loin que le bout de son nez. En désespoir de cause, il sortit son œuf de bois de sa poche et le pressa pour qu'il reprenne sa forme de bâton.

« Pourvu que ça fonctionne ! » pensa-t-il en pointant la branche vers le plafond.

— *Fulguratio limitarium !*

L'éclair frappa sa cible comme prévu, diffusant une lueur intense dans toute la pièce pendant une fraction de seconde. Juste assez pour que Yanis entrevoie une scène qui dépassait son entendement : couché sur le sol, Tommy luttait pour sa vie, se débattant pour échapper à une créature longiligne verte qui l'enserrait tel un boa autour de sa proie. Réussissant à dégager sa bouche, il cria :

— Aide-moi, Yanis !

Yanis, armé de sa branche, s'avança à l'aveuglette vers l'endroit où avait retenti le cri de son ami. Il était conscient qu'il lui était impossible d'utiliser son bâton magique contre la bête verte, car il pourrait atteindre son ami en même temps.

— Tue-la ! Je t'en prie… Elle m'étrangle… Je ne peux… plus…

Yanis plongea dans la direction d'où étaient venus ces derniers balbutiements. Il sentit le bras de Tommy. Ce dernier se démenait vigoureusement pour s'arracher à l'étreinte de la créature souple qui était enroulée autour de son cou. Yanis réussit à empoigner la bête et tira de toutes ses forces pour la dénouer. Cependant, celle-ci était, et de loin, plus forte que lui.

« Mais je suis plus malin que cette satanée bestiole », se dit-il en la mordant à pleines dents.

C'est alors que la créature se déroula vivement, lâchant sa victime, en poussant un petit cri aigu. Yanis saisit son bâton.

— *Fulguratio limitarium !*

Il la rata de peu. Il envoya une seconde fois le sortilège de fulguration et frappa une pile de livres, près d'une grille de métal au pied du mur. L'un des livres prit feu. Alors, Yanis vit clairement la bête s'échapper par la bouche d'aération.

— Ça va, Tommy ? demanda-t-il en se tournant vers lui.

— Oui, maintenant, ça va ! Où est le serpent ?

— Je crois que ce n'était pas un serpent, dit Yanis en regardant la terre qui était dispersée un peu partout sur le plancher. Cette chose n'avait pas du tout le goût d'un reptile… mais plutôt celui d'une plante !

Yanis rangea soigneusement son bâton dans sa poche, manifestement fier d'avoir enfin réussi à le faire fonctionner. Tommy, quant à lui, se leva en poussant un soupir de soulagement et en se massant le cou : il était conscient qu'il l'avait échappé belle.

— L'avez-vous trouvé ? cria une voix de fille en haut des escaliers.

Les deux garçons se tournèrent vers la porte. Celle-ci était ouverte et Laurie, accompagnée d'Elliott, regardait l'état lamentable de la pièce d'un air stupéfait. La chaise renversée sur le sol, la table poussée vers les étagères de la bibliothèque, la terre sur le plancher qu'elle avait balayé, peu de temps auparavant, avec le plus grand soin, et le feu dans le coin de la pièce.

— Mais que s'est-il passé ici ? lança Elliott, visiblement confus, en descendant les marches avec une lampe dans sa main.

— Je me suis fait attaquer par… par une plante ! répondit Tommy.

— Une plante ? Mais quelle plante ? demanda Laurie en regardant partout autour d'elle.

— Elle s'est enfuie par là, indiqua Yanis en pointant du doigt la grille de métal, près d'une étagère.

Pendant qu'Elliott s'approchait de la bouche d'aération, Yanis s'empressa d'éteindre le feu en l'étouffant avec un livre qu'il avait pris au hasard sur une étagère. Cela fait, il déposa le bouquin sur la table, à côté de celui que son ami et lui étaient venus chercher.

— Je ne comprends pas, Elliott, dit Tommy, encore ébranlé. Les entités noires… et maintenant les plantes ! Que nous veulent-elles à la fin ?

— Je ne sais pas, répondit Elliott, perplexe. Ç'a sûrement un rapport avec nos pouvoirs magiques et l'arbre de l'Unus cornu. L'une des entités noires, comme tu dis…

— Ce n'est pas comme ça qu'elles se nomment, intervint Laurie qui avait pris le livre dont Yanis s'était servi pour éteindre le feu et qui s'intitulait *Les créatures de la nuit*. Ce sont des spiritus des ombres !

Elliott s'approcha d'elle et regarda par-dessus son épaule. L'illustration qui apparaissait à la page 5 ne laissait aucun doute : c'étaient réellement ces monstrueuses créatures qui s'acharnaient sur les pauvres orphelins.

— Elles ne supportent pas la lumière du jour, expliqua Laurie en lisant le paragraphe qui se trouvait sous l'image.

— Peuvent-elles mourir si elles sont simplement exposées à la lumière du soleil ? l'interrogea Yanis, qui espérait une réponse positive.

— Affirmatif, c'est écrit noir sur blanc, répondit-elle.

— Il faudrait trouver une autre solution, fit Tommy. Nous sommes encore loin du jour. Et nous risquons de nous faire attaquer avant que le soleil n'apparaisse à l'horizon.

— Il ne faut pas oublier le brouillard, ajouta Yanis. J'ai remarqué qu'il épaissit d'heure en heure. Si ça continue comme ça, la lumière du soleil ne réussira même pas à le traverser.

Pendant ce temps, Elliott feuilletait le livre sur les sortilèges de protection.

— Je crois que j'ai trouvé quelque chose qui pourrait les éliminer une fois pour toutes ! finit-il par déclarer d'une voix ferme. Toutefois, il faudra attendre jusqu'au matin pour réaliser le *vorticis de Zeus*.

◊ ◊ ◊

Une lumière grise entrait par la fenêtre fracassée et un silence angoissant régnait toujours sur l'orphelinat Kloetzer. Laurie se réveilla avant l'aube. Elle regarda autour d'elle et vit que la plupart de ses camarades dormaient encore. Elliott, Yanis, Tommy et David avaient monté la garde à tour de rôle toute la nuit. L'adolescente fut surprise de voir que la porte qui menait à la serre était soigneusement barricadée.

— Les plantes ont essayé de pénétrer dans la pièce, indiqua Elliott en voyant le visage étonné de son amie.

Laurie sursauta en entendant sa voix ; elle ne l'avait pas vu.

— Et les *spiritus* des ombres ?

— Rien ! Aucune manifestation de leur part.

— Étrange, n'est-ce pas ?

Le garçon acquiesça d'un signe de tête.

— Tu as l'air perplexe, Elliott.

— Pour lancer le sortilège de *vorticis de Zeus*, il faudrait que tout le monde participe. Peu d'entre nous, cependant, sont en mesure de se servir du bâton druidique.

En effet, depuis que Lisa avait remis les branches aux orphelins, trois seulement avaient réussi à les activer.

— Crois-tu être capable de faire fonctionner le tien, Laurie ?

— J'en suis certaine.

Elliott lui sourit.

— Mis à part le fait que nous sommes peu nombreux à pouvoir utiliser les bâtons, continua-t-il sur un ton plutôt pessimiste, ce sortilège ne fera effet que si les *spiritus* des ombres se trouvent à moins de trois mètres de nous. Et pour couronner le tout, le temps nécessaire pour le réaliser doit être d'une trentaine de secondes.

— Les spiritus vont nous avoir attaqués avant même que nous ayons eu la chance de prononcer la formule incantatoire, devina aussitôt la jeune fille.

— Je le crains !

Pendant un instant, leurs regards restèrent accrochés l'un à l'autre, et Laurie comprit, en apercevant une petite lueur dans les yeux de son ami, qu'il venait d'avoir une idée audacieuse.

— *Temporem interruptio* ! lança-t-il en posant ses deux mains sur les épaules de l'adolescente.

Il restait peu de temps avant que le jour ne se lève. Elliott devait agir rapidement. À vrai dire, il devait demander aux autres orphelins de bien vouloir participer à l'embuscade qu'il venait d'organiser minutieusement, tout en sachant que plusieurs n'avaient pas réussi à activer leur propre sceptre. Pour lui, leur expliquer son plan était peine perdue, car il pensait que la plupart ne voudraient pas collaborer ; mais Laurie, elle, était convaincue du contraire.

— Écoutez-moi, je vous prie ! s'écria-t-elle, debout face à ses camarades.

Plusieurs adolescents continuèrent à discuter comme s'ils ne l'avaient pas entendue.

— SILENCE !!! lança alors David de sa voix puissante.

Maintenant les orphelins étaient tout ouïe.

Laurie lui sourit pour le remercier, puis elle enchaîna :

— Ce que je m'apprête à vous dire, je ne le dis pas de gaieté de cœur. Mais les spiritus des… les entités noires vont revenir, ça ne fait aucun doute. Pour l'instant, nous sommes en sécurité à l'intérieur de ce cercle de protection. Cependant, nous ne pouvons rester ici éternellement.

— Que suggères-tu, alors ? lui demanda une fille.

— Nous devons les éliminer !

— Ces démons sont invincibles, répliqua un garçon qui se tenait en arrière du groupe.

— Nous avons découvert leur point faible, souligna Laurie en jetant un regard en coin à Elliott.

— Il serait plus sage d'attendre les adultes, proposa un autre adolescent.

— Je ne suis pas convaincu qu'ils vont revenir, intervint aussitôt Yanis. En fait, je crois que les démons les ont... tués.

Tous regardèrent Yanis avec des yeux exorbités. Ils pensaient la même chose, mais aucun d'eux n'aurait osé le dire à voix haute.

— Un instant, je vous prie, reprit Laurie. Elliott a établi un plan, et je suis certaine que ça va fonctionner. Mais à condition qu'on y participe tous.

— Moi, je suis partante, répondit Lisa en se levant d'un bond. J'ai confiance en lui.

— Je n'ai pas réussi à faire fonctionner mon bâton, dit un garçon blond.

— Moi non plus, je n'y suis pas arrivé, lança un autre.

D'autres se contentèrent de faire un signe de tête pour indiquer que c'était également leur cas.

— Je suis persuadé que vous pouvez réussir, déclara Elliott. C'est que vous n'êtes pas convaincus vous-mêmes de la force que vous ont léguée vos ancêtres. Je dois vous signaler que nous sommes tous, sans exception, des druides.

Les adolescents se rassemblèrent autour d'Elliott et écoutèrent attentivement ses instructions. À tour de rôle, ils répétèrent la formule incantatoire pour être certains de la connaître par cœur. Ils voulaient également s'assurer qu'ils seraient en mesure de l'énoncer au moment voulu malgré l'énorme frayeur qui ne manquerait pas de s'emparer d'eux.

Elliott sortit le premier, suivi par les vingt-deux autres orphelins. Comme Yanis l'avait prédit, le soleil n'arrivait pas à percer l'épais brouillard. On se serait cru en pleine nuit.

Les adolescents se dirigèrent vers le centre du terrain gazonné et s'arrêtèrent à côté de la fontaine, où une eau limpide jaillissait de la bouche d'une statue représentant une licorne blanche à corne dorée. Curieusement, celle-ci semblait les observer.

Les jeunes formèrent un cercle en prenant bien soin de se toucher pour ne former qu'un. Une main dans leur poche, tenant fermement leur bâton druidique compacté, ils observèrent attentivement la forêt qui les entourait. Il n'y avait aucun son, le vent semblait s'être évanoui et l'air était glacial. Chaque seconde d'attente était interminable. Personne ne parlait. Les adolescents ne voulaient surtout pas exprimer leur impatience. Ils étaient tous concentrés sur la tâche qu'ils devraient accomplir consciencieusement. Comme Elliott le leur avait expliqué, il n'y aurait pas de seconde chance ; ils devaient réussir du premier coup.

Tout à coup, les regards des vingt-trois orphelins convergèrent dans la même direction. Ils poussèrent un gémissement sourd et ardemment étouffé : ils devaient conserver leur concentration à tout prix. Les trois spiritus des ombres venaient dans leur direction.

— Restez calmes, chuchota Elliott en remarquant que quelques-uns semblaient agités. Et, surtout, restons groupés.

Les entités se séparèrent. Elles se placèrent autour des orphelins, à une dizaine de mètres d'eux.

— Maintenant, Elliott ? demanda Laurie à voix basse.

— Non, pas encore, ils sont trop loin.

Les spiritus posèrent leurs pieds sur le sol en les observant avec un air de défi. Pourquoi ne se sauvaient-ils pas ? Les entités s'approchèrent doucement de leurs proies en savourant déjà leur victoire trop facile.

— Maintenant, Laurie ! s'écria Elliott.

La jeune fille sortit l'œuf de bois de sa poche, le pressa pour lui redonner sa forme allongée, puis, d'un mouvement déterminé, elle frappa le sol en disant d'une voix forte :

— *Temporem interruptio !*

Une lumière blanche jaillit de son bâton magique. Puis une vague d'ondes translucides déferla partout autour d'eux. Les silhouettes noires s'immobilisèrent, et la forêt sembla être tombée en mode pause. Seuls les orphelins n'étaient pas ensorcelés par le charme que Laurie avait réussi à lancer, en raison du courant qui passait de main en main depuis elle.

Un spiritus des ombres était immobilisé à quelques centimètres de la figure de certains d'entre eux. Ils en avaient le sang glacé. Cependant, ils ne pouvaient plus reculer, à présent. Le sortilège du *vorticis de Zeus* devait absolument fonctionner ; sinon ils étaient tous condamnés à une mort certaine.

Les orphelins sortirent leur instrument magique à leur tour, puis, en le déployant vers le ciel, ils s'écrièrent d'une même voix :

— *Vorticis maximus !*

Du bout de leur bâton jaillit un long et fin filament blanchâtre qui se transforma rapidement en un vent turbulent. Celui-ci rugissait comme une bête féroce prête à dévorer l'épais brouillard qui couvrait tout autour d'eux. Les adolescents devaient tenir leur sceptre druidique fermement, tant l'énergie dégagée était puissante.

Laurie, qui avait abaissé son bâton après avoir exécuté avec succès le sortilège de la suspension du temps, regardait avec étonnement le spectacle incroyable qui s'offrait à ses yeux : tous, sans exception, tenaient leur bâton pointé vers le ciel et, à l'aide du mouvement tourbillonnaire qui en sortait, repoussaient sans ménagement le brouillard comme Elliott leur avait dit de le faire. Les premiers rayons du soleil levant se frayèrent un chemin sans difficulté pour atteindre finalement, comme prévu, les spiritus des ombres. Sous le regard abasourdi des enfants, et en particulier d'Elliott qui se trouvait justement tout près des créatures, les vêtements ainsi que la peau noirâtre et verruqueuse de la chef des entités disparurent peu à peu pour laisser place à des habits normaux, à une peau blanche et… humaine : celle de madame Welser !

21

L'Arche

Lorsqu'elle se réveilla en ce mercredi matin particulièrement ensoleillé, Abbie écarta le rideau opaque
et jeta un coup d'œil à Zarya qui était assise sur le
coin de son lit. Cette dernière lui adressa un magnifique sourire,
feignant d'avoir, elle aussi, bien dormi. En vérité, elle avait encore
plus de mal à trouver le sommeil depuis qu'elle avait discuté avec
sa grand-mère Martha et les autres sorcières. C'était une chose
de savoir qu'elle devrait affronter un grand danger dans une
dimension qu'elle ne connaissait pas, mais c'en était une autre
de savoir qu'il lui faudrait mourir pour atteindre son objectif !
Zarya n'avait pas encore soufflé mot à Abbie de cet étrange entretien. Elle voulait lui en parler, certes, mais de toute évidence
elle éprouvait une certaine pudeur à évoquer tout ce qui pouvait
se rapporter de près ou de loin à sa propre mort. Elle n'osait pas
trop penser à ce dernier détail, qui, soit dit en passant, n'était
pas à négliger. Par contre, à l'idée qu'elle bénéficierait de l'aide de
quatre puissantes sorcières ainsi que de celle de sa grand-mère
Martha, elle se sentait tout de même *un peu* rassurée.

Lorsque la cloche sonna pour annoncer la fin du dernier cours de la matinée, Zarya et Abbie prirent la direction du réfectoire pour enfin se mettre quelque chose sous la dent. Pendant que son amie allait se chercher un plateau, la jeune gothique déposa sur le sien une assiette fort appétissante. Elle marcha ensuite vers la table, où étaient déjà assis Jeremy, Olivier et Ève, en se mordillant l'intérieur de la lèvre, car elle pensait à une chose qu'elle voulait à tout prix faire aujourd'hui : se vider le cœur ! Elle ne pouvait garder ce secret plus longtemps, c'était trop lourd à porter. Elle devait annoncer à Abbie qu'elle avait l'intention de quitter Attilia pour se rendre dans le monde des druides-gaïens durant les vacances de Noël, c'est-à-dire dans onze jours, et cela, sans en parler à sa mère et à son grand-père.

— Je dois admettre que tu as réussi avec brio le sortilège de bloque-feu, Zarya, la félicita Jeremy en prenant une bouchée de son pain.

— Oui, c'est vrai. Par contre, je me suis brûlé une mèche de cheveux, répondit-elle en la lui montrant.

— Oups ! je suis désolé, partenaire.

— Bah ! ce sont les risques du métier, fit-elle en haussant les épaules.

Zarya replongea le nez dans son assiette et, avec sa fourchette, s'amusa à dessiner un soleil dans sa purée de pommes de terre. Abbie le remarqua.

— Veux-tu qu'on en parle ? lui souffla-t-elle.

Connaissant fort bien ses petites manies, elle savait que Zarya était soucieuse. Cette dernière se tourna vers elle en la dévisageant, à la fois touchée et émerveillée par l'intuition de son amie. Elle lui fit un sourire entendu en lui répondant :

— Tantôt.

Abbie comprit immédiatement qu'elle voulait lui parler seule à seule. Zarya, pour sa part, se sentit tout à coup moins nerveuse, soulagée ; elle respirait mieux. Elle était sur le point de discuter avec la personne dont l'opinion comptait tant pour elle.

— Savez-vous quoi, les amis ? lança Jeremy, faisant sursauter Ève qui était assise juste à côté de lui.

— Comment veux-tu qu'on devine ce que tu as dans la tête, le grand ?! rétorqua Olivier.

— L'an prochain, il va y avoir un stage, pour nous, lorsque nous serons en deuxième !

— C'est vrai, tu as raison ! approuva le jeune professeur.

— Ceux de la deuxième année vont justement le faire après les fêtes, spécifia Ève en regardant Abbie et Zarya, qui s'étaient étiré le cou pour mieux entendre la conversation des garçons.

— C'est exact, Ève, confirma Olivier. Ils partent divisés en plusieurs groupes pour des missions mineures, accompagnés naturellement par des Maîtres Drakar.

— Et où vont-ils ? demanda Abbie, intéressée.

— Partout, à vrai dire. D'ailleurs, trois groupes partent dans le monde que vous avez habité, les filles. C'est sûrement très gratifiant pour les élèves de participer à une vraie mission. J'imagine que c'est à ce moment-là que tu peux réellement savoir si tu es fait pour ce métier.

Ce sujet de conversation passionnant monopolisa leur attention jusqu'à la fin du repas. Zarya et Abbie n'avaient pas vu le temps passer. Elles ne le réalisèrent que lorsque la cloche se fit entendre pour annoncer le début de leur premier cours de l'après-midi.

— Finalement, nous en discuterons durant la soirée, si tu veux bien, dit Zarya à son amie, visiblement déçue que le temps ait passé aussi vite.

— D'accord.

◊ ◊ ◊

À 20 h ce soir-là, après avoir fini leurs interminables leçons, Zarya et Abbie quittèrent leur dortoir d'un pas rapide en direction des escaliers qui menaient au rez-de-chaussée. En descendant les marches de pierre, la jeune gothique prit une profonde inspiration en tâchant de trier les informations qu'elle désirait partager avec son amie et celles qu'elle ne voulait surtout pas lui divulguer, de donner un sens logique au fatras qui encombrait son esprit depuis son entretien avec les sorcières. Elle redoutait ce que penserait son amie de son projet de rapporter le Grimoire de Trotsky dans cette dimension. Et cette inquiétude légitime se révéla justifiée aussitôt que les deux filles mirent les pieds à l'extérieur.

— Quoi ?! Elles veulent que tu le rapportes ici !

Heureusement, elles étaient dans la forêt derrière le Temple, loin des oreilles indiscrètes. Seuls quelques oiseaux tropicaux s'envolèrent sous cette exclamation de l'adolescente.

— Elles veulent absolument désenvoûter le grimoire aussitôt que j'en aurai fini avec lui, spécifia Zarya qui avait la bouche extraordinairement sèche.

— Mais ton plan consistait à l'emprunter juste le temps de communiquer avec Jonathan, là-bas, pas plus !

En effet, Abbie savait fort bien que son amie devait faire cela sans que le propriétaire du grimoire s'en aperçoive, car elle appréhendait par-dessus tout la réaction d'Oswald Leskovac.

— Je sais, mais…

Zarya s'interrompit, ne sachant pas quoi répondre.

— Alors, si je comprends bien, dit Abbie en s'arrêtant de marcher et en se retournant vers son amie, tu devras traverser l'Arche des druides pour entrer dans une dimension dont l'accès est interdit aux mages depuis une centaine d'années, te rendre chez Oswald Leskovac, qui, soit dit en passant, est un tueur de sorcières de premier ordre, puis lui voler le Livre des Morts sous son nez, pour finalement le rapporter dans cette dimension et le donner à un groupe de sorcières que tu ne connais pas. Est-ce que j'ai négligé un détail ?

— Non, c'est à peu près ça, répondit Zarya en se gardant bien de parler de sa mort provoquée.

— Finalement, ç'a l'air assez simple. Alors, qu'est-ce que tu attends ? fit-elle, sarcastique.

— Je pars dans onze jours, exactement !

Abbie la dévisagea d'un air ahuri.

— Mais tu étais censée partir seulement pendant les vacances d'été ! Tu voulais lui laisser un peu de temps pour qu'il puisse revenir par lui-même.

En fait, Abbie avait espéré que Jonathan se réveillerait avant l'été, empêchant ainsi son amie de partir pour cette mission téméraire.

— Depuis, il y a une chose qui a changé… et dont je ne t'ai pas encore parlé, Abbie, expliqua Zarya, tout à coup mal à l'aise. C'est que les parents de Jonathan veulent le ramener chez eux pour le laisser partir.

Abbie recula d'un pas.

— Non, ce n'est pas vrai ! Mais pourquoi veulent-ils faire ça ? Ça n'a aucun sens !

— Te souviens-tu que je t'ai dit que Jonathan vivait un traumatisme tous les deux jours, à la même heure ?

— Oui.

— Alors, ses parents croient dur comme fer qu'il se fait tourmenter par les démons qu'il a combattus durant ses missions antérieures.

— Mais c'est insensé ! Je ne peux pas croire à une chose pareille…

— Cependant, personne ne peut prouver que ce n'est pas le cas, répondit Zarya avec une grande tristesse dans les yeux.

Abbie resta bouche bée. Puis elle lui suggéra :

— Ton grand-père pourrait…

— Hors de question !

— Mais…

— Non, Abbie ! N'insiste pas !

— Alors, je pars avec toi !

— C'est impossible, et tu le sais très bien.

— Mais il doit forcément y avoir une autre solution.

— Alors, je te donne onze jours pour la trouver. Sinon, je devrai partir pour le monde des druides-gaïens… seule.

◊ ◊ ◊

Pendant le reste de la semaine, Abbie ne parla plus de son idée de mettre au point un plan de secours. De toute façon, rien ne lui venait à l'esprit. Elle était obligée d'admettre qu'il ne devait pas y avoir d'autre solution. Alors, autant se préparer pour celle-ci. De son côté, Zarya ne cessait de penser à un petit détail qui la tracassait depuis qu'elle avait discuté avec les vieilles sorcières devant le miroir de sa chambre : la réticence de l'une d'elles : sa grand-mère ! L'adolescente l'avait sentie perplexe lorsqu'elle avait parlé de quitter Attilia pour une autre dimension. Martha voulait absolument lui en reparler, sans la présence de ses amies sorcières, cette fois.

Le soleil était haut dans le ciel lorsque Zarya pénétra dans le manoir de Gabriel, dans la dimension sans magie. Une autre semaine s'était écoulée à la vitesse d'un Rodz. C'était justement au cours de cette fin de semaine que la jeune fille allait discuter avec sa grand-mère. Après avoir pris un verre de jus préparé par Jules et des petits gâteaux faits par Adèle, Zarya les salua respectueusement et sortit par la porte avant, où la limousine de son grand-père l'attendait.

Ce trajet lui était maintenant devenu familier : c'était la route qui conduisait chez Kate. La luxueuse voiture s'arrêta devant une petite maison. En descendant, l'adolescente salua son chauffeur, et ce dernier quitta aussitôt les lieux. Son sac à dos à la main, elle pénétra dans la demeure de sa mère avec une grande hâte de la revoir.

— Maman ! Je suis là !

— Salut, ma chérie ! dit Kate en s'approchant pour l'embrasser. Tu arrives juste à temps, j'ai préparé du thé.

— Excellente idée ! s'exclama Zarya en déposant son sac sur une chaise de la salle à manger. Grand-mère est-elle là ?

— Elle devrait atterrir... Je veux dire : non, pas encore. Mais elle devrait arriver bientôt.

Elles s'esclaffèrent.

— Je ne m'habituerai jamais à cette magie de sorcière, dit Kate en hochant faiblement la tête.

Zarya esquissa un sourire malicieux.

Kate s'approcha, puis s'assit près de sa fille.

— Ton père devrait sortir au mois de mars prochain, précisa-t-elle avec une certaine fébrilité dans la voix, tout en lui versant le thé.

— Donc, il va venir habiter ici, avec toi. C'est vraiment génial ! dit Zarya, les yeux brillants.

— Oui. Je ne croyais jamais que je m'ennuierais autant de lui...

Kate s'interrompit soudain, la bouche légèrement ouverte, comme si elle avait reçu le sortilège de la suspension du temps. Puis elle respira profondément et lorsqu'elle s'apprêta à parler, elle se tourna en entendant un bruit qui provenait du deuxième étage.

— Ah ! la voilà, dit-elle en essuyant discrètement une larme qui coulait le long de sa joue.

— Entre-t-elle toujours par le balcon de la chambre des invités ?

— Oui. On peut même dire que c'est devenu sa chambre, maintenant. Elle met ses vêtements de rechange dans la penderie.

Kate et Zarya virent alors Martha descendre les escaliers en arborant un magnifique sourire. Elle était vêtue d'une longue robe de couleur arc-en-ciel. L'adolescente trouvait que les couleurs de cette robe rappelaient celles du plumage d'un oiseau provenant d'Attilia : le picquort. En fait, la vieille dame était une cryptozoolingus et elle pouvait se métamorphoser en ce magnifique oiseau quand bon lui semblait.

Elle s'approcha de Zarya et l'étreignit affectueusement.

— Je suis contente de te revoir, ma chérie. Ça fait un mois que nous ne nous sommes pas vues ! dit-elle en lui faisant un clin d'œil entendu.

Malgré l'air candide de sa grand-mère, la jeune fille comprit rapidement qu'elle s'efforçait de dissimuler une contrariété dont elle devinait sans peine la cause.

— Oui, j'avais hâte de te revoir, grand-mère, dit-elle en se rasseyant.

— Une tasse de thé, Martha ? proposa Kate.

— Avec plaisir, merci.

Zarya s'attendait à ce que sa grand-mère lui demande : « Et puis, mon enfant, quand vas-tu nous rapporter le Livre des Morts ? » Mais elle savait pertinemment qu'elle serait discrète, surtout devant Kate.

Heureuses de se retrouver ensemble, les trois femmes discutèrent en buvant du thé, assises confortablement dans le salon. Leur discussion tournait notamment autour des cours de Zarya. D'ailleurs, celle-ci leur racontait une anecdote qui s'était passée durant un cours sur les potions magiques.

— Je devais mettre une pincée d'héliotrope finement haché dans un chaudron avant que le liquide entre en ébullition et, au lieu de cela, je l'ai déposé alors qu'il bouillait déjà. Après, j'ai fait boire ma potion à Jeremy, et une troisième oreille lui a poussé au milieu du front ! expliqua la jeune fille, qui avait du mal à parler, tant elle avait le fou rire.

Kate et Matha s'esclaffèrent en s'imaginant le pauvre garçon avec cette grotesque anomalie qui avait mis deux longues heures à disparaître totalement.

— Le temps des fêtes approche à grands pas, Martha, signala Kate. Vous êtes certaine de ne pas pouvoir venir à Attilia ?

— J'en suis malheureusement certaine, répondit la vieille dame, sachant que sa tête était mise à prix par nul autre que le ministre Sarek, même après toutes ces années. Mais merci tout de même pour l'invitation.

Elle prit une gorgée de sa tasse de thé en regardant alternativement sa bru et sa petite-fille.

— Puisque nous parlons des fêtes, j'aimerais te demander une petite faveur, Kate. Étant donné que je ne peux pas passer Noël avec Zarya, j'aimerais l'emmener dès le lendemain de ce jour chez une amie, dans le nord de Dagmar, pour quelques jours. On devrait être de retour pour le jour de l'An. Naturellement, si tu veux bien m'accompagner, Zarya…

— Euh… mais bien sûr, j'aimerais ça ! répondit Zarya, surprise de voir que sa grand-mère avait déjà élaboré un plan pour elle, soit lui fournir un alibi pour qu'elle puisse quitter Attilia en toute quiétude.

— C'est une excellente idée ! Tu pourras ainsi découvrir d'autres horizons, s'enthousiasma Kate en regardant sa fille.

Zarya approuva les propos de sa mère en lui souriant.

Ce fut pendant que Kate était en train de préparer une assiette de hors-d'œuvre dans la cuisine que Zarya se retourna vers Martha en lui disant :

— Merci, grand-mère !

— Il n'y a pas de quoi, ma chère, dit la sorcière en s'approchant d'elle.

Maintenant qu'elles étaient assises l'une près de l'autre, dans le même fauteuil, Martha lui confia à voix basse, pour que sa bru ne l'entende pas :

— J'ai beaucoup réfléchi à ce qu'on s'est dit l'autre soir, Zarya. Tout bien pesé, je n'ai vraiment pas le droit de t'empêcher de vouloir sauver ton ami, bien que j'aie une certaine réticence devant cette mission. En revanche, je dois t'avouer que tu me remplis d'une certaine fierté en exprimant ainsi ton courage et ta détermination.

L'adolescente poussa un soupir de soulagement.

— Merci beaucoup, grand-mère. Je te le promets, je serai prudente.

— Et j'en suis persuadée, Zarya. Mais, pour me donner bonne conscience, j'aimerais te demander de porter ceci, fit-elle en lui donnant une bague.

Zarya la prit et l'examina attentivement.

— Elle est jolie !

— La spectrolite est une jolie pierre, en effet. Mais elle constitue aussi une protection contre les attaques de magie noire, qu'elle renvoie d'ailleurs à leur expéditeur. Sur le plan vibratoire, elle est proche de l'obsidienne œil céleste. C'est l'une des raisons pour lesquelles je tiens à ce que tu la portes à ton doigt en tout temps lorsque tu auras franchi l'Arche des druides.

La jeune gothique regarda sa grand-mère en fronçant les sourcils.

— Si tu la portes, *mes amies* et moi, fit-elle en lui faisant un clin d'œil complice, nous pourrons garder un œil sur ta progression dans cette dimension. Nous saurons tout le temps où tu seras.

Zarya vit alors la bague magique sous un autre aspect.

Martha jeta un coup d'œil en direction de la cuisine et constata que Kate aurait bientôt terminé.

— Prends également ceci, dit-elle en donnant à sa petite-fille une petite bourse bien garnie.

— Qu'est-ce que c'est ?

— Ce sont des pièces de cuivre. C'est l'unité monétaire de leur monde. Tu en auras suffisamment pour ton voyage, crois-moi !

— Je ne sais vraiment pas quoi dire…

— Alors, ne dis rien. Je te demande seulement d'être prudente.

À cet instant, la mère de Zarya revint dans le salon avec l'assiette de hors-d'œuvre.

— Ç'a l'air fort appétissant, Kate !

◊ ◊ ◊

Zarya et Abbie s'installèrent à l'une des tables de la bibliothèque du Temple, près d'une grande fenêtre ogivale, faisant face à la forêt. C'était la dernière journée avant les vacances de Noël. Le premier cours de l'après-midi, soit le cours de démonologie, avait été annulé. La professeure Katyn Masanari ne s'était pas présentée ce jour-là. Certains murmuraient, parmi les élèves, qu'elle était partie pour deux semaines, soit pour les vacances de fin d'année, avec l'un des scientifiques du laboratoire dont elle était éperdument amoureuse. Les adolescentes comprenaient à présent pourquoi les examens avaient eu lieu deux jours avant la date prévue.

— Très bientôt, ce sera votre tour, à Jonathan et à toi, de partir en voyage d'amoureux, prédit Abbie en regardant son amie qui observait sans vraiment les voir les arbres qui vacillaient sous un vent impétueux derrière le Temple.

— Ce serait vraiment fantastique ! dit Zarya avec un léger soupir.

Prenant la main de cette dernière et examinant la bague que Martha lui avait donnée, Abbie lui demanda :

— Crois-tu qu'elles peuvent nous voir ?

— Qui ?

— Les sorcières et ta grand-mère, voyons !

— Je ne sais pas, répondit Zarya en haussant les épaules. En fait, je crois plutôt qu'elles peuvent savoir où je suis en ce moment. Ça agit probablement comme un GPS de l'autre monde, enfin, j'imagine.

— C'est vraiment incroyable ! s'exclama Abbie en regardant attentivement la bague et en la touchant du bout du doigt.

Elle était aussi épatée par la magie que la première fois qu'elle avait mis les pieds à Attilia.

Ensuite, Abbie fouilla dans son sac à dos et en sortit une petite boîte cylindrique à couvercle ouvragé avec des charnières dorées. Elle contenait des pierres et des cristaux.

— Ah ! tu n'as pas oublié ?

— Bien sûr que non ! dit Abbie en lui montrant une pierre. Celle-ci, tu la reconnais ?

— C'est la pierre de citrine, celle du feu.

— Exact. Et celle-là ?

— La sardonyx. Elle a un pouvoir hypnotique.

— Très bien !

Après avoir passé en revue quelques pierres de combat, Zarya les déposa tout doucement dans son propre sac.

— Je te remercie infiniment, Abbie. Imagine si j'avais emprunté les pierres de combat au professeur Razny, mon grand-père l'aurait su, tôt ou tard !

— Ça ne fait aucun doute, ma chère ! Mais n'oublie surtout pas de me les rapporter avant mon prochain cours de gemmologie, après les fêtes. Elles appartiennent à l'Université de Rockwhule.

— Je n'oublierai pas, je te le promets.

Abbie sortit un tube métallique de son sac. Zarya fronça légèrement les sourcils.

— Que contient-il ? demanda-t-elle.

— Une chose qui peut s'avérer indispensable là où tu vas, dit Abbie avec un sourire de satisfaction. Tu étais sans aucun doute trop préoccupée pour y penser.

Elle sortit un rouleau de parchemin et le déroula sur la table.

Zarya s'accouda et y jeta un coup d'œil.

— Une carte géographique !

— Oui, du monde des druides-gaïens. Elle n'est pas récente, mais ça devrait faire l'affaire.

— Je ne sais pas ce que je ferais sans toi, mon amie !

— Sûrement des bêtises ! répliqua aussitôt Abbie en pouffant de rire.

Zarya se pencha au-dessus de la carte en essayant de trouver l'endroit où elle devrait se rendre, celui où vivait Oswald Leskovac.

— C'est ici ! lui indiqua son amie. Il habite à la campagne, près de la ville de Gournay-sur-Diodore.

— En bas de la carte, c'est l'Arche des druides, n'est-ce pas ?

— Exact. Aussitôt que tu l'auras franchie, tu arriveras sur une petite île, si j'en crois cette carte. Ensuite, tu devras prendre un bateau pour te rendre au village de Kahi, indiqua-t-elle en pointant le petit village côtier avec son doigt. À partir de ce point, tu seras à une cinquantaine de kilomètres de l'endroit où il habite.

— Ont-ils des transmoléculaires, là-bas ?

— Je ne sais pas. J'espère que oui, sinon… enfin… tu devras marcher, fit Abbie en esquissant un sourire narquois.

Elle hésita avant de poser les questions qui lui brûlaient les lèvres. Elle regardait autour d'elle, comme si elle était la complice d'une dangereuse criminelle en fuite. En même temps, à quoi servait de taire cette soif insatiable de tout vouloir savoir ?

— Puis-je connaître ton plan ? Peux-tu, s'il te plaît, le reporter à plus tard ? Sinon, puis-je au moins t'accompagner à l'Arche des druides ? demanda-t-elle dans un seul souffle.

Zarya lui fit les gros yeux et lui répondit :

— Je n'ai pas encore de plan ! Impossible, pour ta seconde question et, oui, ça me ferait plaisir, pour la dernière.

◊ ◊ ◊

Les adolescentes dormirent dans la même chambre le lendemain de Noël. Zarya se réveilla lorsque les premiers rayons de soleil effleurèrent ses paupières. Abbie, pour sa part, était déjà habillée. Bien qu'elle eût passé chaque instant des journées précédentes à espérer de toutes ses forces que son amie change d'avis et renonce à ce voyage, elle l'appuyait totalement dans sa quête. C'était ce jour-là qu'aurait lieu le départ de la jeune gothique et, curieusement, celle-ci ne montrait aucune appréhension ; du moins, vu de l'extérieur.

Elles avaient passé une agréable soirée de Noël en compagnie de leurs amis communs, sans oublier Mary et Kate. Madame Phidias et Gabriel, comme c'était devenu une tradition pour eux, avaient distribué le café et les gâteaux au grand chapiteau. D'ailleurs, c'était justement à cet endroit que les adultes avaient préféré rester. Les adolescents, quant à eux, s'étaient promenés durant une bonne partie de cette journée de festivités.

Quand les filles descendirent à la salle à manger, elles constatèrent que c'était le calme plat. C'était la première fois que Zarya se levait avant madame Phidias. Cette dernière avait travaillé très fort au grand chapiteau la veille, et ce, jusqu'au petit matin. Gabriel, lui, avait préféré coucher au Temple. Et, finalement, Mary avait invité Kate à coucher chez elle, dans la chambre d'Abbie.

Les adultes savaient tous que Zarya allait partir en vacances. Celle-ci leur avait expliqué, brièvement, qu'elle devait
aller rejoindre sa grand-mère Martha, pour ensuite se rendre
chez l'une de ses bonnes amies « sorcières ». Évidemment,
c'était la raison qu'elle avait donnée pour pouvoir partir en
toute quiétude vers la porte interdimensionnelle des druides-
gaïens.

Après avoir rendu une visite rapide, mais profondément
émouvante, à Jonathan, Zarya sortit du Temple pour aller
rejoindre son amie qui attendait patiemment son retour sur
le pont qui enjambait la rivière Argolide.

— C'était la dernière fois que tu le voyais dans cet état,
l'encouragea Abbie en posant sa main sur son épaule.

Zarya acquiesça d'un hochement de tête ; elle sentait une
boule lui monter à la gorge.

Les adolescentes jetèrent un dernier regard au majestueux
Temple des Maîtres Drakar, avant de pénétrer dans le transmoléculaire, pour finalement y disparaître.

Elles réapparurent dans un petit village dominé par trois
hautes montagnes au sommet blanchi par des neiges éternelles.
Le transmoléculaire d'où elles étaient sorties se trouvait tout
près du magasin général.

— Nous y sommes, Zarya, dit Abbie en remettant son
bout de papier dans sa poche. Le village de Melouk.

Les deux amies avancèrent d'un pas lent en prenant bien
soin de regarder partout autour d'elles. C'est lorsqu'elles quittèrent la pénombre qui entourait le magasin qu'elles virent l'Arche
apparaître au centre du village. La petite agglomération avait
été construite autour de cette immense sculpture naturelle. Sa
hauteur était époustouflante. Zarya voyait tournoyer dans l'air,
autour de la masse imposante de l'Arche, des nuées d'oiseaux
qui paraissaient si minuscules, depuis le sol, qu'ils ressemblaient
davantage à des moustiques.

En accélérant le pas, les jeunes filles marchèrent vers elle, les yeux grands ouverts. Plus elles s'approchaient, et plus l'Arche semblait s'éloigner. Celle-ci était sûrement aussi haute que la pyramide d'Hélios. Arrivées au pied de l'Arche des druides, les adolescentes s'immobilisèrent.

— Waouh ! s'exclama Abbie en tendant le cou vers l'arrière. C'est *vraiment* impressionnant !

Zarya se contenta de hocher la tête tout en gardant la bouche entrouverte.

Un groupe de jeunes gens passèrent à côté d'elles, équipés de sacs à dos. Ils montèrent les six marches taillées dans la pierre pour s'arrêter à quelques mètres de l'Arche. Ils sortirent leurs baguettes magiques, les pointèrent devant eux en avançant doucement vers le centre de l'entrée invisible, pour finalement se volatiliser comme par magie.

— C'étaient des sorciers ! Alors, j'imagine que c'est ton tour, Zarya, dit Abbie avec un trémolo dans la voix.

Cette dernière lui fit un sourire timide et ses yeux firent plusieurs va-et-vient entre son amie et l'Arche.

— Ne t'en fais pas, je vais revenir très bientôt, mon amie de toujours !

Elles s'étreignirent longuement avec une grande émotion. Ensuite, Zarya recula d'un pas, sortit la baguette que sa grand-mère lui avait donnée et jeta un dernier regard à Abbie. À cet instant, son attention fut attirée par un oiseau au plumage vert très vif qui était perché sur la branche d'un arbre, près de son amie : l'oiseau semblait fixer la mage toute vêtue de noir, de son regard attentif. Bien qu'il fût remarquable aux yeux de Zarya, il ne méritait pas qu'elle s'y attarde outre mesure. La jeune gothique se tourna vers l'Arche des druides en brandissant sa baguette devant elle, avança d'un pas hésitant, pour finalement disparaître...

Le message de Plumard

Laurie se recroquevilla contre Elliott, et tous les deux continuèrent de dormir d'un sommeil réparateur, tandis que le voilier glissait silencieusement vers le sud, en direction du village de Kahi. Madame Welser, visiblement satisfaite, observait les enfants endormis, tous appuyés les uns contre les autres.

— Ils ont l'air exténués, lui fit remarquer le capitaine du bateau.

— Combattre des spiritus des ombres durant toute une nuit n'est pas de tout repos, capitaine Torielli, répondit madame Welser. Vous devriez le savoir…

L'homme acquiesça d'un signe de tête, puis il lui dit :

— Quand j'ai reçu votre message ce matin, madame la directrice, je n'arrivais pas à croire qu'ils avaient déjà réussi leur formation.

— Oui, c'est très étonnant, je dois l'admettre. Cependant, parmi eux, il y a un garçon vraiment surprenant, déclara-t-elle en fixant Elliott. Je lui prédis un grand avenir, à ce jeune homme.

Le capitaine sourit et tourna les talons en précisant :

— Le vent ne nous est pas favorable. Malgré cela, le courant nous conduit dans la bonne direction. Nous devrions atteindre notre destination finale avant la tombée de la nuit.

— Très bien, capitaine.

Poussé par la faible brise, le voilier dépassa finalement la pointe rocailleuse sur laquelle un phare rouge était perché. C'est alors qu'un petit village de pêcheurs apparut. Les enfants étaient tous réveillés depuis un bon moment. Elliott et Laurie étaient debout à la proue du navire, tenant fermement la main courante, tout en regardant les premières lumières des maisons scintiller, à un kilomètre.

— Enfin, nous y sommes, Elliott, dit la jeune fille, qui se souvenait de tout à présent. Si tu savais comme j'ai hâte de raconter notre histoire à mes parents. Nous avons enfin réussi à obtenir notre sceptre druidique !

Le garçon lui fit un pâle sourire.

— Y a-t-il quelque chose qui ne va pas ? Tu as sûrement hâte de revoir tes parents, toi aussi, non ?

Sans la regarder, il lui répondit :

— Oui, oui, bien sûr. J'ai juste... Disons que..., balbutia-t-il en cherchant ses mots. Avant tout ça... je veux dire, il y a des années que nous nous connaissons de vue, on va à la même école, on n'habite pas très loin l'un de l'autre et, malgré cela, on ne s'est jamais adressé la parole, pas une seule fois.

Laurie se plaça face à lui, puis elle lui dit de sa voix douce :

— C'est chose du passé, maintenant, Elliott. J'ai toujours été d'une extrême timidité et...

— Et aussi la fille du maire ! Et moi, le fils d'un simple pêcheur, ajouta-t-il dans un murmure.

— Ne dis pas de sottises. Je suis certaine que ton père est un excellent pêcheur. C'est très important dans notre village, le métier que fait ton père. Rien au monde ne pourra changer notre lien à présent, de toute façon, ajouta-t-elle en baissant légèrement la voix, alors qu'une chaleur lui montait au visage.

Il la fixa de son regard pénétrant.

— Donc, on se reverra ?

— J'y compte bien !

— Alors, je suis très content de te connaître enfin, Laurie.

Un moment plus tard, Elliott gravit les marches qui menaient à sa maison avec la sensation du devoir accompli. Celle-ci était haut perchée sur une colline, face à la mer. Elle était petite, agréable et pourvue d'une terrasse panoramique, couverte de fleurs multicolores, surplombant les flots : c'était l'endroit que les membres de la famille Holan préféraient pour prendre leur petit-déjeuner.

— Elliott ? C'est toi ? devina avec ravissement, sans même l'avoir vu, sa mère qui se trouvait dans la cuisine.

— Oui, c'est moi, je suis là !

Une jolie femme dans la trentaine, aussi blonde que son fils, s'avança vers lui pour le serrer dans ses bras.

— On ne t'attendait pas avant une bonne semaine ! Vous avez été plutôt rapides ! lança-t-elle, agréablement surprise.

— C'est précisément ce que madame Welser nous a dit, répondit Elliott en se laissant choir dans son fauteuil favori.

— Ton père va être content de te voir. Il est en mer, il devrait déjà être de retour.

— La pêche a-t-elle été bonne depuis mon départ ?

— Oui, vraiment surprenant pour cette époque de l'année. Et toi, tu dois avoir faim, mon chéri !

— Non, pas vraiment. Nous avons mangé quelques petits gâteaux sur le bateau. Par contre, je boirais bien quelque chose.

La mère se dirigea vers la cuisine pour lui verser un verre de son jus préféré.

— J'ai obtenu mon sceptre magique, maman ! annonça-t-il fièrement en le lui montrant.

— Il est vraiment magnifique ! J'en connais un qui va être fou de joie en le voyant.

— Oncle Ewan !

— Oui, il attend ce moment depuis le jour de ta naissance, dit la femme en roulant des yeux. Tu sais, Elliott, mon frère Ewan aurait tant aimé scinder lui-même tes chakras.

— Ça, je le sais. Cependant, papa ne voulait pas, fit le jeune druide. Il voulait m'envoyer à l'endroit où ils étaient, grand-père Ervil et lui, quand ils avaient mon âge.

— Il a beaucoup insisté, je dois l'admettre. Tu sais, ton oncle et ton père veulent tous les deux la même chose : que tu sois heureux. Toutefois, ils peuvent le montrer de différentes manières…

— Je sais, maman, on en a déjà parlé ! Je sais aussi que mon oncle est un peu… particulier.

— C'est peu dire ! s'exclama-t-elle avec un petit rire.

— Quoique… je ne regrette pas d'avoir finalement choisi l'institut Kloetzer, conclut Elliott en pensant à Laurie.

◊ ◊ ◊

Elliott se réveilla de bon matin dans une douce chaleur, comme si ce village n'avait jamais rien connu d'autre que ce climat idéal. Il se leva et descendit sans faire de bruit. Son père étant arrivé tard la veille au soir, sa mère et lui dormaient encore à cette heure matinale. La pêche avait été particulièrement bonne.

Après avoir pris un morceau de pain, l'adolescent sortit au pas de course : il avait hâte d'aller chez son oncle pour lui montrer son sceptre magique.

En courant le long de la plage, Elliott se tourna en entendant un cri joyeux qui provenait de la mer. Il vit alors un garçon et deux jeunes filles — tous de sang pur gaïen, c'est-à-dire dépourvus de pouvoirs magiques —, qui se trouvaient à bord d'un petit voilier voguant près de la côte inondée de soleil. Ils avaient ralenti leur allure un instant pour saluer le jeune druide-gaïen.

— Salut, Elliott ! L'as-tu obtenu ?

Sans prononcer un mot, Elliott brandit son bâton vers le ciel avec un sourire fendu jusqu'aux oreilles.

— Bravo ! J'espère que tu nous feras une petite démonstration ! lança l'une des jeunes filles.

— Bien sûr ! répondit-il en reprenant sa course.

Après avoir franchi près de cinq cents mètres sur une plage sablonneuse bordée d'une dune, le garçon bifurqua vers une petite colline couverte d'arbres gigantesques. Il la gravit avec agilité, puis pénétra dans une forêt verdoyante où rien ne bougeait, les arbustes buissonnants semblant à jamais inertes. Elliott avait parcouru ce chemin abrupt et entrecoupé de larges clairières des centaines de fois. En fait, c'était pratiquement la seule route pour se rendre chez son oncle Ewan. Ce dernier était un ermite un peu loufoque, selon les gens de la région. Il vivait au cœur de la forêt, dans l'isolement le plus total.

Arrivé en face d'une étrange construction faite de vieilles pierres, trapue comme la carapace d'une tortue géante, Elliott se dirigea vers la porte qui était déjà entrouverte. Il l'ouvrit de quelques centimètres supplémentaires et passa sa tête dans l'embrasure.

— Oncle Ewan ?! C'est moi, Elliott !

Personne ne répondit. Il décida donc d'entrer. C'était un vrai fouillis ! Rien n'avait changé, tout compte fait. Il y avait des objets hétéroclites partout dans la pièce octogonale, faiblement éclairée par des cristaux jaunâtres accrochés aux murs de pierre et de bois foncé. Elliott adorait venir voir son oncle travailler dans son laboratoire.

En marchant vers la pièce du fond, il vit, sur son perchoir de métal argenté, l'oiseau mythique qu'avait fabriqué Ewan. Entièrement fait de bois, celui-ci mesurait un mètre de hauteur, était pourvu de deux têtes identiques et avait la faculté de parler cinquante-cinq langues différentes.

— Salut, Plumard !

— Bonjour à toi, Elliott ! dit la tête de droite en grinçant légèrement du bec.

Le garçon jeta un regard au comptoir qui se trouvait à sa gauche, recouvert de centaines de petits pots de verre transparent remplis de fines herbes et de poudres de différentes couleurs.

— Oncle Ewan ?! lança-t-il en voyant une flamme bleutée sous un chaudron en cuivre contenant une potion rougeâtre qui débordait dangereusement.

Elliott prit l'initiative d'éteindre le brûleur.

— Oncle Ewan ?

Personne ne répondit. Le jeune druide continua donc à avancer vers la pièce du fond. En pénétrant dans celle-ci, qui faisait office de salon, il constata avec stupéfaction que le fauteuil préféré de son oncle était renversé et que des papiers étaient tombés partout sur le sol. « Il y a eu une bagarre ici ! » pensa-t-il aussitôt en voyant la pièce dans cet état.

Troublé, il tourna les talons et revint au pas de course vers l'oiseau de bois.

— Plumard ! commença-t-il.

— Bonjour à toi, Elliott ! répéta la tête de droite.

— Oui, oui, bonjour, Plumard ! Dis-moi où est mon oncle…

— Bonjour à toi, Elliott !

Le garçon donna un coup sur la tête de droite. Alors, une chose étrange se produisit : la tête de gauche ouvrit son bec. Et pour la première fois depuis sa confection, elle parla :

— Bonjour, Elliott !

Le jeune druide sursauta : c'était la voix de son oncle.

— Si tu m'entends à travers Plumard, continua Ewan, c'est qu'il se passe sûrement un truc anormal.

Elliott dévisagea l'oiseau de bois.

— Je vais être bref. Alors, sois bien attentif, je ne répéterai pas deux fois, et mon message s'effacera quand tu l'auras entendu.

L'adolescent haussa les sourcils.

— Le jour même de ton départ pour l'institut Kloetzer, je me suis rendu à Gournay-sur-Diodore pour aller acheter quelques ingrédients qui me manquaient pour l'une de mes potions. Par la suite, j'ai fait un arrêt au bar *L'Élixir de Jouvence* pour prendre un petit verre : j'avais besoin d'un petit remontant, précisa-t-il avec un rire forcé. Après quelques verres, je me suis mis à discuter avec un étranger qui était assis au bar. Trop étourdi par la boisson que je venais de consommer, je lui ai dévoilé, à mon grand regret, l'une de mes découvertes, peut-être la plus importante de ma carrière : la *pulverem motivus* !

Les yeux exorbités, Elliott attendait impatiemment la suite.

— Aussitôt, il m'a suggéré de le suivre, pour rencontrer son patron. Quand j'ai entendu le nom de son patron, j'ai compris que je venais de commettre une grave erreur. Alors, je me suis enfui de cet endroit en utilisant justement la *pulverem motivus*. L'étranger m'a vu faire. Connaissant la réputation exécrable de son patron, je suis certain qu'il ne tardera pas à me retrouver. Le tenancier du bar me connaît bien. Ils lui demanderont certainement des informations à mon sujet. J'ai donc caché la potion dans un endroit que tu es le seul à connaître. Prends-la et remets-la au professeur Virgil Rammon, je lui fais entièrement confiance. Il saura quoi en faire. Inutile de contacter les autorités ; elles sont sous la coupe de cet homme, le patron en question. Et surtout, ne t'inquiète pas pour moi, je finis toujours par m'en sortir. Une dernière chose, Elliott : si cet individu s'approche de toi, prétends que tu ignores tout de mes activités dans ce laboratoire, surtout l'existence de cette potion. Tu ne dois en aucun cas lui faire confiance. Tout le monde sait qu'Oswald Leskovac est un homme très dangereux !

23

Zach le trotteur

Par simple réflexe, Zarya avait fermé les yeux en pénétrant dans l'Arche des druides. Le voyage entre le pays de Dagmar et le monde des druides-gaïens n'avait rien à voir avec ceux qu'elle avait déjà effectués entre deux transmoléculaires traditionnels. Outre le fait qu'il lui avait été impossible de déterminer combien de temps s'était écoulé entre le début et la fin du voyage interdimensionnel, il y avait cette étrange sensation qu'elle avait ressentie et qui ressemblait à une poussée extraordinaire vers l'avant, comme si elle était bousculée par une foule hystérique et agressive voulant à tout prix voir son idole de plus près. Une centaine d'étoiles l'avaient alors éblouie malgré ses yeux clos. En effet, la source lumineuse multicolore semblait naître de derrière ses paupières. C'était là une sensation indescriptible et plutôt déplaisante.

Tout de suite après, le parfum du large, cette agréable émanation saline de la mer, lui fit ouvrir doucement les yeux. Un vent légèrement plus frisquet lui fouettait délicatement le visage. Curieuse, Zarya se retourna vers l'endroit d'où elle venait de sortir et constata que l'Arche était également visible dans cette dimension.

— Venez, mademoiselle ! Le bateau va bientôt larguer les amarres, lui dit une fille qui faisait partie du groupe de sorciers qu'elle avait vus du côté de Dagmar avant d'entrer dans l'Arche.

— Très bien, merci, répondit-elle, encore un peu désarçonnée.

En remettant sa baguette dans sa poche, Zarya suivit de près le groupe vers le traversier accosté au quai de cette petite île inhabitée.

Un instant plus tard, elle était assise sur un banc de bois inconfortable, son sac à dos sur les genoux, parmi les jeunes sorciers. Elle ne s'était jamais sentie aussi loin de chez elle, ni aussi seule de toute sa vie. Heureusement, elle ne tarda pas à apercevoir, au loin, un village niché au cœur d'un paysage pittoresque.

En débarquant du ferry, l'adolescente se retrouva sous une rangée d'arbres surdimensionnés. Elle leva les yeux pour en admirer un, et remarqua que son feuillage était d'une densité exceptionnelle, et avait une couleur vert sombre et lustrée. Puis, baissant son regard, elle fut émerveillée de voir que son énorme tronc prenait des reflets roux et dorés, sûrement créés par les rayons miroitants du soleil qui était déjà bas à l'horizon. Elle n'avait jamais vu une végétation aussi impressionnante, pas même à Attilia. Abbie lui avait dit que ce peuple vénérait par-dessus tout Gaïa, la déesse de la Terre-mère. Maintenant, Zarya en comprenait la raison.

Elle scruta les alentours à la recherche d'un moyen de transport pour se rendre comme prévu à Gournay-sur-Diodore. Des gens marchaient tranquillement dans les petites ruelles du village, qui avait l'air fort accueillant à première vue. Maintenant qu'elle avait enfin traversé la porte interdimensionnelle, la jeune fille pouvait s'abandonner à son émerveillement. Pendant un court laps de temps, elle oublia presque la raison de son voyage. Parcourant les ruelles étroites, elle s'arrêta pour admirer les fleurs multicolores dans une jardinière, sur le bord d'une fenêtre, et se pencha pour humer l'agréable odeur qui s'en dégageait, sûrement pour se convaincre de sa réalité. Des allées serpentaient ici et là au milieu des rosiers disproportionnés auxquels étaient suspendues des lanternes dorées. Alors qu'elle restait plantée devant une porte cintrée, surmontée d'une petite fenêtre ronde, à s'interroger sur la raison de sa présence en ces lieux, celle-ci s'ouvrit : Zarya fit un bond en arrière.

— Oups ! pardon, mademoiselle, dit un vieil homme en sortant de sa maison, une canne à pêche à la main. Je ne voulais pas vous effrayer.

— C'est moi qui m'excuse, monsieur. J'étais en train d'admirer vos jolies fleurs.

— Vous n'êtes pas d'ici, mademoiselle ? demanda-t-il en regardant les vêtements noirs de la jeune gothique.

— Non, en effet. Je suis en vacances.

L'homme sortit et referma la porte derrière lui.

— D'où venez-vous, jeune demoiselle ?

— Euh... de... Saint-Jean-sur-Richelieu, monsieur !

— Est-ce loin d'ici ? Je ne connais pas cet endroit, fit-il en se grattant la tête.

— C'est du côté du monde des sorciers, mentit-elle, ne voulant surtout pas révéler à cet homme qu'elle était une mage.

— Donc, vous êtes une sorcière ? Et une charmante sorcière, d'ailleurs, si je puis me permettre.

— Merci ! répondit-elle, gênée. J'aimerais savoir comment je peux me rendre dans la ville de Gournay-sur-Diodore.

— Oui, oui, bien sûr, dit-il, ravi de pouvoir rendre service à la jeune fille. Vous allez tout droit sur ce chemin, tournez à votre gauche après le pignon vert que vous voyez là-bas, puis marchez environ cinq petites minutes. Vous allez arriver à la station des hommes-boucs.

— D'accord. Merci beaucoup, monsieur !

Il lui fallut plus longtemps que prévu pour atteindre l'endroit que l'homme lui avait indiqué. L'esprit somnolent, Zarya regardait partout, sauf devant elle. Soudain, en tournant le coin d'un vaste bâtiment de pierre, elle vit un objet passer à toute vitesse à quelques centimètres de son visage, suivi d'un autre.

— Attention, mademoiselle !

L'adolescente resta bouche bée de longues secondes. Elle ne pouvait croire ce qu'elle voyait.

Encore un autre...

— Faites attention ! Chaud devant !

Zarya recula d'un pas en s'apercevant qu'elle était au beau milieu du chemin.

Toujours les yeux anormalement agrandis, Zarya quitta finalement le terre-plein et traversa la route en prenant bien soin, cette fois, de regarder de chaque côté, pour finalement atteindre le trottoir. Elle resta debout près du même groupe d'adolescents qu'elle avait vus à l'Arche. Elle reconnut la sorcière qui lui avait indiqué que le bateau partait. Toutes deux échangèrent un sourire.

— Qui est le suivant ? fit une voix.

Un homme d'un certain âge s'avança d'un pas claudicant.

— Allez ! On n'a pas toute la journée, mon cher monsieur ! dit le garçon derrière un charreton à une seule roue.

À peine l'homme fut-il assis dans la petite voiture à bras que celle-ci démarra à une vitesse phénoménale.

— Au suivant !

Un autre charreton s'arrêta devant les sorciers. Zarya observa attentivement le jeune homme qui tenait fermement les brancards et vit quelque chose qui lui avait échappé jusque-là :

il avait deux pieds de bouc, des jambes musclées poilues, des oreilles pointues et de minuscules cornes sur la tête.

— Ce sont des satyres, lui dit la jeune sorcière en voyant son visage étonné.

— Viens, Camille ! l'appela l'une de ses amies.

— Alors, au revoir ! fit-elle en montant seule dans un charreton.

— Au revoir !

Une autre voiture à bras s'arrêta en face de Zarya ; celle-ci sursauta.

— Au suivant !

Zarya s'avança vers le satyre, mais un jeune garçon s'approcha en même temps.

— Oh ! pardon, dit-il gentiment en lui faisant signe de passer devant. Les dames d'abord !

— Tu es gentil, merci. Mais ça va, je vais prendre le prochain, déclara-t-elle en reculant d'un pas.

— Je ne suis pas vraiment pressé…

— Moi, je le suis, aboya le satyre avec impatience.

Zarya et le garçon le regardèrent d'un air hébété.

— Allez ! Il y a de la place pour vous deux, dit l'homme-taxi. Cependant, je ne coupe pas le prix en deux !

Zarya s'assit sur le siège de cuir, et aussitôt que le garçon monta à côté d'elle, le véhicule vacilla légèrement.

— Ne vous inquiétez pas, mademoiselle, la rassura le satyre en voyant son visage se crisper, le charreton ne va pas basculer. Serrez-vous l'un contre l'autre.

Remarquant que son compagnon de route rougissait, la jeune fille se présenta en lui serrant la main.

— Bonjour ! Je m'appelle Zarya.

— Moi, c'est Elliott !

— Maintenant que les présentations sont faites, permets-moi de me serrer un peu.

Brusquement, le satyre démarra sans crier gare.

— Moi, c'est Zach ! Et mettez trois pettias chacun dans la petite boîte qui se trouve à vos pieds.

Ce qu'ils firent.

Les cheveux dans le vent, Zarya regardait le paysage défiler à une vitesse vertigineuse. Zach était plus rapide qu'un cheval de course, ça ne faisait aucun doute.

— Excusez-moi, êtes-vous Gaïenne ? demanda poliment Elliott.

— On peut se tutoyer, si tu veux bien ! Non, je suis une sorcière. Et toi ?

— Je suis un druide-gaïen, dit-il, content qu'on lui pose la question. J'ai enfin obtenu mon sceptre magique !

— Waouh ! Bravo !

— Merci.

— Et que vas-tu faire à Gournay-sur-Diodore ? demanda Zarya.

— Je dois aller chercher mon oncle Ewan, répondit-il avec un enjouement feint.

Elle le remarqua.

— Et où sont tes parents ?

— Ils préféraient rester à la maison, mentit-il. Et toi, Zarya ? Que fais-tu loin de chez toi ?

— Je suis venue chercher un livre.

— Il n'y a pas de librairie à l'endroit d'où tu viens ?

— Si, bien sûr, mais ce livre est… unique !

— Justement, ma petite amie adore lire.

Zarya sourit.

— Quel est son nom ?

— Laurie.

— Attention, penchez-vous vers votre gauche, lança Zach en prenant une courbe prononcée. Merci !

Ils avançaient à une vitesse effrayante, mais le grondement de l'unique roue du charreton sur le chemin de terre durci et le martèlement des sabots du satyre emplissaient Zarya d'une vive exaltation qui lui faisait oublier son inconfort.

Quelques kilomètres plus loin, la route rectiligne descendait peu à peu et, au bout d'un moment, la pente s'accentua, permettant ainsi à Zach de prendre de la vitesse. La jeune fille était maintenant terrifiée, même si elle devait admettre que le satyre semblait contrôler parfaitement la situation. Au bas de cette interminable déclivité de plus d'un kilomètre se dressait un bosquet d'arbres majestueux à la cime conique, non loin duquel un petit lac servait de pataugeoire à des oiseaux migrateurs.

Zach ralentit sa cadence jusqu'à ce que la voiture à bras s'immobilise complètement.

— Pourquoi s'arrête-t-on ? demanda Elliott.

— Peut-être pour que je me repose un peu ! répliqua le satyre d'un ton sarcastique.

— Ah, très bien.

— Nous sommes à mi-parcours, précisa Zach à ses clients.

Zarya débarqua lentement du charreton, un peu chancelante à cause de ses jambes ankylosées. Elle fut contrainte de les étirer, tout en faisant discrètement de petits moulinets avec ses bras.

Ils n'étaient pas les seuls à avoir fait une pause ; une dizaine de satyres reprenaient leur souffle dans cette halte routière. D'ailleurs, Zach était parti discuter avec l'un d'eux. Zarya regardait Elliott, assis sur un rocher. Il semblait songeur, même préoccupé.

— C'est un endroit magnifique, dit-elle en regardant autour d'elle.

— C'est vrai, approuva-t-il en jetant machinalement un coup d'œil au lac, en face de lui.

— Je ne parlais pas de cet endroit en particulier, Elliott, mais plutôt de ton monde.

— Ah ! d'accord.

— Ton oncle vit-il à Gournay-sur-Diodore ?

Le jeune garçon regarda l'adolescente d'un air pensif.

— Euh... pas vraiment.

Zarya fronça les sourcils.

— Il habite dans le village qu'on vient de quitter, à Kahi, poursuivit Elliott. C'est un savant. Il crée des objets aux propriétés magiques vraiment surprenantes. Et il a les cheveux... bleus !

— Bleus ?!

— Oui, dit-il en riant. Alors qu'il travaillait dans son laboratoire un jour, une potion lui a explosé en pleine figure. Et depuis ce jour, il a les cheveux ébouriffés, et bleus.

Il s'arrêta de parler et sa figure changea.

— Que se passe-t-il, Elliott ? lui demanda Zarya en s'asseyant sur le rocher près de lui, peinée de le voir tout à coup si triste.

— J'ignore la raison pour laquelle je te dis ça, mais je crois... qu'il a des ennuis.

La jeune Attilienne le regarda sans prononcer un mot, mais d'un air laissant entendre qu'elle l'écoutait avec la plus grande attention.

— Il a inventé un... truc, et un homme malintentionné veut absolument lui prendre son invention.

— Tu devrais en parler aux autorités, suggéra Zarya de sa voix douce.

— Dans le message qu'il m'a laissé avant d'être enlevé, mon oncle Ewan m'a dit clairement que cet homme contrôle les autorités de la ville.

— Qu'as-tu l'intention de faire, alors ?

— Grâce à mon bâton magique, je vais aller le libérer ! clama-t-il, les poings serrés.

— Tes parents savent-ils que tu es ici ?

Elliott fixait ses pieds, à présent.

— Je leur ai dit que j'allais coucher chez un ami.

— Peut-être qu'il serait plus sage d'avertir tes parents, conseilla Zarya en regardant son visage désolé. Ils sauront sûrement quoi faire…

— La première chose qu'ils vont faire, justement, c'est avertir les autorités.

— Et tu crois qu'ils vont avoir des problèmes s'ils communiquent avec les autorités ?

— C'est ce que mon oncle m'a dit dans son message.

— Alors, tu devrais faire écouter ce message à tes parents.

— Le message de Plumard est effacé.

— Plumard ?

— C'est l'une des inventions de mon oncle, dit-il en se tournant vers la fille. C'est un oiseau à deux têtes qui peut parler plusieurs langues. Et c'est par son intermédiaire qu'il m'a laissé ce message.

Zarya affichait un demi-sourire en l'écoutant, tout en réfléchissant à son problème. Il était clair pour elle qu'elle ne pouvait l'aider autrement qu'en lui donnant un bon conseil, car elle devait impérativement résoudre le sien.

— Le truc, l'invention que ton oncle a conçue, dit-elle, l'as-tu en ta possession ?

Elliott posa machinalement sa main sur la poche de son pantalon ; Zarya le remarqua.

— Euh…

— Tu peux me faire confiance, Elliott.

Le garçon se tut, l'interrogea du regard, étonné par la pureté sans pareille de son regard à elle. Il décida de lui faire confiance.

— Je l'ai dans ma poche, souffla-t-il en sortant un petit sac de tissu vert kaki.

Zarya examina avec attention l'objet que le jeune druide-gaïen venait de sortir. C'était un petit flacon de verre transparent renfermant un liquide étrange. Celui-ci dégageait une lumière bleutée. L'adolescente trouva que le liquide semblait respirer ; elle aurait été prête à jurer qu'il était vivant.

— Qu'est-ce que c'est, cette potion ?

— *Pulverem motivus.*

— Quelle est sa propriété ?

Sans répondre, Elliott enleva le bouchon de liège, puis versa une goutte de potion sur une petite pierre rose qui se trouvait sur le sol, près du pied de Zarya. Une fumée blanchâtre l'enveloppa, puis la pierre disparut.

— Que s'est-il passé ? demanda la jeune fille, les yeux écarquillés. Où est-elle ?

— Elle est sur la commode de ma chambre, chez moi ! C'est là où je voulais qu'elle soit. Le *pulverem motivus* est une potion qui peut nous transporter là où on veut.

Zarya pensa aussitôt au transmoléculaire.

— Ton oncle a inventé le transmoléculaire en liquide portatif ! C'est vraiment incroyable !

— Le quoi ?!

— Le transmoléculaire, c'est une invention de mon monde. C'est une cabine qui peut nous transporter d'un endroit à un autre en une fraction de seconde.

— Oui, oui, mon oncle Ewan m'en a déjà parlé. Mais je croyais que c'était une invention qui provenait du monde des mages, non ?

— En voiture ! lança soudain Zach en reprenant les brancards du charreton.

Elliott se demandait si c'était une bonne idée d'avoir parlé de son problème à cette pure étrangère, à une fille vêtue d'une manière si étrange et qui, en plus, provenait d'une autre dimension. « Mais elle dégage tellement de bonté ! » pensa-t-il en la regardant de biais : ses magnifiques cheveux noirs comme l'ébène dans le vent, Zarya se tourna dans sa direction en le fixant de ses yeux bleus perçants et en lui adressant un sourire sincère.

En se mordillant l'intérieur de la lèvre, elle songeait qu'elle ne pouvait pas abandonner ce jeune garçon à son triste sort sans faire quelque chose pour l'aider. Continuer sa route en ignorant les problèmes d'Elliott aurait signifié aller à l'encontre de ses principes fondamentaux.

Alors que la voiture à bras suivait une route au cœur de la forêt, parmi de hautes montagnes, Zarya se tourna vers son compagnon et lui annonça :

— Elliott, j'aimerais t'aider à retrouver ton oncle Ewan...

Le garçon la dévisagea d'un air surpris. Il plissa les paupières comme s'il ignorait s'il devait ou non formuler une réponse.

Considérant ce froncement de sourcils comme un acquiescement, elle poursuivit :

— Mais, pour ça, tu devras tout me dire, sans rien me cacher. J'ai... disons... une certaine formation pour ce genre de problème, qui pourrait s'avérer utile.

Elliott baissa les yeux si longtemps que Zarya pensa qu'il n'avait pas compris ce qu'elle venait de lui dire. Il releva finalement la tête.

— Quel genre de formation ?

— Dans les enquêtes, dit-elle en restant vague sur les cours de Maître Drakar.

Elliott resta bouche bée pendant quelques secondes, abasourdi par cette proposition, mais il savait qu'une aide serait manifestement la bienvenue. Les yeux du garçon s'illuminèrent brusquement, et un bref sourire éclaira son visage.

— D'accord.

— Premièrement, aurais-tu une idée de l'endroit où se trouve ton oncle en ce moment ?

— Pas exactement. Sûrement en ville, j'imagine.

— Y a-t-il longtemps qu'il a disparu ?

— Ma mère m'a dit qu'elle ne l'avait pas vu depuis trois jours.

— D'accord. Est-ce qu'il aurait laissé un indice qui pourrait nous indiquer l'identité de l'homme qui l'aurait séquestré ?

— Oui, il m'a même dit son nom !

— Ah ! voilà un indice intéressant, Elliott, fit Zarya, satisfaite. Et quel est son nom ?

— Oswald Leskovac !

L'adolescente fut incapable de prononcer une parole de plus, de faire le moindre geste. Elle était sidérée. Le sang battait à ses tempes ; son martèlement couvrait le sifflement du vent dans ses oreilles.

Zach, pour sa part, s'immobilisa brusquement en entendant le nom de cet homme. Zarya et Elliott faillirent passer par-dessus sa tête, tellement l'arrêt fut brutal.

— Vous voulez partir à la recherche de cet homme ?! lança le satyre, abasourdi.

— Quoi ?! Tu nous écoutais ? s'indigna Elliott, médusé.

— Ben quoi ? Je ne suis pas sourd !

Zarya ouvrit la bouche, puis la referma aussitôt. Elle agitait la tête de gauche à droite, espérant peut-être que ce mouvement l'aiderait à comprendre cette coïncidence troublante. Il lui fallut quelques secondes pour retrouver la parole. Quand elle voulut parler, Zach le fit avant elle :

— Vous êtes complètement cinglés, vous deux ! Vous voulez vraiment affronter ce… ce type ?

— Mais il a enlevé mon oncle ! Que suis-je censé faire, alors ?

— Je ne sais pas…, dit le satyre. Peut-être essayer de rester en vie, tout simplement !

— J'avoue que ça peut être bien, de rester en vie, rétorqua Elliott sarcastiquement. Cependant, le problème ne va pas se résoudre tout seul. Je te signale que si j'ai l'intention de risquer ma vie, ça ne regarde que moi !

— Je te signale à mon tour que tu étais seul il y a encore quelques minutes… mais là, tu viens de mettre cette pauvre fille dans le même bourbier, lança Zach en regardant la jeune gothique qui avait à présent le visage blême.

Cette fois, Elliott ne répondit pas. Le satyre avait raison sur ce dernier point : Zarya ne devrait pas être mêlée à cette affaire, d'aucune manière. C'est alors que le garçon se tourna vers l'adolescente, mais avant même qu'il n'ait pu ouvrir la bouche, celle-ci lui dit :

— Nous allons nous rendre chez cet homme et nous ramènerons ton oncle !

Cette fois, c'était Zach qui dévisageait Zarya. Il ne comprenait pas comment une étrangère pouvait risquer sa vie pour un garçon qu'elle venait tout juste de rencontrer, ou décider de sauver un homme qu'elle ne connaissait pas.

— Mais Zarya…, commença Elliott.

— Le livre que je dois absolument trouver, c'est justement Oswald Leskovac qui l'a en sa possession.

— Et voilà, c'est reparti ! lança Zach, découragé. Elle veut à présent voler un livre au type le plus dangereux du pays !

— Tu as l'air de le connaître plutôt bien, Zach, fit remarquer l'adolescente en se tournant vers lui.

— Un peu, oui !

Zarya et Elliott le fixèrent pendant de longues secondes.

— Nous, les satyres, nous vivons là-bas, précisa-t-il en pointant du doigt la chaîne de montagnes qui s'élevait au loin. Depuis plusieurs générations, les garçons de mon village descendent en ville pour travailler, afin de gagner suffisamment de pettias de cuivre pour la communauté. Nous ne voulons pas d'ennuis, nous voulons juste faire notre boulot. Mais l'un de nous était… plus gourmand. Il trouvait que ce travail ne rapportait pas assez de pettias… Il en voulait davantage. Alors, il s'est trouvé un emploi plus payant.

— Il a travaillé pour cette brute ? devina sans peine Elliott.

— Exactement. Ibrahim, c'était son prénom, se garait près de l'Arche et aussitôt qu'une jeune sorcière passait la porte interdimensionnelle, il lui proposait de la transporter à un prix ridiculement bas…

— Et il l'emmenait chez cet homme, continua Zarya, les yeux pleins de colère.

— Oui. Nous ignorons pourquoi, mais ça ne doit pas être pour lui faire faire une visite guidée de sa magnifique propriété, dit Zach.

— Ibrahim transporte-t-il encore de jeunes sorcières ? l'interrogea Elliott.

— Non, nous avons réussi à l'en dissuader. Et deux jours après avoir arrêté ce travail, il a mystérieusement disparu, on ne l'a jamais revu, raconta le satyre d'un air déconfit. C'était l'un de mes amis.

— Je suis désolée, dit Zarya.

— Donc, tu dois savoir où demeure Leskovac ? s'informa le jeune druide-gaïen.

Zach acquiesça d'un signe de tête.

— Alors, pourrais-tu m'y emmener ? lança Elliott, déterminé.

— *Nous* y emmener ! Je vais avec toi, Elliott, insista vivement Zarya en fixant le jeune garçon. Après avoir libéré ton oncle Ewan, je dois impérativement récupérer le livre. Une vie en dépend !

24

L'entrée

arya, Elliott et Zach reprirent finalement leur route, puisque maintenant le crépuscule commençait à dissimuler le magnifique paysage. Le satyre s'était suffisamment reposé, songea la jeune gothique en le voyant courir plus vite que durant la première partie du trajet. Elle ne prêtait plus attention, à présent, au chemin bordé de petites maisons, car elle tâchait, tant bien que mal, d'élaborer un plan à la fois pour récupérer le Grimoire de Trotsky et pour libérer l'oncle du jeune druide-gaïen. Pendant ce temps, Elliott restait curieusement silencieux. Pensif, il se contentait de jouer avec l'œuf de bois qu'il avait dans sa main.

Au début, Zach s'opposait à l'idée de les déposer près de la résidence d'Oswald Leskovac : il ne voulait pas se sentir responsable de ce qui pourrait leur arriver. Cependant, Zarya avait glissé suffisamment de pettias de cuivre dans sa petite boîte pour le faire changer d'idée.

La jeune Attilienne n'eut pas la chance de voir Gournay-sur-Diodore de près. En effet, connaissant un raccourci, Zach préféra contourner la ville. Zarya ne put qu'apercevoir de loin, malgré l'obscurité grandissante, une cité construite à même une forêt ancienne, ceinturée par un alignement d'arbres au tronc blanc comme l'ivoire. Seuls les toits des plus hauts bâtiments dépassaient leurs cimes dentelées. Un fleuve navigable longeait la cité illuminée.

Après avoir dépassé Gournay-sur-Diodore de quelques kilomètres, Zach s'arrêta brusquement près d'une colline boisée.

— Et voilà, nous y sommes, annonça-t-il en se retournant vers ses deux clients.

Ceux-ci descendirent du charreton.

— Vous voyez cette colline en face ? leur demanda le satyre. Alors, montez l'allée et, rendus au sommet, vous devriez voir sa somptueuse résidence.

— Merci, Zach ! dit l'adolescente en lui serrant la main, imitée par le jeune garçon.

— J'aimerais vous informer d'un petit détail qui pourrait éventuellement vous faciliter la tâche, dit Zach en faisant faire demi-tour à sa charrette à bras. J'ai parlé avec un ami à la halte routière tout à l'heure, et il m'a dit qu'une trentaine de nos confrères ont été chargés de transporter les invités pour une soirée donnée ce soir par monsieur Leskovac en l'honneur de la fête d'Ouranos, ici même, dans son domaine.

— Qui est Ouranos ? demanda innocemment Zarya.

— L'époux de la déesse Gaïa, voyons ! lâcha le satyre en haussant les sourcils.

— Ah bon !

— Allez, vous deux ! Soyez prudents, et j'espère qu'on se reverra un jour ! ajouta Zach en quittant les lieux à une vitesse fulgurante.

Zarya et Elliott gravirent la colline en peu de temps. La nuit s'épaississait peu à peu, et la nature s'endormait. Les deux adolescents, par contre, étaient bien réveillés, conscients de tout ce qui les entourait. Quand ils arrivèrent en haut de la pente, ils constatèrent avec ébahissement qu'Oswald Leskovac possédait effectivement une fastueuse propriété.

Brusquement, un battement d'ailes les fit pivoter sur leurs talons. Elliott avait déployé son sceptre magique et Zarya était sur ses gardes !

— C'est juste un oiseau ! s'exclama le garçon avec soulagement.

Zarya regarda l'oiseau qui était perché sur une branche d'arbre, près d'eux : il lui semblait étrangement familier. En effet, c'était l'oiseau au plumage vert très vif qu'elle avait aperçu près de l'Arche des druides, finit-elle par se rappeler en le voyant la fixer du même regard. Curieusement, il resta là, sans bouger. Zarya décida de ne pas s'en occuper : il devait y avoir des milliers d'oiseaux de cette espèce dans cette dimension, conclut-elle en tournant la tête vers le domaine du tyran.

— Regarde, Zarya, il y a beaucoup de gens à l'extérieur. Nous devrions en profiter pour nous mêler à eux.

— Je crois que tu as raison, confirma-t-elle en jetant un dernier regard derrière elle.

L'oiseau n'était plus là.

S'approcher du somptueux manoir seigneurial à l'architecture exceptionnelle sans que personne ne les voie fut plus facile qu'ils ne l'avaient pensé. Ils sortirent discrètement derrière le charreton d'un satyre et, en prenant un air ravi, saluèrent chaleureusement ce dernier qui se demanda bien pourquoi ils étaient si contents de le voir. Puis ils passèrent près de deux hommes vêtus d'un complet ; sûrement des gardes de sécurité, pensa Zarya en voyant leur visage qui n'exprimait pas la moindre jovialité.

— Bien joué, Elliott !

— Tu étais très convaincante, toi aussi !

Des fleurs exotiques entouraient une fontaine monumentale surmontée d'une statue qui personnifiait un dieu immortel tenant dans sa main une lourde massue, et une constellation de lanternes multicolores était accrochée aux arbres chargés de fruits tropicaux. Zarya et son jeune ami entendaient s'élever, de plus en plus fort, le son des conversations pétillantes des gens présents autour d'une vaste piscine rectangulaire, sur le côté du manoir.

— Il ne se prive de rien, ce type ! lança Elliott en voyant la richesse des lieux.

Il n'y avait pas que des adultes à cette fête ; des adolescents étaient agglutinés près d'un gros arbre, au fond du parc, et semblaient bien s'amuser. Grâce à leur présence, Zarya et Elliott purent se mêler aux autres de façon plus subtile.

— Elliott, il faut trouver un moyen d'entrer dans la maison, chuchota Zarya en regardant autour d'elle.

Elle trouvait curieux qu'il y eût une telle quantité de gardes de sécurité pour une simple fête.

— D'accord, allons par là !

La jeune fille suivit son compagnon sans poser de question. Alors qu'ils passaient devant un magnifique orchestre, composé de six musiciens superbement costumés et jouant une belle musique classique qui ne laissait personne indifférent, une voix retentit derrière eux :

— Elliott ! Mais que fais-tu ici ?!

Le cœur du garçon bondit dans sa poitrine, autant de crainte que d'étonnement. Il se tourna avec cette sensation horrible de voir un piège se refermer sur lui.

— Laurie ?! s'écria-t-il, surpris de la voir ici.

L'adolescente, également étonnée et contente à la fois, s'avança vers lui avec un visage rayonnant. Elle tourna les yeux vers la fille qui était près de lui et ralentit quelque peu sa cadence.

En comprenant que c'était la petite amie d'Elliott, Zarya prit l'initiative de se présenter.

— Bonsoir, Laurie ! Je m'appelle Zarya, dit-elle en lui serrant la main. Elliott m'a beaucoup parlé de toi.

Laurie lança à Elliott un regard enjoué.

— Ah oui ?!

— Oh oui ! attesta Zarya. Et en bien, tu peux me croire !

— Mais que fais-tu ici, Laurie ? demanda avidement Elliott.

— Monsieur Leskovac a invité tous les hauts fonctionnaires de la région et, comme mon père est le maire de Kahi, eh bien, nous sommes là. Comme tous les ans, d'ailleurs. Mais toi, que fais-tu ici ?

— Disons que…, balbutia-t-il, un peu mal à l'aise.

Il regarda Zarya avec insistance, voulant qu'elle comprenne qu'il avait besoin de renfort.

Celle-ci le fixa de ses yeux bleus et lui dit télépathiquement :

— *Si tu lui fais confiance, alors dis-lui la raison de ta présence ici, je crois que tu n'as vraiment pas le choix.*

Elliott dévisagea la sorcière, les yeux écarquillés, et comprit qu'il venait d'entendre sa voix dans sa tête. Alors, il se tourna vers Laurie.

— Tu me fais confiance, Laurie ? lui chuchota-t-il en regardant autour de lui.

— Je te ferai toujours confiance, Elliott.

— Nous croyons que ce monsieur Leskovac est une mauvaise personne. Il aurait enlevé mon oncle Ewan pour lui voler son invention. Et nous pensons aussi que mon oncle est séquestré entre ces murs.

Laurie ne répondit pas tout de suite ; elle se contenta de regarder Elliott et Zarya avec étonnement. Elle tourna la tête pour regarder un groupe d'adultes qui riaient à gorge déployée près du bar. Puis elle reporta son attention sur son ami et lui dit :

— J'ai toujours trouvé que cet homme était bizarre.

Zarya et Elliott se regardèrent, soulagés.

— Que vas-tu faire, maintenant ? chuchota Laurie.

— Nous venons le libérer, Zarya et moi.

Elliott se figea brusquement en voyant quelqu'un s'approcher d'eux. C'était un homme à la figure empourprée et souriante, cravaté de blanc, et légèrement bedonnant.

— Laisse-moi deviner, Laurie…, dit monsieur Marion à sa fille, mais en regardant l'adolescent qui se trouvait à côté d'elle. Tu es sûrement Elliott, n'est-ce pas, mon garçon ?

— Oui, monsieur ! répondit Elliott en regardant Laurie d'un air agréablement surpris.

L'homme se tourna vers Zarya et la regarda de la tête aux pieds. Il trouvait plutôt curieuse sa tenue vestimentaire.

— Je te présente Zarya, c'est une amie d'Elliott, fit Laurie sans vraiment en être certaine.

La jeune gothique lui tendit la main.

— Où est maman ? demanda Laurie.

— Là-bas, répondit monsieur Marion en la pointant du doigt sans même la regarder. Elle est en train d'admirer la panoplie de bijoux de cette excentrique madame Shmitd.

— Monsieur le maire ! dit un homme derrière Zarya.

— Bonsoir, monsieur Leskovac ! s'écria-t-il en changeant immédiatement de ton et en prononçant ses syllabes avec exagération. Très belle soirée !

— Merci infiniment !

Le cœur de Zarya palpitait si violemment que le sang menaçait de lui sortir par les yeux. Elle se retourna tranquillement vers un homme au teint légèrement blanchâtre, aux cheveux bruns coupés court, gominés et soigneusement peignés vers l'arrière. Il était grand et vêtu d'un costume de haute couture.

Étant le réel possesseur du grimoire, ce type bénéficiait pleinement du pouvoir extraordinaire de l'immortalité : il avait conservé son corps jeune contrairement à celui de son frère jumeau.

— Vous vous souvenez de ma fille Laurie ?

Zarya crut percevoir une certaine nervosité dans l'attitude du maire alors qu'il s'adressait à monsieur Leskovac.

— Je me souviens très bien de cette charmante jeune fille. Et vous deux ? Qui êtes-vous ? demanda ce dernier en prêtant une attention particulière au sac à dos de la jeune gothique.

La bouche du maire s'ouvrit pour répondre ; toutefois, Laurie fut la plus rapide.

— C'est mon ami, Elliott. Je me suis permis de l'amener avec moi, monsieur.

Le maire sourcilla légèrement, mais avant qu'il ne puisse réagir, Oswald demanda, en dévisageant Zarya avec une insistance presque grossière :

— Et cette jeune demoiselle ?

— C'est Zarya, répondit Laurie. C'est… c'est notre gouvernante !

— Une gouvernante ! Vous m'impressionnez, monsieur le maire.

Voyant que Leskovac était ébloui, pour une fois, le maire décida donc d'en rajouter un peu.

— Bah ! vous savez, mon cher monsieur Leskovac, s'enorgueillit le maire en levant le menton si haut qu'Elliott avait du mal à voir ses yeux, mes fonctions me tiennent fort occupé. Il va sans dire que j'ai dû absolument me procurer du personnel pour remplir mes tâches quotidiennes.

Les deux adolescents se regardèrent en haussant les épaules.

Zarya, elle, fixait Oswald avec un profond sentiment de répulsion. Elle songeait à ce que son pauvre frère jumeau, Ulysse, endurait depuis près de cent ans, ainsi qu'aux meurtres sordides que cet homme commettait régulièrement, depuis plusieurs décennies, pour pouvoir vivre éternellement. La jeune fille avait de la difficulté à concevoir qu'elle avait devant elle un redoutable tueur en série.

Alors que le maire et monsieur Leskovac discutaient, Laurie, Elliott et Zarya en profitèrent pour s'éloigner d'eux le plus discrètement possible. Ils se rendirent dans un endroit où ils pourraient parler librement sans que personne ne les entende.

— De quelle manière allez-vous vous y prendre pour entrer dans le manoir ? demanda Laurie. Il y a des gardes partout.

— Je ne sais pas encore, répondit Elliott qui semblait réfléchir à une solution.

— J'ai remarqué qu'il y a une porte sur le côté, dit Zarya. J'ai vu seulement un homme qui montait la garde.

— Il faudrait détourner son attention le temps qu'on puisse entrer, suggéra Elliott en regardant Zarya.

— D'accord, je crois avoir une idée ! lança vivement Laurie. Je vous conseille de vous préparer, car il faudra agir très vite.

— Je ne veux pas que tu coures de risques inutilement, Laurie, fit Zarya.

— Ce n'est pas inutile, puisque je le fais pour sauver l'oncle d'Elliott, répliqua Laurie tout bonnement en regardant son ami.

— C'est très gentil, Laurie. Mais je crois que Zarya a raison. Tu ne dois pas…

— Allez, vous deux, préparez-vous ! l'interrompit Laurie en sortant son œuf de bois de sa poche.

— Mais que vas-tu faire avec ça ? l'interrogea Elliott en fixant le sceptre magique compacté.

— Je vais te poser une question à mon tour : est-ce que tu me fais confiance, Elliott ?

— Elle marque un bon point, déclara Zarya en lançant un regard amusé au garçon qui resta bouche bée.

— D'accord, mais sois prudente, je t'en prie.

Laurie lui sourit.

Puis elle tourna les talons et se dirigea, en prenant bien soin de dissimuler son œuf derrière son dos, vers l'endroit où se trouvait le gardien. Malgré sa grande nervosité, Elliott sourit en entendant l'air qu'elle sifflotait.

La jeune fille passa à côté du garde sans même le regarder. Assis, celui-ci était en train de lire un article dans la section des sports du journal local. Il lui jeta un regard en biais, mais, constatant que c'était seulement une jeune fille, il replongea son nez dans sa lecture.

Zarya et Elliott étaient sur le coin de la résidence, attendant patiemment que Laurie exécute son plan. Celle-ci avait disparu de leur champ de vision. Tout à coup, une petite détonation se fit entendre, mais les personnes présentes autour de la piscine n'entendirent pas ce bruit inquiétant qui fut couvert par le brouhaha des conversations enflammées. Cependant, le garde, qui se trouvait plus près de l'étrange déflagration, déposa son journal et se précipita vers l'endroit d'où le bruit était venu.

— Allons-y ! dit Zarya.

Elle dut tirer Elliott par le bras, tant il était encore concentré sur la détonation qui venait de se produire.

Arrivé en face de la porte, le garçon posa sa main sur la poignée, puis la tourna. Malheureusement, la porte ne s'ouvrit pas ; elle était fermée à clef. Zarya avait prévu le coup. Elle se campa devant la porte, prit un objet métallique dans sa poche et le déposa à un centimètre de la serrure sous les yeux interrogateurs de son nouvel ami. Une mince lueur bleutée sortit de l'étrange objet de la grosseur d'un briquet et pénétra dans le trou de la serrure. Un léger déclic se fit alors entendre. La lueur revint dans l'objet. Les deux jeunes gens s'engouffrèrent dans la résidence et refermèrent la porte derrière eux. À travers le rideau, Elliott aperçut avec soulagement Laurie qui passait à côté de la porte. Elle jeta un regard en biais vers la fenêtre en lui souriant. Le garde se rassit et reprit sa lecture.

Derrière le buisson, Laurie avait déployé son bâton magique, puis elle avait créé le sortilège de fulguration. C'est ce qui avait provoqué la détonation. Aussitôt, le garde était venu à sa rencontre, et elle lui avait longuement expliqué qu'elle avait vu une petite créature avec de grands yeux rouges s'approcher d'elle. Il lui avait alors suggéré de ne plus venir à cet endroit et de retourner près de la piscine, avec les autres invités.

Heureusement pour Zarya et Elliott, il n'y avait personne dans la pièce où ils avaient pénétré. Celle-ci était plongée dans une douce obscurité. Ça ressemblait à une sorte de boudoir rectangulaire, avec des fauteuils qui se faisaient face et une table de bois richement ouvragée au centre. D'un pas feutré, tels des voleurs sur le point de s'emparer de leur butin, ils se dirigèrent vers la porte qui se trouvait au fond de la pièce. Zarya l'ouvrit d'un centimètre, puis elle regarda par la mince fente et aperçut un couloir qui, à première vue, semblait également désert. Prudemment, les deux adolescents longèrent le large passage dont le plafond était habillé de bois foncé et les murs, décorés de tant d'œuvres d'art qu'ils se seraient crus dans un prestigieux musée.

Après avoir inspecté une partie du manoir, Zarya et Elliott s'arrêtèrent dans l'une des nombreuses chambres à coucher.

— Je ne crois pas que ton oncle soit enfermé dans l'une de ces chambres, et encore moins dans la salle à manger, conclut Zarya en voyant qu'Elliott montrait aussi des signes de découragement. Si ton oncle se trouvait entre ces murs, j'imagine qu'il y aurait des gardes à l'intérieur.

— Que suggères-tu, alors ?

— Je ne sais pas.

Le garçon se tourna vers la fenêtre en pensant qu'Ewan aurait probablement mieux fait de donner le *pulverem motivus* à cet homme sans faire d'histoires.

Soudain, il se tourna vers Zarya et lui chuchota :

— Je sais comment le trouver !

La jeune fille le vit alors fouiller dans sa poche et sortir de nouveau le petit sac de tissu vert kaki.

— Que vas-tu faire avec ça ? lui demanda-t-elle en fixant le petit flacon de verre transparent, renfermant le liquide bleuté.

— Le *pulverem motivus* est une potion qui peut nous transporter là où on désire être, lui rappela Elliott. Alors, grâce à elle, nous allons pouvoir nous téléporter auprès de mon oncle Ewan. Le seul problème, c'est qu'il y en a seulement pour un aller. Le reste de la potion, je l'ai donné à un grand ami de mon oncle.

Zarya haussa les sourcils, manifestement impressionnée par le jeune druide-gaïen.

Elliott s'approcha d'elle...

— Attends, Elliott ! fit-elle en reculant d'un pas.

— Que se passe-t-il ?

— On ne peut pas se téléporter dans la même pièce que ton oncle, expliqua-t-elle, après avoir réfléchi à son plan. S'il se trouve à l'intérieur d'une prison, nous serons également pris au piège.

— Tu as raison !

— Peux-tu nous téléporter *devant l'entrée* de la pièce où il est séquestré ?

— Je vais essayer, dit Elliott en s'approchant de nouveau de Zarya.

Il enleva le bouchon de liège, puis versa tout le contenu de la bouteille à leurs pieds. Une fumée blanchâtre les enveloppa de toutes parts et, sur un léger « pop ! », ils disparurent.

Ils réapparurent dans une pièce beaucoup plus spacieuse que celle qu'ils venaient de quitter. Elle était éclairée par la lueur vacillante des flammes qui brûlaient dans l'immense cheminée de pierre, en face d'eux. Le voyage entre les deux pièces s'était bien passé. Cependant, c'est en pivotant que Zarya et Elliott remarquèrent qu'ils n'étaient pas seuls : deux hommes étaient confortablement assis, en train de discuter paisiblement. Ces derniers furent stupéfaits en voyant deux adolescents apparaître entre eux et la cheminée. Surpris par cette insolite apparition, ils ne furent pas aussi rapides qu'Elliott. Ce dernier déploya son sceptre magique en s'écriant :

— *Frigidius brusco !*

Le garçon fit jaillir un crachin glacé qu'il dirigea vers l'homme de droite avant qu'il n'ait pu réagir. Celui-ci se figea au contact du givre et se transforma en statue de glace.

Le jeune druide se tourna vers l'autre homme qui avait réussi à sortir son bâton, mais, avant d'avoir eu le temps de faire quoi que ce soit, il eut la surprise de le voir quitter sa chaise et faire un vol plané jusqu'à l'autre bout de la pièce. Elliott se tourna vers Zarya et vit une chose qu'il n'aurait jamais cru voir de toute sa vie : elle avait le bras allongé et n'avait ni bâton ni baguette dans la main.

Avant que le garçon ne puisse lui poser la question, Zarya lui répondit :

— Je suis une mage.

— Mais... mais..., balbutia-t-il.

— Je t'expliquerai quand nous en aurons le temps, le coupa-t-elle gentiment en regardant les deux hommes inertes.

Elle s'approcha de celui qu'elle avait fait voler à l'autre bout de la pièce et qui était étendu sur le sol, inconscient. Elle le fit léviter près de l'autre, qui était assis dans le fauteuil, statufié. Après quoi, elle sortit une pierre de sa poche et, donnant un élan de sa main, fit le geste de la lancer, mais en prenant bien soin de la conserver au creux de sa main. Alors, sous le regard ahuri d'Elliott, un cordon très mince et d'un rouge éclatant jaillit de la pierre de fassour. Il tourna trois fois autour des hommes pour les enlacer inextricablement.

— OK ! ne put s'empêcher de lancer le garçon.

— J'ai une question, Elliott…

— Toi aussi ?!

Zarya le prit par les épaules, le regarda droit dans les yeux, le dominant de quelques centimètres, et lui demanda :

— Quand tu nous as téléportés à cet endroit, dis-moi exactement à quoi tu pensais.

— Je me suis concentré pour nous téléporter devant l'entrée de la pièce où est emprisonné mon oncle Ewan, comme tu me l'as suggéré !

— Donc, l'entrée serait dans cette pièce ?

— J'imagine !

— D'accord. Nous ne sommes pas sortis du manoir. Donc, l'entrée serait dans cette pièce, répéta Zarya en regardant autour d'elle. Elle pourrait très bien nous mener à l'extérieur, ou peut-être…

La jeune fille retourna exactement à l'endroit où ils étaient apparus, soit en face de l'immense cheminée. Elle se tourna vers la seule porte de la pièce, puis de nouveau vers la cheminée.

— C'est ici que se trouve l'entrée, dit-elle sans quitter des yeux le feu qui brûlait dans l'âtre.

— En es-tu certaine ?

Zarya pencha la tête vers le plancher de bois foncé.

— Oui, répondit-elle en regardant sur le sol les empreintes de pieds, à peine perceptibles, qui partaient de sous le socle de marbre.

Tous deux se mirent à chercher un bouton ou un levier qui pourrait actionner le mécanisme permettant d'ouvrir le passage secret. Ils se dépêchaient, craignant que les gardes ne reprennent conscience. Zarya cherchait du côté droit, et le garçon, à l'opposé.

— Je crois que j'ai trouvé, Zarya !

Une statuette dorée, représentant la tête d'un homme à la chevelure bouclée et hérissée en huppe, était posée sur une table surélevée, à côté d'une armoire vitrée exposant une panoplie d'objets archéologiques.

— Il y a une légère fissure sous le cou de cette sculpture, déclara-t-il en faisant basculer la tête vers l'arrière.

Ils se tournèrent vers le bruit vibrant que faisait la cheminée en pivotant sur ses gonds bien dissimulés. Une ouverture d'environ un mètre cinquante de hauteur apparut.

Zarya et Elliott se regardèrent sans prononcer une parole. Ils comprirent qu'ils devaient y pénétrer sans plus attendre. En tenant fermement son sceptre magique entre ses mains, le druide emboîta le pas à la mage qui passa sous le linteau sculpté de figures semblables à des hiéroglyphes. De l'autre côté, Zarya abaissa la manette de métal qui se trouvait sur le mur de pierre. Le passage se referma aussitôt. C'était l'obscurité totale. La jeune gothique sortit un cristal de sa poche et le frotta. Celui-ci se mit à dégager une lumière artificielle. Lorsqu'ils s'enfoncèrent dans le couloir silencieux, leurs ombres ondulèrent sur le mur irrégulier derrière eux, comme si deux spectres menaçants les suivaient de près. Plus ils avançaient sur les dalles de granit, plus la température baissait. Au bout d'un moment, Zarya et Elliott avaient franchi tout près d'un kilomètre. Et là, aussi surprenant que cela puisse paraître, une porte grillagée apparut. C'était un ascenseur.

Elliott ouvrit la porte et entra le premier, suivi de près par Zarya. Il la regarda, puis appuya sur le bouton. L'ascenseur descendit avec souplesse dans les profondeurs de la terre. Une énorme pierre attachée à un câble d'acier passa tout près d'eux. Zarya comprit que le mécanisme de l'ascenseur était un système sophistiqué de câbles, de poulies, ainsi que d'un contrepoids.

La cabine descendit pendant de longues secondes, puis s'immobilisa. Zarya, en ouvrant la porte, constata qu'il y avait un tunnel souterrain qui menait à l'extérieur. Elle pouvait voir, plus loin, une lumière rougeâtre.

— Allons-y ! dit-elle.

Ils marchèrent d'un pas prudent, mais sans oublier que le temps pressait. Soudain, un vent chargé de poussière s'engouffra par l'entrée en tourbillonnant devant leur figure. Cet air chaud et humide leur confirma que ce passage souterrain aboutissait réellement à l'extérieur.

Ils arrivèrent enfin au bout du tunnel...

L'un à côté de l'autre, Zarya et Elliott regardèrent, les yeux écarquillés, le paysage dont la vue leur coupa le souffle : non pas à cause de sa beauté, mais plutôt parce qu'il était... *anormal* !

La Tour des ombres

S ous un ciel morne, étrangement obscurci par des nuages empourprés, Zarya et Elliott observèrent silencieusement l'impressionnante stalagmite géante qui se dressait de toute sa hauteur au centre d'une vallée profonde, boisée et marécageuse. Tel un titan jetant un regard méprisant à l'intrus qui avait osé s'y aventurer.

— La Tour des ombres ! finit par dire Elliott sans quitter du regard cette étrange formation rocheuse.

— Tu connais cet endroit ?

— Je n'aurais jamais cru que je la verrais un jour de mes propres yeux, déclara-t-il sans répondre directement à la question de l'adolescente.

— Elle est dissimulée par les hautes montagnes qui se trouvent tout près de la résidence de Leskovac, murmura Zarya, comme pour elle-même.

— Quand un élève fait l'idiot en classe, reprit Elliott en fixant l'insolite colonne de son regard terrifié, le professeur le menace de l'enfermer dans la Tour des ombres. Lorsque le vent vient de l'ouest, on peut même entendre le Souffle du diable qu'elle produit depuis chez moi !

— Son souffle ?!

— On va sûrement l'entendre d'ici peu.

— Ce ciel a quelque chose de vraiment bizarre, fit remarquer Zarya à son jeune ami, tout en scrutant le ciel immuable, vaporeux et rougeoyant.

— Ouais, on dirait de la vapeur embrasée, approuva le garçon. Maintenant, je crois qu'on devrait penser à continuer notre route.

— Tu as raison.

Ils dévalèrent une trentaine de marches creusées dans la pierre et s'immobilisèrent devant un chemin sinueux, qui, selon toute vraisemblance, menait à l'entrée de la tour. À peine un kilomètre les en séparait.

— Trop facile ! lança Zarya en regardant le chemin devant eux.

— Profitons-en !

Elliott s'avança, puis se frappa le front sur une paroi invisible.

— J'aurais pu le jurer ! dit la jeune fille en s'approchant de son compagnon qui se frottait vigoureusement le front.

Elle posa sa main sur le mur translucide et la fit glisser de gauche à droite en espérant trouver l'extrémité du champ de protection. Elle finit par la trouver juste en face d'un marécage qui dégageait une très forte odeur de putréfaction. Une ou plusieurs bêtes y étaient sûrement mortes, après s'être embourbées dans ce terrain boueux à la maigre végétation, survolé par une multitude d'insectes voraces.

Zarya avança encore de quelques mètres.

— Par ici, Elliott, lui indiqua-t-elle. Le terrain semble plus facile d'accès de ce côté.

Armés de leur courage, ils pénétrèrent dans une forêt primitive, avec ses arbres au feuillage frissonnant sous un souffle qui ressemblait au râle d'une horrible bête invisible. Ils avancèrent silencieusement et surtout prudemment, les yeux rivés à un sol si accidenté qu'il était impossible de courir, ni même de marcher d'un pas précipité. De temps à autre, un rayon de lune réussissait à traverser l'étrange vapeur rougeâtre, et donnait au paysage une atmosphère morbide évoquant un champ de bataille recouvert de sang. Les deux adolescents enjambèrent avec méfiance le tronc d'un arbre qui était tombé sur le sol. Il était si long qu'on ne pouvait en faire le tour.

Alors qu'elle passait dans une petite clairière, tout en marchant vers l'endroit où, elle en était convaincue, l'oncle d'Elliott était enfermé, Zarya leva les yeux vers le sommet de la Tour des ombres et aperçut des cavités arrondies qui devaient être des petites fenêtres donnant vue sur la vallée.

«Et si le Grimoire de Trotsky se trouvait ici ? songea-t-elle. Ce serait l'endroit idéal pour le cacher.»

Les yeux toujours rivés sur le haut de la tour, la jeune fille entendit soudain un grondement assourdissant qui provenait de là. Une brume blanchâtre s'échappa du sommet du bâtiment, tel un geyser. Zarya savait maintenant ce qu'était le Souffle du diable.

Lorsque son regard revint au niveau du sol, il se posa sur le sceptre magique qu'Elliott utilisait comme un bâton de marche.

— Tu m'as dit que tu avais *enfin* obtenu ton sceptre magique ?

— Oui, répondit le garçon en le lui montrant de nouveau.

— Et de quelle façon l'as-tu obtenu ?

— On nous envoie à l'institut Kloetzer pour scinder nos chakras, expliqua-t-il en continuant de marcher. Comme nous avons du sang druide mélangé à du sang gaïen, il faut subdiviser nos énergies primaires en les forçant à s'activer. De cette façon, comme notre côté druidique est magique et que nos chakras sont plus évolués, ils prennent automatiquement le dessus.

— Comment les professeurs de cette institution font-ils pour les activer ?

— C'est très simple… Ils nous font peur ! Mais je crois que si j'étais venu ici d'abord, ç'aurait été suffisant ! affirma-t-il.

Elliott sauta par-dessus un petit fossé rempli d'eau verdâtre, puis demanda à Zarya :

— Toi, tu es vraiment une mage ?

— Oui.

— Je croyais que l'accès à ce monde vous était interdit…

— C'est vrai. Cependant, moi aussi, j'ai deux sangs différents, celui de mage et celui de sorcière. C'est ce dernier qui m'a permis de passer votre porte interdimensionnelle…

— Chut ! fit soudain le garçon en levant son bâton magique.

— Qu'y a-t-il, Elliott ? chuchota Zarya en scrutant les alentours.

— Quelque chose a bougé près du gros arbre, là-bas, indiqua-t-il en le pointant du doigt.

La jeune fille fixa intensément l'arbre, mais son regard fut attiré par un mouvement provenant de sa gauche.

— Je crois que tu as raison, chuchota-t-elle. J'ai vu quelque chose bouger par là.

— Viens, Zarya, la pressa Elliott en la tirant par le bras. Rendons-nous à la tour, ne restons pas ici une seconde de plus.

— Êtes-vous là pour nous ? demanda soudain une voix féminine.

Le garçon s'immobilisa. Zarya tourna sur elle-même pour voir qui avait parlé.

— Qui est là ? demanda-t-elle, peu rassurée.

— Le Mal vit en ces lieux ! Êtes-vous là pour nous délivrer de son oppression ?

Elliott et Zarya n'osaient pas bouger : cette voix douce semblait provenir de partout à la fois.

— Qui êtes-vous ? insista Zarya. Montrez-vous !

— Nous souffrons !

— De quoi souffrez-vous ? demanda Elliott en tenant fermement son sceptre magique.

— Du Mal qui vit en ces lieux, répondit la voix.

— Nous sommes désolés, dit Zarya en se remettant à marcher. Nous sommes ici pour libérer une personne qui est prisonnière dans cette tour.

— Et comment voulez-vous qu'on vous aide, si vous restez cachés ? lança le garçon d'une voix plus féroce que celle de Zarya.

— On ne se montre jamais aux humains.

— Alors, c'est regrettable. Nous, nous devons poursuivre notre chemin, dit-il en emboîtant le pas à Zarya pour quitter l'endroit.

— Attendez ! Nous vous en supplions !

Zarya et Elliott s'arrêtèrent de nouveau. Ils restèrent bouche bée en voyant un visage de femme s'extraire du tronc d'arbre. Elle avait les cheveux d'une blancheur lumineuse, légèrement ondulés. Dans ses yeux d'un vert émeraude, on pouvait percevoir une lueur de tristesse.

— Qui êtes-vous ? demanda Zarya, les yeux exorbités.

— Nous sommes des hamadryades, dit-elle avec douceur.

Elle disparut, puis une autre apparut à sa gauche.

— Nous vivons ici depuis toujours…

Zarya se tourna vers une nouvelle voix derrière elle.

— Nous étions heureuses avant son arrivée, fit la nymphe des arbres.

Ils se tournèrent encore…

— Nos sœurs sont malades… nous sommes toutes affaiblies.

— Que pouvons-nous faire ? demanda Zarya.

Une autre apparition à leur droite…

— Le soleil est dissimulé derrière ce nuage éternel. Une malédiction qui nous inflige de terribles souffrances depuis plusieurs décennies.

— Nous aimerions bien vous aider, mais nous ignorons de quelle façon…, déclara Elliott.

— Détruisez le Mal, et la malédiction sera à jamais éradiquée !

— Nous ferons notre possible, affirma Zarya sans rien promettre.

L'une des hamadryades lui sourit en lui disant :

— Les quelques animaux qui ont réussi à survivre dans notre royaume vous épargneront.

— Merci, c'est rassurant, répondit le jeune garçon, à moitié soulagé.

— Par contre, soyez tout de même prudents ! lança une autre nymphe. Car il y a quelque chose qui rôde dans cette forêt, une entité qui n'est pas de ce monde, et nous n'avons, hélas, aucune emprise sur elle. Nous vous en supplions, faites preuve de prudence ! Notre survie dépend de votre réussite…

La figure disparut.

— *Une entité ?!* Je déteste les entités ! s'exclama Elliott, tout à coup moins rassuré.

Les deux adolescents continuèrent leur difficile parcours : il leur restait à peine un demi-kilomètre à parcourir pour atteindre l'entrée de la tour. Une légère brise agitait les feuilles au-dessus de leur tête. La lune disparaissait de nouveau derrière les insolites nuages qui semblaient tournoyer sur eux-mêmes dans un ciel troublé. Il faisait un noir d'encre : heureusement que Zarya avait son cristal pour éclairer leur chemin.

— Si, il y a deux ans, j'étais arrivée en face d'un arbre qui parle, indiqua Zarya en prenant tout à coup un ton ironique, je me serais posé de sérieuses questions sur ma santé mentale !

— Pourquoi ?

— Avant d'habiter à Attilia, je vivais dans un monde où la magie n'existe pas… Disons plutôt que les gens préfèrent la conserver au plus profond de leur être.

— Pourquoi font-ils ça ?

— La magie leur fait peur. Naturellement, certaines personnes y ont recours. Toutefois, elles préfèrent rester incognito.

— Tu vivais dans un drôle de monde !

— Les gens de cette dimension préfèrent se concentrer sur les biens matériels. D'ailleurs, ils passent la plupart de leur temps à travailler pour être en mesure de ramasser assez d'argent pour acheter des choses qui s'avèrent, la plupart du temps, inutiles.

— C'est fou !

Zarya lui sourit en regardant machinalement le ciel : les nuages rougeoyants venaient de dévoiler la lune. Lorsqu'elle rebaissa la tête, elle vit avec terreur, près d'un gros arbre mort, trois silhouettes inquiétantes qui la dévoraient des yeux.

— C'est quoi, ces créatures ?! dit Elliott en brandissant son bâton dans leur direction.

Tous deux reculèrent d'horreur à la vue de ces bêtes répugnantes dont les babines pleines de bave laissaient apparaître une triple rangée d'énormes crocs. Visiblement affamées, elles salivaient en regardant ces proies inespérées. Elles étaient plus petites que des balnareks, mais avaient l'air tout aussi voraces. Zarya arrêta de reculer en s'apercevant avec effroi qu'il y en avait deux autres derrière eux.

— Occupe-toi de ces deux-là. Moi, je me charge des autres, lança-t-elle à son compagnon en se positionnant, prête au combat.

Un vent fort s'éleva et vint tourbillonner autour des deux bêtes qui s'étaient dangereusement approchées d'Elliott. Celles-ci refermèrent leur gueule écumante, puis elles changèrent de direction à contrecœur.

— Ce sont les hamadryades qui nous protègent, Zarya, devina le garçon en se tournant vers les trois autres bêtes. Elles vont sûrement faire la même chose avec elles.

Zarya garda sa position, disposée à contre-attaquer. Mais les choses se passèrent différemment. Les bêtes s'arrêtèrent brusquement, regardant au-dessus de la tête de la jeune gothique. Apparemment terrifiées, elles pivotèrent sur leurs pattes et s'enfuirent à toutes jambes.

— Et voilà ! lança le jeune druide, satisfait, en s'apprêtant à remettre son sceptre magique dans sa forme de boule.

— Ne le range pas tout de suite, Elliott ! lui conseilla Zarya en voyant un nuage de poussière opaque passer au-dessus de leur tête à toute vitesse.

L'étrange nuage attrapa l'une des bêtes avant qu'elle n'ait pu s'enfuir. Il l'enveloppa tel un essaim d'abeilles autour de sa proie. Ensuite, il s'éleva à quelques mètres du sol sous les hurlements horribles de la pauvre bête. Après quelques instants durant lesquels un terrible silence s'était installé, un amas d'os et de chair tomba sur le sol. En voyant cette scène dégoûtante, Zarya comprit que ce nuage était l'entité dont les nymphes des arbres avaient parlé.

— Cours, Elliott ! hurla-t-elle en regardant le nuage fondre droit sur eux.

Jamais Elliott n'avait couru aussi vite ; Zarya avait de la difficulté à le suivre. Ils se dirigèrent directement vers la porte de la tour. Cependant, le nuage opaque réussit à contourner un arbre gigantesque et vint se poster devant la porte de la stalagmite géante. Les deux adolescents s'arrêtèrent dans leur élan.

— Elle nous bloque l'accès ! s'écria Zarya. Je crois qu'elle est dotée d'intelligence.

— Intelligente ou pas… je ne me laisserai pas avoir par de la simple fumée, fulmina le garçon tout en déployant son sceptre magique. *Fulgaratio limitarium !*

L'éclair verdâtre sortit tout droit de son rameau pour atteindre le nuage en plein centre. Mais il passa au travers pour aller frapper la porte derrière lui.

Zarya, tenant fermement une pierre de citrine dans une main, leva l'autre main en direction du nuage. *PPSSHH!!* Un jet de feu orangé sortit de sa main droite, comme s'il s'agissait d'une gueule de dragon crachant du feu... Sous l'effet de la surprise, Elliott recula d'un pas.

Malgré ces virulentes attaques, le nuage était toujours là.

Le garçon se tourna instinctivement vers l'endroit d'où ils étaient venus et aperçut, à la sortie du tunnel, cinq hommes descendant les marches rapidement pour se rendre au bouclier protecteur.

— Zarya, nous avons de la compagnie, lâcha-t-il fébrilement.

Brusquement, le nuage fonça sur Zarya qui l'esquiva de justesse. Puis il saisit Elliott par le bras et le traîna sur le sol poussiéreux, sous les cris horrifiés de son amie.

Le nuage enveloppa le jeune druide-gaïen et s'éleva au-dessus de la tête de Zarya. Celle-ci se rappela, avec frayeur, que lorsque l'entité avait saisi la bête, elle l'avait réduite en bouillie.

— *Protectumotheras Elliott!* cria-t-elle avec une telle puissance que l'écho retentit partout dans la grande vallée.

Les bras toujours tendus vers le nuage, Zarya vit une bulle indestructible vert émeraude en sortir, puis atterrir avec force sur le sol, près d'un gros arbre. Elliott était heureusement à l'intérieur. Celui-ci fixa la jeune mage, les yeux exorbités.

La fumée opaque s'envola de nouveau au-dessus des arbres et revint charger Zarya.

Elliott sortit de la bulle protectrice qu'elle avait créée, ramassa son sceptre magique, puis alla la rejoindre à toute vitesse.

Zarya arrêta son regard sur les cheveux et les vêtements du jeune garçon.

— Tu es trempé, remarqua-t-elle.

— Ce n'est pas grave.

— Ce nuage contient une forte concentration d'humidité, en déduisit-elle avec espoir.

Le jeune druide comprit.

Au moment où le nuage s'apprêtait à les saisir, Zarya leva sa main droite et Elliott s'écria :

— *Frigidius brusco !*

Les deux adolescents firent jaillir une bruine glacée en direction de leur assaillant sans foi ni loi, dans un mouvement parfaitement synchronisé. Le nuage se figea au contact du givre et se transforma en un bloc de glace de la grosseur d'une petite voiture qui tomba brusquement, dans un énorme fracas, faisant ainsi trembler le sol sous leurs pieds.

— Zarya, ils approchent ! s'alarma Elliott en fixant les hommes qui couraient dans leur direction après avoir ouvert l'écran protecteur.

— Il faut entrer dans la tour, répondit la jeune fille en regardant la porte de métal qui lui faisait face.

Aidée du jeune garçon, elle ouvrit l'immense porte qui fort heureusement n'était pas fermée à clef. Ils la refermèrent aussi vite qu'il était possible de le faire.

— Il faut la verrouiller ! lança Elliott.

— Elle n'a pas de verrou, précisa Zarya en fouillant dans sa poche.

Elle se tourna vers la porte et déposa rapidement sur le sol une pierre noire pourvue de petits pics argentés. Cette pierre, appelée « pierre de birasgovique », avait la propriété de créer son propre mur télékinésique. Par conséquent, elle empêcherait les hommes d'entrer dans la tour.

Cela fait, un bouclier bleuté recouvrit la porte en entier.

— J'aime bien tes trucs ! s'exclama Elliott, ébahi.

— Ça devrait les retenir un bon moment, répondit Zarya, qui faisait confiance à la technologie attilienne.

Elle se tourna brusquement vers le bruit assourdissant produit par le Souffle du diable.

— Je n'aime pas ce bruit, dit Elliott.

Zarya sortit son cristal pour s'éclairer et constata qu'il y avait des torches accrochées aux murs. Elle s'approcha et prit de nouveau sa pierre de citrine pour les allumer.

— J'aimerais bien apprendre tous ces sortilèges, soupira le druide-gaïen, très impressionné par sa magie.

— Je suis certaine que tu peux les réaliser, Elliott. On m'a dit que vous êtes aussi évolués que nous en magie.

Le garçon sourit.

— Allons par là, proposa Zarya.

De l'extérieur, ils n'auraient jamais pu s'imaginer que l'endroit pouvait être aussi vaste. Les parois rocheuses de cet antre naturel de la dimension d'une petite église, grossièrement creusé par les siècles dans le ventre de la stalagmite, étaient couvertes de fossiles de mollusques terrestres très anciens. En contournant une colonne qui avait été formée par les gouttes d'eau minéralisées du haut plafond, Zarya vit une porte métallique près d'un gour asséché. Elliott s'y précipita, convaincu que c'était là qu'était enfermé son oncle Ewan.

Sur la pointe des pieds, il regarda par la petite ouverture, puis s'écria :

— Oncle Ewan !

— Elliott ! C'est toi ?

Une main d'homme apparut aussitôt à travers l'ouverture et ébouriffa la chevelure du jeune garçon.

— Mais que fais-tu ici, jeune garnement ? demanda Ewan d'une voix émue.

— Je suis venu te libérer.

— Mais comment as-tu fait ?…

— Il est venu nous sortir d'ici ? dit une voix féminine, derrière Ewan.

— J'en ai bien l'impression ! répondit l'oncle à la jeune prisonnière.

— Dieu merci ! s'exclama-t-elle en s'approchant de lui.

— Tu n'es pas seul ? s'informa Elliott.

— Non, je suis avec une jeune demoiselle. Et qui est cette fille derrière toi ? demanda Ewan à son tour en regardant Zarya par-dessus l'épaule de son neveu.

— C'est une amie. Elle est venue me donner un coup de main pour te… je veux dire : pour vous faire sortir d'ici, se reprit Elliott en regardant l'adolescente qui se trouvait derrière son oncle.

— J'ignore de quelle façon vous allez vous y prendre, déclara son oncle. J'ai déjà essayé avec mon sceptre magique, mais la porte semble avoir été trafiquée par la magie noire.

— Ils t'ont laissé ton sceptre magique ?! s'étonna le garçon.

— Oui, pour que je leur fabrique la potion… la potion dont Plumard t'a parlé dans son message, murmura Ewan, tout en regardant la jeune gothique du coin de l'œil.

— Tu peux lui faire confiance, mon oncle. Elle est au courant de tout.

— Ah oui ?!

— Il faudrait y aller ! suggéra Zarya en posant sa main sur l'épaule d'Elliott.

— Oui, oui, bien sûr ! Est-ce que tu as un truc pour ouvrir cette porte ? demanda ce dernier.

L'adolescente examina la porte.

— Il n'y a pas de serrure ! fit-elle, surprise. Mais comment ont-ils fait pour la fermer de cette façon ?

— Par la magie ! répéta Ewan.

— Alors, c'est avec de la magie qu'on va l'ouvrir, déclara l'adolescente sur un ton montrant qu'elle était bien décidée à réussir.

— Malheureusement, je ne crois pas que ça va fonctionner, soupira Ewan, visiblement déçu.

— On pourrait réessayer, mais cette fois en combinant nos forces, proposa son neveu.

— D'accord, les enfants ! s'exclama l'oncle qui voyait finalement une lueur d'espoir. On va surchauffer les gonds tous en même temps.

— Comment dois-je faire ? demanda Elliott à Ewan.

— *Focus totalis!* répondit celui-ci en lui faisant un clin d'œil.

— D'accord.

Zarya, Elliott et Ewan s'installèrent.

— Maintenant ! s'écria l'homme.

— *Focus totalis!!* lancèrent les deux druides-gaïens à l'unisson.

Zarya avait la main gauche tendue vers le gond du bas, et le feu sortait de sa main droite sans relâche. Son bâton druidique pointé dans la même direction, Elliott affichait un demi-sourire en exécutant son nouveau sortilège.

— Regardez ! Je crois que ça fonctionne, se réjouit le garçon en voyant le gond qui rougissait à vue d'œil et commençait à fondre sous l'effet de la chaleur extrême.

— L'autre maintenant, dit Zarya qui leva le bras, tenant toujours la pierre de citrine dans l'autre main.

Cela fait, elle ordonna à l'homme et à sa compagne de cellule de se mettre à l'abri au fond de la pièce, derrière la table de pierre.

La jeune mage s'installa dans une position confortable et lança une boule télékinésique en direction de la porte de métal affaiblie. « Bang ! » La porte fut projetée à l'autre bout de la pièce sous le regard admiratif du jeune druide-gaïen.

— Bravo ! lança Ewan, très impressionné également, en sortant enfin, et sans regret, de l'étroite prison, et devinant que l'adolescente vêtue de noir était une mage.

Même si Elliott lui avait mentionné que son oncle possédait une chevelure ébouriffée bleue, Zarya fut tout de même étonnée par cette couleur qui ressemblait étrangement à la teinte du sammael, cette fameuse boisson d'un bleu azur qu'elle aimait tant.

L'homme de grande taille, vêtu d'un pyjama jaune à rayures longitudinales rouge cerise et chaussé d'affreuses pantoufles de feutre grossièrement brodées, prit son neveu dans ses bras en lui disant :

— Tu as réussi à obtenir ton sceptre magique ? Je suis fier de toi !

— Mais que fais-tu en pyjama ?

— Ils m'ont enlevé alors que je prenais mon petit-déjeuner !

L'adolescente qui était avec Ewan dans la cellule s'approcha de Zarya qui la reconnut illico : c'était la jeune sorcière qu'elle avait vue à deux reprises.

— Merci ! lui dit la jeune fille qui s'appelait Camille, reconnaissante.

Zarya regarda tour à tour la sorcière et Ewan.

— Quand j'ai ouvert les yeux dans cette cellule et que j'ai vu un homme en pyjama avec des cheveux bleus, j'ai cru que j'étais morte, murmura Camille en regardant le visage étonné de Zarya.

— J'imagine ! s'exclama cette dernière. Mais comment ont-ils fait pour t'emmener ici ?

— Quand on a quitté le village de Kahi, le satyre m'a emmenée directement dans un grand manoir. Plus tard, je me suis réveillée dans cette pièce. J'ignore ce qu'ils me veulent.

— Ça va bien aller, maintenant, lui assura Zarya en souriant.

— Ils ont brisé ma baguette, fit Camille, attristée. Elle m'était précieuse.

Zarya fouilla dans sa poche.

— *Emplificatus!*

Soudain, sa baguette magique, qui était au creux de sa main, s'allongea, devenant légèrement plus grosse qu'une aiguille à tricoter.

— Tiens ! dit Zarya en tendant la baguette à la jeune sorcière. Elle te sera plus utile qu'à moi.

— Mais… mais je ne comprends pas ! balbutia Camille. Et toi ?...

— Il n'y a rien à comprendre, déclara Elliott. C'est comme ça !

— Nous devons absolument quitter cet endroit, intervint Ewan. Mais ne vous inquiétez pas, j'ai une très bonne idée !

— Comment vas-tu faire, mon oncle ?

— Ils m'ont menacé pour que je leur fabrique la *pulverem motivus*. Mais, curieusement, il me manquait seulement cet ingrédient pour la terminer, expliqua-t-il de son air malin en faisant un clin d'œil à son neveu et en sortant de sa poche une petite bouteille contenant une poudre jaune canari.

— Mais pourquoi ne pas l'avoir fabriquée avant et utilisée pour t'enfuir d'ici ? demanda le garçon, perplexe.

— Parce qu'ils ont jeté un puissant sortilège tout autour de la tour qui empêchait ton oncle d'utiliser la potion, répondit Zarya en éprouvant une sensation désagréable de vide autour d'elle.

— Tu as raison, ma chère, dit Ewan sur un ton admiratif. Alors, si nous voulons nous téléporter, nous devrons le faire en dehors de cette tour.

— Il y a des hommes à l'extérieur, signala Elliott, contrarié.

— Quand ils m'ont emmené ici, je n'avais pas mon sceptre magique sur moi. Mais, maintenant que je l'ai, dit l'homme en le montrant fièrement, je peux très bien me défendre contre ces vieilles limaces gluantes.

Elliott regarda son oncle avec fierté.

Zarya recula de deux pas et jeta un coup d'œil en direction du Souffle du diable : un vrombissement infernal se fit de nouveau entendre.

— Moi, j'ai quelque chose à terminer avant de quitter cet endroit ! Partez sans moi !

— Non, Zarya ! Viens avec nous, la supplia Elliott en s'avançant vers elle. Tu ne peux pas rester ici, seule.

— Maintenant que tu as retrouvé ton oncle, fit Zarya, moi, je dois poursuivre ma quête.

— Quelle est ta quête ? demanda Ewan, intrigué.

— Je dois trouver un objet qui me permettra de sauver l'âme de mon ami. Il est dans un profond coma, expliqua-t-elle en baissant les yeux. Il est… égaré dans les limbes.

— Quel est donc l'objet qui pourrait le faire sortir de cet étrange endroit ? l'interrogea Ewan avec sa soif de tout comprendre.

— Le Grimoire de Trotsky.

Camille recula d'un pas, les yeux exorbités. Sans aucun doute, elle connaissait la réputation exécrable de cet objet maléfique.

— Tu es certaine qu'il est ici ? lança Elliott.

— Je peux ressentir le mal qu'il dégage. Je suis certaine qu'il est en haut de cette tour.

— J'ai vu Oswald Leskovac aller par là, dit Ewan en pointant du doigt l'endroit d'où provenait le bruit intermittent du Souffle du Diable.

Il sembla tout à coup songeur. Puis il lui demanda :

— Tu vas l'utiliser comme une passerelle pour aller le chercher, n'est-ce pas ?

— À peu de chose près, oui.

De toute évidence, ce druide-gaïen était surdoué, pensa immédiatement Zarya, surprise qu'il ait deviné une partie de son projet.

— C'est une chose qui peut être envisageable, dit-il en se frottant le menton, semblant réfléchir profondément. Je dois cependant t'avertir d'un détail important que tu ne dois pas ignorer avant d'entreprendre cette incroyable odyssée transcendante. Lorsque tu vas te rendre à l'endroit où se trouve ton ami, puis au moment où tu voudras le ramener dans notre réalité, et je suis sûr que tu vas réussir, précisa-t-il en posant sa main sur l'épaule de Zarya, il se peut que le transfert se fasse avec un... détachement !

— Un détachement ?

— Toutes les personnes qui se sont momentanément séparées de leur corps disent la même chose, spécifia le savant qui avait déjà fait une dissertation sur le livre d'Ursule de Sébaste, intitulé *La relance à la vie*, lorsqu'il était encore étudiant. Elles reviennent avec un certain détachement. Pour toi qui vas quitter ton corps seulement pour quelques instants, il n'y aura pas de cassure importante. Mais, dans le cas de ton ami, c'est différent. Je devine qu'il a quitté son corps depuis un certain temps...

Zarya acquiesça d'un signe de tête.

— Alors, ces liens qui vous unissent seront peut-être... et je dis bien « peut-être »... rompus lorsqu'il va revenir.

— Peut-on faire quelque chose pour empêcher ça ? demanda la jeune fille, consternée.

— Je n'en sais rien... Je suis vraiment désolé, répondit Ewan en la fixant d'un air navré.

La chute de l'ange

Zarya inspira lentement une goulée d'air et la rejeta d'un seul coup. Elle avait l'impression qu'elle venait de se faire casser les deux jambes. Un éclair d'affliction traversa son visage. L'adolescente se retourna de telle manière que ses compagnons ne le remarquent pas ; elle respira profondément de nouveau pour conserver le contrôle d'elle-même.

Après ces semaines d'anxiété et de fébrilité, son obsession de revoir Jonathan était à son comble. Peu importe la cassure ou le détachement dont Ewan lui avait parlé, elle devait poursuivre sa quête au mépris des lourdes conséquences qui pourraient en résulter.

— Si je ne le fais pas pour notre amour, alors je le ferai pour lui ! dit-elle au savant. Quoi qu'il advienne, je dois absolument aller en haut de cette tour.

— Alors, laisse-moi y aller avec toi, Zarya, déclara Elliott en s'approchant d'elle.

— Ta mission est de ramener ton oncle et Camille dans un endroit sûr. Moi, tu sais, je peux très bien me débrouiller seule avec tous mes « trucs », répondit-elle avec un clin d'œil entendu. Je te suis reconnaissante de m'avoir aidée à me rendre jusqu'ici, saine et sauve. Pour l'heure, c'est eux qui vont avoir besoin de toi. Il ne faut pas oublier qu'il y a des hommes à l'extérieur qui vous barrent la route.

— Elle a raison, Elliott, approuva son oncle. Nous aurons besoin de toi pour combattre ces truands. Tout compte fait, c'est probablement la meilleure façon d'aider ton amie.

Elliott le regarda en montrant délibérément son mécontentement. Cependant, il savait parfaitement où Ewan voulait en venir.

— Elle pourra avoir la liberté de se rendre en haut de cette tour sans être dérangée par eux, précisa finalement son oncle.

Zarya s'approcha du garçon et l'étreignit affectueusement en lui chuchotant à l'oreille :

— Je ne t'oublierai jamais, Elliott. J'espère de tout mon cœur qu'on se reverra bientôt.

— Je l'espère aussi, fit-il en rougissant légèrement. J'ignore le nom de ton ami, mais je souhaite que tu réussisses à le ramener.

La jeune mage lui sourit.

— Il s'appelle Jonathan. Mais, Elliott, j'ai une dernière chose importante à te demander : si l'on te pose des questions à propos de cette aventure… eh bien, je n'ai jamais existé !

L'adolescent fronça légèrement les sourcils.

— D'accord !

— Mademoiselle, appela Ewan. Près de cette porte, je vais déposer un flacon de *pulverem motivus*. Donc, lorsque tu auras terminé, reviens ici, prends la potion et n'oublie surtout pas de te rendre à l'extérieur pour la faire fonctionner. Tu n'auras qu'à la verser à tes pieds, en pensant très fort à l'endroit où tu voudras te téléporter.

Le savant s'approcha de la jeune fille et lui serra la main.

— Je te souhaite bonne chance, mademoiselle ! Et j'ai la forte impression que nos chemins vont de nouveau se croiser.

Camille s'approcha à son tour.

— Je te remercie infiniment de m'avoir donné ta baguette, dit-elle. Elle est très jolie.

— Fais-en bon usage !

Un pli soucieux barra le front de la sorcière.

— Je t'en prie, sois prudente, l'exhorta-t-elle en se tournant vers le bruit horrible émis par le Souffle du diable.

Zarya lui fit un demi-sourire avant de pivoter sur ses talons.

— Allez, vous deux ! J'ai une petite surprise pour nos amis à l'extérieur.

Ce furent les dernières paroles que Zarya entendit avant de s'enfoncer plus profondément dans la Tour des ombres. Elle se dirigea vers ce grondement assourdissant, cette épouvantable plainte rauque, en croyant instinctivement qu'elle trouverait là le passage qui la mènerait en haut de cette tour. Si elle avait un peu de chance, c'était peut-être un ascenseur, comme celui qu'Elliott et elle avaient pris pour descendre dans la grande vallée. En contournant une paroi rocheuse, elle s'arrêta net devant une énorme crevasse. « C'est donc ça, le Souffle du diable ! » pensa-t-elle en regardant prudemment vers le bas : ouvert à ses pieds, un abîme ténébreux, insondable, où un vent déchaîné mugissait avec fureur, provenant directement du centre de la Terre.

Le vent cessa.

Zarya leva les yeux vers le haut et aperçut une galerie verticale. Ce passage étroit, rempli d'ombre et de silence, servait de cheminée pour les exhalaisons de vapeur chaude, qui montaient par intermittence ; il menait effectivement en haut de cette formation rocheuse. Cependant, aucun escalier et encore moins un ascenseur ne l'attendait. La jeune fille s'étira le cou dangereusement au-dessus du gouffre pour observer, à l'aide de son cristal, le tunnel montant. La paroi semblait lisse comme du verre. Même une araignée aurait eu de la difficulté à y grimper. Zarya plongea son regard vers le bas et entendit un grondement lointain. Elle comprit, en remarquant qu'il y avait de l'eau minéralisée sur le sol, que c'était ce phénomène naturel qui, au fil des siècles, avait fabriqué cette stalagmite.

Malheureusement, il n'y avait aucun « truc » dans sa poche, comme aurait si bien dit Elliott, qui eût pu l'aider à grimper cette cloison interminable. Selon son estimation, le Souffle du diable allait se faire entendre de nouveau d'un instant à l'autre.

Brusquement, elle recula d'un pas, ayant tout à coup une folle idée.

« Non, c'est une chose insensée ! »

Elle regarda vers le bas, puis encore vers le haut.

« Ne fais surtout pas ça, Zarya ! » se dit-elle en regardant de nouveau vers le bas.

Elle entendit le vent rugir de plus en plus fort. Le Souffle du diable approchait…

◊ ◊ ◊

Pendant ce temps, à l'extérieur de la tour, les cinq hommes essayaient par tous les moyens de forcer l'entrée à l'aide de leur sceptre magique. La porte était à présent trouée de toutes parts, tel un gruyère, mais elle refusait toujours de s'ouvrir.

— Que se passe-t-il ? demanda de sa voix glaciale Oswald Leskovac, qui venait de se joindre à eux. Pourquoi n'avez-vous pas encore réussi à ouvrir cette fichue porte ?

— Il y a quelque chose de puissant qui la tient fermée, patron, répondit nerveusement l'un des hommes.

— Pourquoi suis-je obligé de tout faire par moi-même ?! cracha Oswald en sortant son bâton druidique de son veston.

Les hommes reculèrent de plusieurs pas pour laisser passer leur patron, puis celui-ci pointa sa branche vers la porte. Toutefois, avant qu'il n'ait eu le temps de formuler un sortilège, la porte s'ouvrit.

Les gardes et Oswald ne bougeaient pas d'un centimètre, attendant la suite. Voyant qu'il ne se passait rien, ce dernier ordonna à ses hommes de pénétrer dans la tour. Ceux-ci avancèrent d'un pas prudent en tenant fermement leur bâton devant eux. Il leur restait deux mètres à parcourir pour atteindre la porte lorsqu'ils s'arrêtèrent net. Un bruit étrange provenait de l'intérieur ; c'était autre chose que le Souffle du diable. Tout à coup, un vent léger traversa le seuil de la porte, accompagné d'une fine poussière rosée qui couvrit les hommes en entier. Craintif, Oswald recula, tandis que les gardes se regardaient les uns les autres en haussant les épaules.

— Vas-y en premier, toi ! dit l'un d'eux à son partenaire.

Troublé par l'étrangeté de la chose, celui-ci s'avança en déglutissant avec difficulté. Il était à présent dans l'entre-bâillement de la porte et la poussa complètement. Il jeta un coup d'œil à ses collègues, puis à son patron, pour finalement entrer.

Une minute passa.

— Noooooon !!! hurla soudain l'homme qui sortit de la tour en courant comme un fou.

Il passa à toute vitesse à côté de ses compagnons sans même tourner la tête vers eux. Il s'enfuit en prenant la direction de la forêt sous le regard indifférent d'Oswald. Celui-ci ordonna aux quatre autres d'y aller à leur tour. Ils s'entreregardèrent et s'exécutèrent sans oser contredire leur patron, ayant probablement plus peur de lui que de la chose qui se trouvait à l'intérieur.

En entrant dans la Tour des ombres, ils remarquèrent qu'il y régnait un silence de plomb : le Souffle du diable ne rugissait plus. Ce n'était pas la première fois que ces hommes pénétraient en ce lieu. Pourtant, cette fois, il y avait quelque chose de différent. L'atmosphère était lourde et inquiétante. Les torches sur les murs crépitaient d'une manière anormale : outre la couleur exceptionnellement verdâtre qui s'en dégageait, on aurait dit qu'elles vacillaient au ralenti. Les quatre hommes semblaient terrifiés par cette manifestation surnaturelle.

— Ils bougent ! dit l'un d'eux.

— Quoi donc ?

— Les murs… Ils bougent ! balbutia-t-il avec frayeur.

À n'en pas douter, voir des parois rocheuses ondoyer comme un rideau dans un vent léger aurait donné la chair de poule au plus courageux de ces hommes. Alors qu'il regardait l'une des colonnes montantes de la caverne, l'un d'eux remarqua que les mouvements de sa propre ombre ne semblaient pas correspondre à ceux qu'il faisait. Il essaya de se convaincre qu'il s'agissait d'une simple illusion d'optique, certainement provoquée par le vacillement des flammes. Cependant, il ne put s'empêcher de s'approcher davantage de la paroi rocheuse pour s'en assurer. Vu de près, tout semblait normal… sauf que lorsqu'il tendit le bras vers son ombre, la silhouette noire s'extirpa du mur pour foncer droit sur lui. Il se jeta sur le sol, bras par-dessus sa tête. L'ombre ténébreuse tournoyait en spirale au-dessus du grand gaillard qui pleurnichait à présent comme un petit bébé.

Oswald Leskovac pénétra dans la tour et jeta un regard méprisant à ses hommes qui battaient des bras comme s'ils étaient attaqués par un essaim d'abeilles invisible.

— Bande d'imbéciles ! dit-il sèchement sans même leur porter secours.

Sans se soucier de la raison de toute cette mascarade, il se dirigea, sans se retourner, vers le centre de la tour : quelque chose le préoccupait d'abord et avant tout.

◊ ◊ ◊

« Ne fais surtout pas ça, Zarya ! » se dit-elle en tenant fermement la Sphère d'Agapè entre ses mains.

Elle entendit le vent rugir de plus en plus fort, tel un lion furieux fonçant sur sa pauvre proie. Le Souffle du diable approchait et la jeune gothique se lança délibérément dans le profond gouffre en criant :

— *Protectum !*

Elle tomba d'une dizaine de mètres, enveloppée dans une bulle vert émeraude. Sa chute fut ralentie par le souffle qui allait en sens contraire. Accroupie sur ses talons, Zarya distingua une petite lueur curieusement ambrée au sommet du tunnel. Elle remarqua, par la même occasion, que la paroi défilait trop rapidement. En tenant compte de la vitesse à laquelle elle se déplaçait dans cette haute cheminée cylindrique, elle devinait qu'elle serait projetée dans le vide comme la vapeur qui la poussait. Il lui faudrait impérativement créer un mur télékinésique dès qu'elle aurait atteint la crête. Elle se doutait bien que le choc serait terrible et indubitablement douloureux. Cependant, c'était la seule solution qui lui venait à l'esprit.

Alors qu'il ne lui restait plus que quelques mètres à parcourir, Zarya se prépara à créer son propre bouclier...

« Mais... qu'est-ce que c'est que cette chose ?! »

Avant d'atteindre le sommet, elle remarqua qu'une étrange substance vaporeuse jaune ambré y scintillait comme des milliers d'étoiles minuscules. La matière surnaturelle laissa passer la vapeur chaude sans contrainte. Par contre, la bulle vert émeraude, à l'intérieur de laquelle Zarya se trouvait, fut ralentie au moment où elle la toucha. L'adolescente se laissa rouler en dehors du sortilège d'agrippement pour être certaine de ne pas se faire brûler par la vapeur chaude. Puis elle désactiva son protectum.

— Quelle étrange magie !

Elle fit demi-tour et aperçut un petit passage devant elle.

Zarya avança d'un pas prudent en ressentant une incroyable fébrilité, faite d'espoir et d'avidité. Même si elle s'était préparée à cet instant, un violent frisson la parcourut de la tête aux pieds quand elle le vit :

— Le Grimoire de Trotsky !

Il était là, sur un socle de pierre, recouvert d'un champ protecteur fort étrange. On aurait dit une vingtaine d'électrons noirs tournant lentement autour de leur noyau, celui-ci étant évidemment le grimoire. Zarya n'avait jamais vu un champ de protection de cette sorte, pas plus qu'elle n'en avait entendu parler, même dans ses cours sur les pierres et les cristaux magiques donnés par le professeur Razny.

D'allure très ancienne avec son écriture indéchiffrable rouge sang, ayant un pentacle inversé au centre de la couverture, le grimoire était plus petit que la jeune fille ne l'avait imaginé. Cela ne l'empêchait pas de dégager tellement de méchanceté qu'elle avait de la difficulté à respirer normalement. Zarya s'approcha doucement de l'objet maléfique en le fixant de ses yeux perçants. Elle se trouvait à peine à un mètre du socle quand l'un des électrons sortit de sa trajectoire pour foncer sur elle. La mage créa un bouclier juste à temps en faisant un bond en arrière. La particule noirâtre retourna parmi les autres.

Bien concentrée, Zarya tendit la main droite et essaya de faire léviter le livre dans sa direction. Cependant, comme elle s'en était un peu doutée, seul un léger crépitement se fit entendre lorsque son champ télékinésique entra en contact avec le bouclier protecteur druidique.

Elle utilisa ensuite la pierre de citrine pour faire jaillir un feu intense dans la même direction, en prenant bien soin de ne pas viser le grimoire que, bien entendu, elle ne voulait pas prendre le risque de brûler. Toutefois, le bouclier était toujours là. Désappointée, la jeune mage remit la pierre dans sa poche.

— Il est indestructible, ce bouclier, précisa une voix derrière elle.

Zarya se retourna vivement.

Elle reconnut Oswald Leskovac qui se tenait dans la pénombre, à quelques mètres d'elle.

— N'êtes-vous pas censée veiller sur la fille du maire, jeune demoiselle ? demanda-t-il avec un sourire mauvais. Après notre entretien, je ne vais pas manquer d'aller lui parler de votre comportement irresponsable.

Le cœur battant à tout rompre, Zarya ne put répondre.

— Laissez-moi deviner, dit-il en s'approchant d'elle avec son sceptre magique dans sa main.

La jeune fille recula vers une fenêtre, s'efforçant de garder la plus grande distance possible entre cet homme et elle.

— Vous cherchiez les toilettes, continua-t-il, et vous vous êtes retrouvée ici ! Avouez que c'est un classique, vous ne trouvez pas ?

À cet instant, Zarya regarda le grimoire en biais.

— Ne me dites pas que vous voulez… ce livre ? demanda Oswald, qui avait remarqué le mouvement de ses yeux. En voyant votre magnifique corps, je peux très bien comprendre que vous vouliez le conserver pour l'éternité…

— Je ne le veux pas pour cette raison, l'interrompit l'adolescente, sentant une poussée d'adrénaline se répandre dans toutes ses veines. Je veux que vous cessiez de faire du mal à d'innocentes jeunes filles pour satisfaire votre désir de vivre éternellement !

— Tiens, on croirait entendre mon frère !

En souriant, Oswald s'approcha du grimoire maléfique. Curieusement, le champ protecteur réagissait d'une façon différente à son contact. Les électrons noirs tournant autour du grimoire passèrent au travers du corps presque bicentenaire de l'homme. Celui-ci semblait absorber cette magie noire comme de l'énergie pure. Toujours près de la fenêtre, Zarya remarqua un détail qui lui avait échappé jusque-là. Sur le devant du piédestal où était posé le Grimoire de Trotsky, il y avait une cavité à l'intérieur de laquelle quelque chose semblait baigner dans un liquide transparent. La jeune fille leva légèrement la tête pour être en mesure de voir de quoi il s'agissait. Ses yeux s'écarquillèrent.

Oswald remarqua sa stupéfaction.

— En effet, c'est mon cœur !

Zarya le fixa avec dégoût.

— Ce grimoire conserve mon cœur jeune et en bonne santé. Par contre, je dois faire quelques… sacrifices.

— Vous utilisez plutôt des sacrifiées ! objecta-t-elle avec force.

— Oui, excusez-moi, dit-il sarcastiquement, vous avez raison, je me suis mal exprimé. J'utilise de jeunes sorcières comme… vous, d'ailleurs. N'est-ce pas, mademoiselle ?

Un frisson de frayeur parcourut Zarya. Elle voulait utiliser le grimoire pour sauver l'âme de son amoureux. Et voilà qu'elle risquait maintenant d'être tuée, à cause de ce livre, par ce monstre sans scrupules qui ne reculait devant rien pour assouvir ses insatiables besoins.

La main de la jeune mage s'approcha de sa poche pour y prendre une pierre de combat, mais, le remarquant, Oswald la pointa avec son bâton.

— Vous faites un geste de plus, et je vous brûle sur place, dit-il de sa voix menaçante. Levez vos mains au-dessus de votre tête.

Il fit léviter les objets qui se trouvaient dans la main de Zarya et les déposa dans sa propre main.

— Des pierres ?! Qu'est-ce qu'une sorcière comme vous fait avec des pierres ? Vous vouliez me les lancer ? demanda-t-il avec un petit rire moqueur. Donnez-moi aussi votre sac, et sans mouvement brusque, je vous prie.

Zarya lança son sac à dos à ses pieds.

Oswald se pencha pour le prendre, en prenant bien soin de garder un œil sur elle.

— Où est votre baguette ?

La jeune fille hésita un peu.

— Elle est tombée dans le gouffre, répondit-elle.

— C'est vraiment dommage ! De toute façon, vous n'en aurez plus besoin, fit l'homme avec un certain plaisir dans la voix, remarquant qu'elle avait eu une réaction immédiate en entendant cette dernière phrase.

Il jeta le sac sur le sol, leva son sceptre magique dans sa direction.

— J'imagine que mes hommes ont laissé s'enfuir le savant et la jeune sorcière. Je vais retrouver sans peine cet Ewan. Pour ce qui est de la jeune sorcière, ce n'est pas bien grave non plus, puisque j'en connais une qui va prendre sa place immédiatement, dit-il en regardant, par une fenêtre, la pleine lune qui perçait les nuages, derrière Zarya. Ne bronchez pas, ma chère ! Ça ne devrait pas être long… un peu douloureux, certes, mais de courte durée.

Les yeux grands ouverts, Zarya se concentrait intensément sur les moindres gestes d'Oswald. Elle n'avait pas beaucoup d'expérience du combat réel. Cependant, comme les professeurs le lui avaient expliqué à maintes reprises, elle devait impérativement garder la tête froide, ne pas perdre sa concentration, sinon c'était perdu d'avance. Il est vrai qu'elle n'avait jamais combattu un druide auparavant ; elle ne connaissait pas l'étendue de ses pouvoirs, et encore moins le genre de sortilèges qu'il pouvait créer avec son sceptre magique.

Zarya porta son regard sur les narines dilatées de l'homme, puis elle fixa ses lèvres : il s'apprêtait à lui jeter un sort. Elle baissa les bras.

— *Exclariare mortem !* cria-t-il.

Un éclair rouge vif sortit de son bâton et vint frapper de plein fouet le bouclier que Zarya avait formé juste à temps. En voyant que l'homme fixait sur elle des yeux écarquillés, l'adolescente fit un pas de côté en abaissant son mur de protection, puis elle lui lança une boule télékinésique.

Oswald forma un bouclier à son tour en lui disant :

— Vous êtes une mage ?!

— Je le suis ! répondit-elle, toujours sur ses gardes.

Mais avant qu'il n'ait pu réagir, Zarya lança :

— *Afhalen totalis !*

Les cheveux volant dans le vent qu'elle venait de créer, elle regarda la poussière qui recouvrait le sol s'élever pour former un puissant vortex. La mage exécuta des mouvements circulaires avec ses bras, et le sortilège d'Afhalen fonça à vive allure sur l'homme qui n'avait pas soupçonné de tels pouvoirs chez son adversaire. Ce dernier abaissa son bâton pour couvrir ses yeux et Zarya en profita pour lui lancer de nouveau une boule télékinésique en plein estomac : il tomba sur le sol, ébranlé.

La poussière retomba.

Pendant qu'Oswald était étendu par terre, la jeune fille se pencha pour ramasser ses pierres de combat, mais, à cet instant précis, elle entendit un bruit provenant de l'une des fenêtres, derrière elle : c'était l'oiseau au plumage vert très vif qu'elle avait vu à deux reprises. Zarya le regarda droit dans les yeux : « Pourquoi cet oiseau me suit-il ? » se demanda-t-elle. Curieusement, la bête à plumes hocha son bec en direction d'Oswald Leskovac qui était en train de se relever.

— Je ne sais pas qui vous êtes, mais vous me mettez vraiment en colère ! dit-il de sa voix menaçante.

Il frappa le sol avec son sceptre.

— *Unire umbra !*

C'était un sortilège de magie noire parmi les plus mystérieux qu'il fût possible de voir. Zarya regarda partout autour d'elle : tous les recoins, les moindres traces d'ombre qui existaient en ce lieu étrange fusionnèrent en un seul tout. Devant la jeune gothique, une silhouette difforme flottait près d'Oswald.

Le sourire aux lèvres, ce dernier lui dit :

— Maintenant, voyons voir ce que vous pouvez faire avec ça, petite mage. *Assalire !* cria-t-il en balayant l'ombre de son bâton.

La silhouette fonça tout droit sur la fille. Celle-ci créa encore un bouclier pour se protéger. Cependant, l'ombre ensorcelée passa au travers sans difficulté, à la grande surprise de Zarya. L'adolescente battait des bras pour l'éloigner, sous le regard amusé de l'homme, mais sans succès. Elle tomba à genoux. Ce terrible sortilège l'empêchait de respirer ; il l'enveloppait totalement.

— Maintenant, que vas-tu faire pour sortir de cette impasse ?

Depuis trente secondes qu'elle ne pouvait respirer, les mains plaquées sur le sol, Zarya sentait sa mort approcher. Ses poumons commençaient à brûler atrocement. Elle tenta de respirer, mais c'était comme si elle avait eu la tête dans un sac de farine. Tout devenait de plus en plus flou autour d'elle. Elle distinguait à peine le visage blême d'Oswald qui la regardait de son sourire méprisant. Serait-ce le dernier visage qu'elle verrait dans le monde des vivants ? Pas question ! Elle tourna la tête en direction de l'oiseau qui était toujours perché sur le bord de la fenêtre : tout compte fait, c'était peut-être un ange qui venait la chercher.

Malgré son regard embrouillé, Zarya crut pendant un instant qu'il lui désignait, avec son aile, quelque chose qui se trouvait sur le sol, près d'elle. Quarante-cinq interminables secondes étaient passées depuis le début de son atroce asphyxie. La jeune fille tourna son regard vers l'endroit que l'oiseau lui indiquait: les pierres de combat étaient à sa portée. L'une d'entre elles, lui sembla-t-il, pouvait l'aider à se libérer de ce piège morbide: l'azoth, un petit cristal transparent. Son tortionnaire lui faisait dos à présent. La main sur le Grimoire de Trotsky, il semblait refaire le plein d'énergie grâce à cette chose infâme. De toute évidence, Oswald avait été très ébranlé par son adversaire et il devait impérativement reprendre des forces. Pendant ce temps, Zarya saisit l'azoth de sa main froide et tremblante, puis, avec l'infime force qui lui restait, elle le frotta: il se mit à briller. L'énergie canalisée grâce aux chakras évolués de la mage se diffusa en une lumière astrale intense et pure, laquelle dissipa totalement le maléfice de l'ombre qui la tenait prisonnière entre ses griffes de la mort. L'adolescente prit enfin une profonde inspiration pour emplir au maximum ses poumons d'air. Encore un peu étourdie, elle se releva.

En voyant une lumière derrière lui, Oswald pivota sur ses talons et constata avec étonnement que la mage avait réussi à se libérer.

— Sale gamine ! *Exclariare mortem !* cria-t-il, fou de rage.

— *Protectum !* fit-elle.

L'éclair rouge vif sortant du sceptre magique de l'homme vint frapper violemment la bulle vert émeraude que Zarya avait formée. Debout dans son protectum près de son ange gardien, celle-ci regardait l'effroyable éclair qui butait sans relâche contre la paroi translucide. Elle ne pouvait rester dans cette position indéfiniment ; elle devait absolument faire quelque chose pour mettre fin à ce violent affrontement. Alors, elle referma ses bras en croix sur sa poitrine et prit une profonde inspiration…

Zarya voulait tenter le Torden, ce pouvoir incroyablement puissant qu'elle avait hérité de sa grand-mère Martha. Cependant, un doute planait dans son esprit : elle se souvenait du test d'évaluation qu'elle avait passé au début de l'année. Le résultat qu'elle avait obtenu était médiocre comparativement à celui de l'année précédente. Aussi, maintenant qu'elle devait absolument utiliser ce pouvoir qui requérait une énergie considérable, elle se demandait si elle serait capable de le réaliser.

« Je suis trop près du but ! pensa-t-elle. Le Grimoire de Trotsky est à ma portée et cet homme doit cesser ses meurtres à tout prix ! Et puis, je dois récupérer au plus vite ce grimoire pour toi, Jonathan ! »

Soudain, Zarya ouvrit ses bras en direction d'Oswald, ce qui fit disparaître instantanément le protectum. Des éclairs bleus sortirent de ses dix doigts et, dans un bruit assourdissant, allèrent frapper l'énergie du druide. Les éclairs s'entrechoquèrent violemment. Oswald tenait fermement son sceptre avec ses deux mains, et la jeune gothique était concentrée au maximum. Cette dernière ne savait pas si c'était elle qui manquait de puissance pour combattre cet homme, ou si c'était la force druidique de celui-ci qui était incomparable. Elle ne savait pas combien de temps elle pourrait tenir et, en voyant le visage de son adversaire, elle s'imaginait fort bien qu'il était en train de se poser la même question.

L'éclair bleu de la fille et l'éclair rouge de l'homme, jusqu'à présent, étaient de force équivalente. Cependant, le bleu de Zarya se mit peu à peu à gagner du terrain. Ça ne faisait aucun doute : Oswald commençait à faiblir. Il fit un pas de côté et posa sa main droite sur le Grimoire de Trotsky. Le rouge vif de son éclair devint étrangement plus violacé. C'est alors que la fulguration du druide atteignit son paroxysme, repoussant considérablement celle de la mage. L'homme, de son sourire carnassier, fixa la fille avec satisfaction : il était sur le point de mettre un terme une fois pour toutes à cet insolite combat. En voyant qu'elle perdait sérieusement l'avantage, Zarya jeta un regard à l'oiseau. Elle aurait aimé que son ange lui donne un petit coup de main, mais il se contentait de nettoyer l'une de ses ailes avec son bec. Elle reporta sa concentration sur le combat. L'éclair rouge bourgogne était à un mètre d'elle. Nul doute, elle n'avait pas atteint sa pleine puissance, et elle le sentait.

Zarya se souvint alors d'une conversation qu'elle avait eue avec son grand-père quelques semaines après sa médiocre évaluation. « Je suis tellement en colère contre ce démon, ce Malphas ! avait-elle dit avec émotion. Il m'a enlevé celui que j'aime… Je suis tellement malheureuse ! C'est sûrement pour cette raison que j'ai raté mon évaluation. Je suis vraiment désolée, grand-père ! » Gabriel avait répondu : « Ne le sois pas, ma chère enfant. Je peux comprendre ta rancœur pour ce vil personnage. Mais laisse-moi te donner un petit conseil, Zarya. » Il s'était levé de son fauteuil pour s'approcher de sa petite-fille. « Sur les ailes du temps, le ressentiment s'envole en laissant place à la tristesse. Pour l'instant, tu te trouves entre les deux. Pourtant, cette morne tristesse est l'absence absolue de désir, avait-il expliqué avec douceur. Donc, ta colère et ta tristesse sont un mur que tu as, bien malgré toi, construit entre le désir et l'épanouissement. » « Je déteste ce mur ! Ce n'est pas juste, grand-père. » « Je sais, ma chérie, je sais. Mais je crains que nous n'ayons pas d'autre choix que d'accepter la volonté du destin. Car, tu sais, la sagesse consiste à nous montrer dignes de cette volonté, quelle qu'elle soit. » Zarya avait acquiescé sans vraiment comprendre ce qu'il voulait dire.

Maintenant, cependant, elle comprenait tout : son chagrin nuisait terriblement à son cheminement, à sa progression ; elle devait mettre toutes ses émotions sur le désir intense de retrouver Jonathan, et non s'apitoyer inutilement sur son triste sort.

Toujours concentrée sur son pouvoir de Torden, et en voyant que l'éclair de Leskovac s'approchait dangereusement de sa figure, Zarya se rappela un conseil que Gabriel lui avait donné pour qu'elle retrouve son plein pouvoir :

« Dans la pénombre de la vie, le silence de l'âme est le meilleur interprète de la force divine. »

« Je dois faire le vide », pensa la jeune fille. Elle ferma les yeux et se concentra seulement sur le désir de vaincre, tout simplement.

Dès lors, elle sentit une énergie, à l'intérieur d'elle, vibrer avec force. Elle ouvrit les yeux et constata que la connexion ne se trouvait plus à quelques centimètres de sa figure, mais plutôt à un mètre de l'homme : elle avait gagné du terrain. Sa force outrepassait celle du druide, et celui-ci le savait. La main toujours posée sur le Grimoire de Trotsky, il s'écria, les yeux injectés de sang :

— Je vous en prie, Lucifer, aidez votre humble serviteur à combattre l'ennemi !

Le grimoire se mit à vibrer d'une façon terrifiante. Un vrombissement assourdissant se fit entendre, dominant le bruit que les éclairs faisaient en s'entrechoquant. Les électrons noirs tournaient, à présent, autour du sceptre magique du druide : l'éclair rouge bourgogne changea pour le noir des ténèbres.

L'oiseau, toujours perché sur le bord d'une fenêtre, observa la force inouïe du côté obscur qui se manifestait. Le point de rencontre des éclairs s'approchait maintenant de la jeune mage. Cette dernière ferma les yeux ; elle semblait être tombée dans une transe profonde. Ses cheveux se soulevèrent et une aura se répandit sur deux mètres autour de son corps. L'oiseau et le druide le remarquèrent. Zarya avait atteint le Fortitudo.

L'entrechoquement, que l'on pouvait entendre, ressemblait à un craquement prolongé. Ce bruit se transforma en un bourdonnement infernal, et il se forma une boule rouge vif en son centre.

Celle-ci grossit d'une façon alarmante pour finalement éclater avec une force assourdissante. Le druide fut projeté à l'autre bout de la pièce et tomba inconscient sous la terrible déflagration. La conséquence fut beaucoup plus tragique pour la fille, car elle fut propulsée comme un boulet de canon à travers une fenêtre. L'oiseau avait pressenti ce malheur : il avait quitté son perchoir juste à temps.

Toujours consciente, Zarya sentit que la vallée, trois cents mètres plus bas, l'aspirait à la limite de l'attraction terrestre, les pieds d'abord et les bras ballants. L'obscurité fondit sur elle ; le vent s'engouffra avec violence dans ses vêtements noirs.

Sous cette extraordinaire décharge d'adrénaline et cette sensation d'accélération incroyable, le cœur de Zarya voulait exploser. D'ailleurs, elle souhaitait ardemment qu'il le fasse, ou du moins s'évanouir, en voyant avec horreur, sous elle, la forêt, qui ressemblait à un vaste jardin japonais, se rapprocher à une vitesse vertigineuse. Elle prédit qu'elle allait à coup sûr s'écraser sur un énorme rocher vers lequel elle plongeait sans cesser d'accélérer.

Soudain, la jeune fille sentit une terrible brûlure à l'abdomen, ressemblant davantage à un déchirement intérieur. Son souhait du moment se réalisa ; son cœur voulait céder sous ce douloureux vertige interminable. Ses oreilles bourdonnaient désagréablement et ses pieds semblaient s'engourdir sous l'effet d'une crampe musculaire intense.

Curieusement, Zarya remarqua qu'elle perdait de la vitesse. Plus étrange encore, elle ne se dirigeait plus vers l'énorme rocher, mais plutôt vers un gros arbre, où l'oiseau était perché, la fixant de son regard perçant.

Ce ne fut pas un terrible « bang ! » qui accompagna sa chute, mais plutôt une fine poussière qui s'éleva lorsque ses pieds entrèrent en contact avec le sol. Elle ne comprenait plus rien. C'était peut-être finalement l'oiseau qui l'avait sauvée.

Ou peut-être que la mort n'était pas douloureuse comme elle l'avait cru. L'oiseau se posa près d'elle. Au même moment, Zarya entendit un bruit léger derrière elle.

« Impossible ! » pensa-t-elle, troublée.

Elle reporta son attention sur l'oiseau : il avait grandi considérablement. Ils étaient maintenant de la même taille. L'adolescente se tourna de nouveau et s'approcha de la chose qui était tombée sur le sol. Elle voulait s'assurer qu'elle avait bel et bien vu ce qu'elle niait avoir vu.

« C'est... c'est ma robe ! »

Trop sonnée — et il y avait de quoi ! — par cette chute vertigineuse, Zarya n'avait pas remarqué un détail très important : ses bras avaient disparu pour laisser place à une paire d'ailes. Elle regarda l'oiseau. « Je suis une cryptozoolingus... comme ma grand-mère ! » devina-t-elle, sidérée.

Elle comprit alors que l'oiseau au plumage vert était en fait l'une des amies sorcières de Martha. Elle lui demanda :

— Croakkkkk !

Ce fut seulement ce cri qui sortit de son bec. Voyant un petit étang non loin d'elle, Zarya décida de s'en approcher pour voir son reflet. Ce qu'elle aperçut dans l'eau la pétrifia et en même temps la fascina. Elle vit non pas sa chevelure noire et sa peau claire, mais plutôt une tête ressemblant à celle d'une *Harpia harpyja*, ou harpie féroce[1]. Elle déploya ses larges ailes ; celles-ci étaient aussi noires que de l'encre. Maintenant, Zarya comprenait bien des choses. Par exemple l'habillement de sa grand-mère : celle-ci revêtait les mêmes couleurs que son plumage. La jeune gothique pouvait aussi s'expliquer à présent pourquoi elle adorait le noir : cette couleur lui était prédestinée.

Zarya sentit qu'on la poussait. C'était l'oiseau qui lui donnait un coup de bec. Ce dernier fixa le haut de la tour.

---

1. La harpie féroce est une espèce d'aigle forestier d'Amérique latine, avec une envergure impressionnante de 2 mètres.

«J'allais oublier !»

L'oiseau s'envola vers la tour et Zarya comprit qu'elle devait faire la même chose.

«Comment suis-je censée faire ça ?»

Elle regarda le sommet de la Tour des ombres.

«C'est haut !»

Zarya fit deux pas en avant en donnant un puissant coup d'ailes. La poussière sur le sol s'éleva en même temps que la nouvelle cryptozoolingus.

Elle sentit un enivrement euphorique à l'idée de voler comme un oiseau. Elle survolait à présent les cimes des arbres avec une souplesse et une agilité surprenantes. Elle continua de battre des ailes en tournant autour de la tour pour arriver en face de l'une des fenêtres, où l'oiseau vert était déjà perché.

«Bon, c'est simple, il faut que j'entre par ce trou.»

Elle arriva beaucoup trop rapidement. Il fallait absolument qu'elle ralentisse. Alors, elle bomba le torse et donna un coup d'ailes vers l'avant. Zarya s'arrêta trop brusquement, mais réussit tout de même à s'agripper au bord. Elle faillit tomber à la renverse, mais l'oiseau vert la saisit par l'aile avec son bec.

«Où est le grimoire ?!»

L'oiseau vert devina son interrogation : il lui fit un signe avec son aile.

En raison de l'explosion causée par le mélange de magie blanche et de magie noire, le champ protecteur qui entourait le Livre des Morts avait été détruit. Le grimoire, toujours intact, était tombé sur le sol, près du sac à dos de Zarya.

Celle-ci leva les yeux et aperçut le vieux druide qui reprenait conscience. Il avait l'air singulièrement déboussolé. Il le fut davantage lorsqu'il vit un gros oiseau noir tenant, dans son bec long et crochu, le sac à dos de la jeune mage et, dans l'une de ses puissantes serres, le Grimoire de Trotsky.

— NOOOOOON !!!

Zarya s'envola par la fenêtre sur le souffle d'une heureuse pensée positive pour l'avenir, indifférente au sort funeste d'Oswald Leskovac.

Ce dernier posa sa main ouverte sur sa poitrine en regardant, d'une part, l'étrange oiseau noir qui s'éloignait vers l'horizon, et, d'autre part, son vieux cœur corrompu qui exécuta l'ultime battement d'une longue vie au service du Mal.

◊ ◊ ◊

Quelques instants plus tôt
Elliott, Camille et Ewan quittèrent la tour et avancèrent prudemment en regardant partout autour d'eux. Camille frissonnait. Elle avait l'impression que sa peau s'était transformée en dentelle ; l'air humide et mordant s'infiltrait à sa guise sous sa robe. L'adolescente avait eu son lot de sensations fortes depuis le début de la journée. Elliott pensait encore, ébahi, au sortilège de l'illusion que son oncle Ewan avait si vite préparé. Cette potion aux effets hallucinogènes était facile à fabriquer, du moins pour un druide, et demandait peu d'ingrédients : un peu d'eau minéralisée, de la moisissure, comme on pouvait en trouver à profusion dans un endroit comme celui-ci, et des petits champignons qu'Ewan avait trouvés dans son cachot.

Après avoir été paralysés momentanément par un enchantement exécuté par Elliott et Camille sous la surveillance du savant, les hommes forts d'Oswald avaient tous été enfermés dans le cachot.

— Je crois qu'on les a eus, dit Camille avec soulagement.

— Alors, ne perdons pas de temps, mes amis, suggéra Ewan. Il faut quitter cet endroit.

— Et Zarya ? demanda Elliott en regardant en haut de la tour. Nous devrions aller lui donner un coup de main.

— Je suis d'accord avec toi, approuva la jeune sorcière.

À cet instant, un cri retentit dans la vallée :

— NOOOOOON !!!

Ewan leva les yeux vers le sommet de la tour.

— Je crois qu'elle peut très bien se débrouiller seule ! fit-il en voyant l'oiseau noir quitter la tour, tenant un sac à dos et, entre ses serres, un objet qui ressemblait à un livre. Une crypto-zoolingus ! Je n'en reviens pas ! chuchota-t-il avec un sourire.

— Bonne chance, Zarya ! lança Elliott en la saluant de la main.

◈27◈

Les limbes

arya suivait avec aisance l'autre cryptozoolingus dans un ciel sans nuages, aspirant à longs traits l'air frais de la nuit. Dotée maintenant d'une vue perçante, elle ne pouvait se lasser d'admirer le splendide paysage sauvage vallonné de petites montagnes rocailleuses, vu de cette altitude.

L'adolescente planait librement entre ciel et terre depuis un bon moment. Elle ne savait pas combien de temps s'était écoulé depuis son départ, mais elle avait réussi à franchir l'Arche des druides sans aucun problème. Et, là, elle survolait les plaines fertiles et immenses qui s'étendaient de tout côté jusqu'à l'horizon égal et périphérique du pays de Dagmar.

Lorsqu'elle avait quitté la vallée de la Tour des ombres, Zarya avait aperçu Elliott, en compagnie de son oncle Ewan et de Camille, qui l'avait saluée de la main avant de disparaître grâce à la *pulverem motivus*. Elle espérait que tout se passe bien pour eux. Elle avait également vu, après avoir franchi les montagnes qui s'élevaient derrière la propriété d'Oswald Leskovac, que l'étrange vapeur rougeâtre qui recouvrait au grand complet cette mystérieuse vallée avait totalement disparu. Dès le lendemain, les hamadryades, aussi appelées « nymphes des arbres », pourraient savourer les premiers rayons du soleil.

Volant toujours dans la profondeur d'une nuit lunaire, Zarya avait presque oublié qu'elle tenait le Grimoire de Trotsky dans l'une de ses puissantes pattes. Elle ne savait pas où elle allait ainsi. Toutefois, elle faisait confiance à la sorcière qui volait quelques mètres devant elle. À plusieurs reprises, la jeune mage avait essayé de communiquer avec elle par télépathie, mais en vain. Elle ne savait pas si c'était à cause de sa transformation qu'elle n'y parvenait pas, ou parce que les sorcières ne possédaient pas cette faculté. Maintenant qu'elle y pensait, elle réalisait qu'elle n'avait jamais posé la question à sa grand-mère. De toute façon, l'adolescente ne tarderait pas à le savoir, puisqu'elle avait remarqué que la sorcière perdait graduellement de l'altitude. Plus bas, Zarya distinguait une forêt dense, où un petit feu était allumé au centre d'une clairière. En contournant un arbre géant, elle distingua quatre femmes vêtues de robes cérémoniales.

Zarya atterrit avec souplesse près de sa grand-mère Martha, en laissant tomber le grimoire et son sac à dos sur le sol sableux. Pendant ce temps, l'autre cryptozoolingus alla se dissimuler derrière un buisson touffu. Après quelques secondes, elle en ressortit transformée en humaine et vêtue d'une longue robe d'un vert aussi vif que son plumage. Pendant ce temps, une autre sorcière déposa le Grimoire de Trotsky sur un rocher plat, près du feu. Martha fouilla dans le sac à dos de sa petite-fille pour y trouver une robe. Elle la lui enfila par sa petite tête plumée.

La jeune gothique sentit une impatience désagréable monter en elle : elle ignorait totalement la façon dont elle pouvait se transformer, et elle n'était pas capable de communiquer avec sa grand-mère pour le lui demander. Elle sentait son côté animal ovipare entrer en conflit avec son côté humain : l'un rejetait l'autre.

— Tu dois rester calme, Zarya, lui conseilla Martha qui, tenant fermement ses ailes, devinait son appréhension.

L'adolescente se débattait à présent dans des convulsions hystériques, accompagnées de cris sourds et étouffés.

— Ça me rappelle la première fois que je me suis transformée, dit Evelyse à Aleyna. C'était chez ma tante Téoxena. Mon oncle me croyait possédée du diable et me courait après en m'aspergeant d'eau bénite !

— Silence, mesdames ! chuchota Phoebé derrière elle.

— Fixe tes ailes, ma chérie, suggéra Martha, et, maintenant, essaie de faire bouger tes dix doigts.

Ce que Zarya tenta.

— Regardez, je crois qu'elle va se transformer, fit remarquer Aleyna aux autres sorcières. Elle est vraiment incroyable, cette petite !

— Oh oui, elle a du talent ! approuva Evelyse qui l'avait vue combattre Oswald avec brio.

On distinguait toujours le corps de l'oiseau sous la robe noire de style gothique de l'adolescente, mais, soudain, il sembla prendre de l'ampleur ; il grandissait à vue d'œil. Martha regardait cet incroyable phénomène avec un sourire de satisfaction. Maintenant, le corps occupait la robe au complet. Tout à coup, une tête humaine apparut, celle de Zarya. Elle transpirait à grosses gouttes.

— Je suis une cryptozoolingus, grand-mère !

— Nous l'avions remarqué, répondit Martha en lui faisant un petit clin d'œil.

— Ça faisait longtemps que tu t'en doutais ?

— Depuis la première fois que je t'ai rencontrée.

— Pourquoi ne pas me l'avoir dit avant ?

— Il fallait que tu vives ta propre expérience, déclara la vieille dame en essuyant le front de sa petite-fille. Sinon tu aurais essayé de toutes les manières et ça n'aurait fait que retarder ta transformation. Il fallait absolument que tu le fasses d'une façon naturelle.

— La façon naturelle que j'ai vécue, je m'en serais bien passée ! lança l'adolescente en se souvenant de sa chute vertigineuse.

— Tu as bien fait ça, Zarya, affirma Evelyse en posant une main sur son épaule.

— C'était vous, l'oiseau au plumage vert ?

— Oui, c'était moi.

Zarya lui sourit.

— Avez-vous toujours l'intention de revoir votre ami ? demanda une voix douce derrière elle.

Zarya pivota sur ses talons et vit une vieille sorcière s'approcher d'elle.

— Oui, répondit-elle, troublée par son regard.

— Vous vous souvenez par quelle épreuve vous devez passer ?

— Oui.

— Alors, suivez-moi.

Martha regarda sa petite-fille passer près d'elle et lui fit un sourire forcé. Zarya le lui rendit aussi naturellement qu'il lui était possible de le faire.

— Asseyez-vous sur ce rocher, mademoiselle, dit Honora.

Pendant ce temps, les autres sorcières s'installèrent en cercle autour de la jeune fille.

Aleyna s'approcha davantage et lui donna une coupe en argent remplie d'un liquide noir malodorant.

— Ceci est le Nectar de mortem.

Zarya prit la coupe en jetant un regard en biais à sa grand-mère qui fixait l'objet de ses yeux anxieux.

— Nous connaissons une multitude de boissons similaires à celle-ci, expliqua Honora, mais le Nectar de mortem est rapide et sans douleur. Vous aurez la sensation de vous endormir.

— Mais je serai ?...

— Exactement.

— Alors, ne perdons pas de temps, conclut Zarya qui faisait confiance à ces sorcières et en particulier à sa grand-mère.

— Tout d'abord, j'aimerais vous mentionner un détail qui peut s'avérer très important, mademoiselle, expliqua Honora. N'ayez crainte, nous pouvons vous ramener à la vie assez facilement grâce au Livre des Morts, mais...

— Mais quoi ?! l'interrompit Zarya, en proie à l'inquiétude maintenant que la vieille sorcière prenait un ton plus sombre.

— Lorsque vous quitterez votre corps, vous serez tentée de vous diriger directement vers la lumière. Mais il ne faut surtout pas !

— Sinon ?

— Sinon on ne pourra pas te ramener, répondit aussitôt sa grand-mère.

— Alors, pas la lumière ! se répéta la jeune fille.

— Dirigez-vous vers l'endroit où le corps de votre ami repose, expliqua Honora, et accrochez-vous à son cordon d'argent, il vous emmènera dans la dimension où il se trouve actuellement.

— D'accord, son cordon d'argent ! reprit Zarya nerveusement.

— Prenez le temps nécessaire pour le ramener, mais pas plus ! martela Honora avec insistance. Pendant ce temps, nous veillerons sur votre corps.

— Merci !

Toujours assise sur le rocher, la fille avala d'un trait le liquide âcre et mortel. Après une ou deux grimaces de dégoût, elle s'étendit sur la pierre froide et inconfortable.

Une minute plus tard, Zarya sentit une grande fatigue la gagner. Elle ferma les yeux, consciente de ce qui lui arrivait :

elle était sur le point de partir. Puis son corps astral quitta son enveloppe charnelle avec douceur et souplesse. Au-dessus de son propre corps, l'adolescente flotta avec une légèreté indescriptible, tout en fixant les sorcières qui semblaient la voir également. Martha, les yeux mouillés, lui sourit tendrement. Zarya se tourna vers le ciel et vit une grande lumière qui, normalement, aurait été aveuglante pour ses yeux, mais qui était maintenant douce et réconfortante.

« Pas la lumière, se dit-elle, je dois poursuivre ma quête. »

Elle eut alors une pensée pour Jonathan.

Ce fut incroyable ! Zarya se téléporta à la vitesse de la pensée et se retrouva instantanément à l'infirmerie du Temple, plus précisément dans la chambre de Jonathan. Maintenant, elle le regardait, couché dans son lit. Comme d'habitude, il semblait dormir paisiblement. La jeune gothique vit quelque chose qu'elle n'avait pas remarqué de son vivant : le fameux cordon d'argent. Il semblait prendre naissance dans le nombril du jeune homme et ondulait d'un mouvement lent et continu dans l'air, pour finalement passer au travers du haut plafond de la chambre.

Maintenant, Zarya était suspendue dans l'air comme une bulle de savon au-dessus du corps de Jonathan. Elle pouvait passer la main au travers de la paroi translucide sans problème. Elle essaya de toucher son visage, mais en vain. Elle jeta un regard au cordon astral en se rappelant ce que la vieille sorcière lui avait dit à son sujet : « Accrochez-vous à son cordon d'argent, il vous emmènera dans la dimension où il se trouve actuellement ! »

Ce qu'elle fit avec fébrilité.

En posant délicatement sa main sur le cordon, Zarya se sentit attirée, à une vitesse inouïe, au travers du plafond. En un temps qu'il lui fut impossible d'évaluer, elle se retrouva dans ce qui semblait être l'espace interstellaire et s'enfonça plus profondément aux confins de l'univers. Elle aperçut droit devant elle, à l'endroit vers lequel elle se dirigeait sans décélérer, un trou noir d'une dimension colossale ; elle s'y enfonça. Sans avoir la moindre sensation de froid, ni de chaud, Zarya parcourut un long tunnel noir et silencieux en contemplant la paroi qui semblait constituée de lumière glauque, toujours en tenant fermement le cordon argenté de Jonathan. Elle ne savait pas si une seconde, une minute ou même une heure s'était écoulée depuis qu'elle avait quitté son corps. Le temps ne semblait pas exister en ce lieu céleste.

Finalement, Zarya sortit du tunnel, puis son corps erra dans un univers insolite. Probablement une galaxie parallèle à la sienne. Ce n'étaient pas des étoiles blanches comme dans sa galaxie ; c'étaient plutôt des milliards de gigantesques bulles de verre dans lesquelles brillait, d'un éclat éternel, une incalculable quantité de petites lumières à la fois argentées et dorées. Le cordon semblait être connecté à l'une de ces petites planètes brillantes. Toujours dans sa progression, Zarya pénétra dans l'atmosphère bleutée en conservant sa vitesse excessive.

Ses pieds touchèrent le sol. C'était le soir et, malgré qu'elle fût dépourvue d'un corps physique, Zarya sentait le froid. En tournant la tête vers la droite, elle fut stupéfaite de voir et de reconnaître une immense structure de style gothique, avec ses tours élancées : le château de Sakarovitch. Elle avait atterri sur un long quai de bois. En voyant des silhouettes à quelques mètres de l'endroit où elle se trouvait, elle décida de se cacher derrière une caisse en bois pour ne pas se faire remarquer. Zarya s'étira le cou pour mieux voir ces personnes, cependant elle ne put distinguer leur visage, puisqu'elles lui tournaient le dos et qu'il faisait noir.

« Non, ce n'est pas vrai ! » se dit-elle en voyant quelque chose s'approcher du quai.

Une embarcation d'une trentaine de mètres, filiforme comme une lance, aux couleurs foncées et dépourvue de voiles, arrivait à vitesse réduite, tirée par deux léviathans.

Zarya cligna des paupières trois fois de suite.

— La *Pertuisane III* ! C'est impossible, chuchota-t-elle en regardant l'une des silhouettes qui se trouvaient devant d'elle. Alors, celui de droite, c'est Jonathan !

Elle le fixa intensément, contemplant son corps élancé et bien proportionné. Bien qu'elle fût à une certaine distance, elle crut, l'espace de quelques secondes, qu'elle pouvait humer son odeur enivrante. Jonathan était là, dix mètres devant elle, sans qu'elle puisse faire quoi que ce soit — du moins pour l'instant.

Zarya ferma les yeux un moment, avec le sentiment de rêver encore et encore à lui. Cependant, ce rêve était d'une réalité anormalement tangible. Après ces longs mois de chagrin et d'ennui, elle avait de la difficulté à s'imaginer qu'il était là. Elle crevait d'envie de courir vers lui en lui criant qu'elle l'aimait de tout son être. Toutefois, elle se rappela ce que lui avait dit Abbie avant qu'elle ne parte pour le monde des druides-gaïens : « D'après ce que dit la docteure Drius, Jonathan ne peut pas faire la différence entre la réalité que l'on connaît ici et le rêve imaginaire que projette l'endroit où il se trouve. Il ne faut pas oublier qu'il croit fermement en ce lieu et que celui-ci est devenu sa propre réalité. J'imagine difficilement que tu puisses lui sauter dans les bras en lui criant : "Viens, quittons cet endroit effrayant, tu ne fais que rêver !" Il va te prendre pour une folle ou, pire encore, pour un démon qui veut l'attirer dans un piège ! »

Il ne faisait aucun doute, dans l'esprit de Zarya, qu'Abbie avait raison ; elle devrait attendre le moment propice pour lui dire la vérité.

Ce qu'elle vit alors dépassait, et de loin, son entendement ! C'était une adolescente aux yeux bleus, aux longs cheveux noirs qui volaient de tous côtés, et portant un long manteau de la même teinte.

« C'est moi ! »

Elle se rappelait chaque mouvement qu'elle avait fait durant cette journée mémorable. De toute évidence, c'était aussi une journée très heureuse pour Jonathan, puisqu'il se la remémorait jour après jour dans ce monde chimérique. Le cœur de la vraie Zarya battait à tout rompre en voyant son double fixer le jeune homme et ce dernier s'en approcher pour lui déposer un tendre baiser sur la joue.

Toujours dissimulée derrière la caisse, Zarya fit un pas de côté en voyant Jonathan, accompagné de sa copie conforme, passer près d'elle pour se rendre au transmoléculaire. Son cœur bondit de joie lorsqu'elle vit les personnes qui le suivaient de près : Abbie, Olivier, madame Phidias et son grand-père Gabriel, qui fermait la marche. La jeune fille sortit de sa cachette et les regarda s'éloigner en respirant un grand coup. En entendant un bruit d'éclaboussement, elle se tourna vers les deux léviathans.

— Salut, Goliath ! Salut, Cyghie !

Zarya se tourna promptement en entendant un bruit de pas derrière elle. L'un des matelots, qui transportait une lourde valise, passa au travers de son corps comme si elle était constituée de vapeur.

« Personne ne peut me voir ! »

Elle s'avança vers le garçon.

— Allô ! Je suis là ! s'écria-t-elle en faisant des grimaces.

Il continua de marcher sans réagir.

« Personne ne peut m'entendre ! »

C'est alors qu'elle sentit quelque chose lui effleurer les cheveux. Elle se tourna et vit Goliath qui avait étiré son long cou pour venir humer ses cheveux.

— Toi, tu peux me voir ! dit-elle en caressant son immense museau froid et humide.

Elle pivota sur ses talons et aperçut, au loin, Jonathan et son double qui pénétraient dans le transmoléculaire. Au même moment, sans avoir besoin de cabine argentée, elle fut téléportée près du château de Sakarovitch. Même si elle était invisible, elle préféra se cacher derrière un gros arbre en voyant le groupe passer près d'elle.

Quelques minutes s'écoulèrent, puis Jonathan alla rejoindre son ami et apprenti, Didier, qui avait préféré rester dehors pour contempler l'architecture exceptionnelle de la forteresse gothique. Alors que Didier lui parlait, Jonathan affichait un demi-sourire, et Zarya avait l'impression qu'il ne l'écoutait pas. Il semblait être loin, plongé dans ses douces pensées.

Elle décida de les suivre discrètement.

Les deux hommes s'arrêtèrent en face d'une charmante petite auberge. Zarya put lire sur le panneau qui se trouvait au-dessus de la porte : *Le Ripailleur*.

— Nous y voilà, Didier, dit Jonathan. Vas-y sans moi, je vais aller me promener un peu.

— D'accord, Maître, soyez prudent !

Les mains dans les poches, Jonathan se dirigea vers le centre-ville en sifflotant. Il semblait heureux.

Il devait être très tard, se dit l'adolescente, car les rues étaient pratiquement désertes. La température était fraîche, mais pas désagréable pour celle-ci. Vingt mètres devant Zarya, Jonathan marchait d'un pas nonchalant en regardant les hautes tours du château qui surplombaient les toits des boutiques de souvenirs. D'ailleurs, il semblait aller dans cette direction. Puis il tourna le coin d'une petite ruelle pittoresque. La jeune fille accéléra le pas ; elle ne voulait pas le perdre de vue. En tournant au même endroit, elle constata, contrariée, qu'il avait disparu.

« Où est-il ? » se demanda-t-elle en marchant dans la direction d'une ruelle perpendiculaire à celle-ci.

C'était un cul-de-sac.

— Mais que fais-tu ici, Zarya ? lança soudain une voix familière.

L'adolescente se retourna. Les yeux exorbités, elle vit Jonathan devant elle, affichant un air agréablement surpris.

« Il peut me voir ! »

— Je... je prenais l'air, bafouilla-t-elle en le fixant droit dans les yeux, sans sourciller.

Zarya avait oublié qu'il était aussi grand. Elle dut renverser sa tête vers l'arrière, tellement il était proche. Elle pouvait sentir sa douce haleine.

Il baissa son regard.

— Tu n'as pas froid ? demanda-t-il en enlevant son propre manteau pour le déposer sur ses épaules.

— Oui, un peu. Merci !

— Je t'en prie ! fit-il en souriant. Alors, allons prendre l'air ensemble, si tu le veux bien.

Elle acquiesça d'un signe de tête.

Ils marchèrent l'un près de l'autre. Zarya sentait son cœur frémir dans sa cage thoracique, et tout son amour pour lui, qu'elle gardait en elle depuis des mois, débordait en bouillonnant comme le Souffle du diable.

« Je suis dans les limbes avec celui que j'aime. » Cette pensée la rendait pleinement heureuse. Au moins, ils étaient ensemble ! Rien n'était plus important pour elle. Comment pourrait-elle le convaincre de quitter cet endroit, alors qu'elle-même souhaitait vivre ce moment éternellement ? Maintenant, elle comprenait le danger de cet endroit chimérique. Par ailleurs, elle était consciente qu'elle ne pouvait pas rester ici pour toujours. Il y avait cependant une chose dont elle était absolument certaine : ce n'était pas le moment de lui en parler. Elle voulait profiter de cet instant privilégié à ses côtés. Elle le méritait bien, après le long chemin qu'elle avait dû parcourir pour le retrouver !

— Donc, tu es ici pour passer le Nouvel An au château, avec ce cher Sir Roland Osterman ? demanda-t-il pour entamer la conversation.

— C'est exact.

— Je suis ravi que tu sois venue.

— Moi aussi... Euh... je veux dire : oui, je suis ravie d'être venue, mais je suis contente que tu sois ici, à Vonthruff, marmonna-t-elle en sentant le rouge monter à ses joues, pas du tout fière de la façon dont ces mots étaient sortis de sa bouche.

Il lui sourit.

— Ta sœur Livia, comment va-t-elle ?

— Très bien, répondit Jonathan en s'immobilisant. Mais c'est drôle, j'ai l'impression de ne pas l'avoir vue depuis un siècle !

« Serait-ce le temps de lui en parler ? » se demanda-t-elle.

Le jeune homme reprit sa marche.

Zarya réfléchit à ce qui se passerait si elle lui révélait tout. Cela pourrait entraîner de graves conséquences. Cependant, elle voulait tâter le terrain !

— J'aimerais bien la rencontrer un jour.

— Je te promets de te la présenter aussitôt que nous partirons de cet endroit.

— Dis-moi si je me trompe, mais lorsque je regarde cet endroit avec cet énorme et majestueux château devant nous, toute cette neige qui scintille d'une blancheur presque irréelle sur le sol et ce silence paisible que rien ne peut troubler, et puis nous qui marchons côte à côte, seuls dans cette ruelle étrangement déserte, eh bien, je me dis que ça peut ressembler à un rêve ! Tu ne trouves pas ?

Jonathan s'arrêta subitement et se plaça volontairement en face de Zarya. Il la fixa de ses yeux bleus.

— Un beau rêve, n'est-ce pas ?

Elle lui sourit.

« Ça risque d'être plus difficile que je ne l'aurais cru »,
pensa-t-elle.

◊ ◊ ◊

Après avoir arpenté la ville de Vonthruff sans but précis,
Zarya et Jonathan arrivèrent en face du château.

— J'ai passé une très belle soirée, Zarya, dit le garçon en
plissant les paupières comme s'il hésitait à poser une question.

— Une très belle soirée, approuva l'adolescente, les yeux
scintillants.

Il y eut un bref silence.

Jonathan hésita. Il commença à s'éloigner, se ravisa, fit un
pas incertain dans sa direction, puis s'approcha davantage. Il
posa finalement sur Zarya un regard interrogateur, qu'elle
soutint.

— Je sais que Sir Osterman organise un bal pour le Nouvel
An et je me demandais si tu pouvais…

— Venir avec toi ? Rien ne me ferait plus plaisir ! répondit
Zarya.

Elle se souvenait très bien de la première fois qu'il lui avait
posé la question. Il avait été tout aussi nerveux. D'ailleurs,
il laissa échapper le même soupir de soulagement.

Debout près du magnifique pont de bois qui enjambait
le profond fossé entourant le château, Zarya le regarda s'éloigner vers une petite ruelle. Après avoir parcouru une certaine
distance, le corps de Jonathan s'évapora comme de la fumée,
sous le regard ahuri de la jeune fille. Soudain, elle sentit que
quelqu'un l'observait. Elle se tourna vers le château, leva la tête
et aperçut une silhouette floue, cependant anthropomorphe,
qui semblait la fixer.

« Mais personne ne peut me voir ! » pensa-t-elle, troublée.

Pourtant, cette présence la voyait parfaitement.

Brusquement, le paysage, devant les yeux de Zarya, se transforma pour laisser place à une immense salle somptueusement décorée avec des guirlandes argentées et des bouquets multicolores. Une jolie musique, que jouait un orchestre composé d'une dizaine de bons musiciens, créait une ambiance décontractée. La pièce était bondée de gens élégamment vêtus.

« Je suis déjà à la soirée du bal », pensa-t-elle en se déplaçant dans un coin de la Grande Salle qui semblait plus discret.

Soudain, une douce lueur se mit à scintiller dans les yeux de Zarya : Jonathan était là, assis au bar avec Olivier. Un verre à la main, ils semblaient hypnotisés par quelque chose qui venait d'apparaître à l'entrée. L'adolescente se tourna pour regarder ce qui les intéressait tant. Elle vit alors son double, accompagné de la copie d'Abbie, s'approcher des deux jeunes hommes d'une démarche gracieuse.

Durant la soirée, Zarya ne cessa de se faufiler avec l'agilité d'une couleuvre dans la Grande Salle, de façon à ce que Jonathan ne la voie pas. Elle attendait le moment propice pour l'aborder sans que son double soit dans les environs. Mais il y avait un détail important : son habillement. Elle était vêtue de sa robe noire de style gothique alors que l'autre Zarya portait sa robe de soirée couleur perle. De toute évidence, Jonathan remarquerait cette anomalie assez rapidement.

Assise derrière un couple, toujours bien dissimulée, la jeune fille observait Jonathan qui dansait avec son double au centre de la piste de danse. Il s'arrêta subitement de danser, puis il l'entraîna dans un coin tranquille pour discuter en toute quiétude avec elle.

« C'est là qu'il va me déclarer son amour ! se dit-elle, enviant son double. Il va ensuite me donner la Sphère d'Agapè. »

Elle porta sa main instinctivement sur la sienne.

— Non, ce n'est pas vrai !

Elle regarda Jonathan la passer autour du cou de l'autre Zarya, avec une grande tristesse, puisque qu'elle se rappela douloureusement que lorsqu'elle était tombée du haut de la Tour des ombres, elle avait perdu son pendentif qu'elle chérissait par-dessus tout. Elle se doutait bien qu'il devait avoir éclaté en mille morceaux en tombant ainsi d'une telle hauteur.

À peine trente minutes plus tard, Zarya vit un homme s'approcher de Jonathan. Elle le reconnut tout de suite. C'était l'un des responsables de son malheur : Steve Arvon, un agent de sécurité du château. Elle le détestait viscéralement depuis ce jour fatidique. En effet, c'était l'homme qui avait empoisonné Jonathan pour le livrer au terrible Malphas.

Soudain, la jeune fille se souvint de ce que Livia lui avait dit lorsqu'elle l'avait vue à l'infirmerie : « Mon frère vit des moments très difficiles parfois. Tous les deux jours, et à la même heure. Ma mère pense que les démons qu'il a combattus lorsqu'il était en mission viennent le hanter dans les limbes, là où il se trouve actuellement. Elle dit qu'ils le font souffrir. »

« Il faut que je l'empêche de lui faire encore du mal ! » se dit-elle, déterminée à mettre un terme à cette mascarade.

D'un pas décidé, Zarya se dirigea vers Jonathan, prête à lui dévoiler la vérité sur ce monde fictif, quoi qu'il arrive. Elle devait absolument arrêter cette souffrance.

Alors que l'adolescente se faufilait à toute vitesse parmi les gens qui étaient assis aux tables, une voix féminine l'interpella :

— Pas si vite, toi !

— Abbie ?! Je veux dire : qui êtes-vous ? demanda Zarya en voyant le double d'Abbie lui barrer le chemin.

— Tiens, tiens ! Quelqu'un qui veut se mêler de quelque chose qui ne le regarde pas ! lança une autre voix derrière elle.

Zarya pivota sur ses talons et vit que c'était Olivier.

— Retourne dans ton monde, humaine ! dit Abbie avec des yeux étrangement menaçants. Si tu en es capable, évidemment !

Olivier éclata d'un rire rauque.

— Tu ne peux rien faire pour une âme damnée, déclara-t-il.

— Pour quel motif serait-il damné ? Il n'a rien fait de mal ! répondit Zarya, troublée. Au contraire, il n'a fait que du bien !

— Tout dépend du côté où tu te places, Zarya Adams ! répliqua Abbie avec un calme inquiétant. Pour mon dieu, faire le bien, c'est mal !

— Quel genre de dieu pourrait penser de cette façon ? demanda nerveusement la jeune gothique.

— Tu le sais très bien.

Les yeux exorbités, Zarya lui dit :

— Le diable !

Ils lui adressèrent un sourire qui lui glaça littéralement le sang. Elle regarda en direction de Jonathan : il n'était plus là !

— Avant que tu *essaies* de partir, on aimerait te montrer quelque chose, reprit la mauvaise Abbie.

La pièce où Zarya apparut était beaucoup plus petite que celle qu'elle venait de quitter.

— Jonathan ! cria-t-elle avec désarroi.

Avec horreur, elle le vit étendu sur un autel de pierre au centre d'une pièce sombre et humide, ses poignets et ses chevilles attachés avec une chaîne de métal.

— Tu peux crier autant que tu le désires, petite, expliqua Abbie en souriant. Il est drogué…

Zarya s'approcha de son amoureux et posa sa main sur la sienne.

— Jonathan ! Je t'en prie, réveille-toi, quittons cet endroit maudit !

— C'est ça, crie, humaine ! cracha Olivier. Ça ne fait qu'augmenter ta souffrance ! J'adore ça !

Une vieille sorcière dégoûtante s'approcha du jeune Maître Drakar. Elle pointait sa baguette magique vers le plafond en exécutant des rotations et prononça une formule incantatoire :

— *Importatos Leth Dhaos Corvusium Coraxix !*

Zarya essaya de lui lancer un sortilège...

— Ta magie ne fonctionne pas dans notre monde, spécifia Abbie, prenant manifestement un malin plaisir à la décourager davantage.

— Pourquoi lui ? s'écria Zarya en regardant les deux démons droit dans les yeux.

— Le suicide mène droit aux enfers. Tu n'ignores certes pas cette loi morale !

— Mais... il ne s'est pas suicidé ! trancha aussitôt Zarya avec colère.

— Mais ce n'est pas de lui que nous parlons, petite, intervint Abbie. C'est de toi ! Tu es morte de ton plein gré, n'est-ce pas ?

— Exactement, Zarya Adams, ajouta Olivier qui savourait cet instant. Lui, il peut partir quand il veut... On ne le retient plus !

— Mais je croyais...

— Tu croyais savoir bien des choses, petite âme damnée ! Je suis un Samigina, et j'ai tous les droits dans ce monde.

Se tournant vers la méchante Abbie, Olivier souligna :

— Malphas avait vu juste en ses capacités.

— Malphas ! répéta Zarya avec effroi.

— Mais oui, Malphas ! fit le double d'Olivier. Lorsque ce jeune Maître Drakar a quitté son corps, il a perdu tous ses pouvoirs. Alors, cela fut chose facile pour Malphas de l'emmener jusqu'à nous. Depuis ce jour, nous le retenons en ce lieu avec ses plus beaux souvenirs.

— Mais vous l'avez torturé ! répliqua Zarya, folle de rage.

— On a le droit de s'amuser un peu, rétorqua Abbie avec un sourire démoniaque. Et d'ailleurs, c'était l'idée de notre maître.

Il était certain que tu réagirais plus rapidement si on le faisait souffrir ainsi. C'était un piège redoutable !

Pendant cette insoutenable déclaration, Zarya ne s'était pas rendu compte qu'elle changeait encore d'environnement. Elle reconnut facilement cet endroit, puisque c'était là que Jonathan avait quitté son corps quelques mois plus tôt.

C'était une salle très grande avec un plafond voûté, supporté par des colonnes de bronze, et meublée richement dans le style Renaissance. Elle était éclairée par trois candélabres à treize branches.

— Cet humain, ton ami, est très futé, avoua Abbie en regardant Jonathan qui était couché sur le sol. À quelques reprises, il a failli s'évader de ce monde. Il avait deviné que ce n'était pas le sien. Heureusement que ton double l'a retenu en ce lieu !

Zarya se tourna vers l'autre Zarya. Celle-ci était agenouillée près du corps de Jonathan.

— J'adore voir souffrir ton double, Zarya Adams, déclara Olivier avec de l'écume aux lèvres. Regarde, jeune humaine, c'est le moment que je préfère !

Zarya fixa, avec une douleur renouvelée, l'âme de Jonathan qui quittait son corps. Elle pouvait entendre les plaintes de la fausse Zarya :

— Non… Ne t'en va pas ! Reste auprès de moi, supplia-t-elle en pleurant d'une feinte douleur, voyant le corps spectral du jeune homme s'envoler vers le plafond.

— Maintenant, tu peux dire « au diable » à ton amoureux, puisqu'il viendra te rejoindre assez rapidement, devina Abbie en savourant ce spectacle avec une délectation morbide. Je crois bien qu'il fera le même parcours pour venir te chercher.

Sur ces paroles, et en voyant que Jonathan était sur le point de quitter ce monde, Zarya courut dans sa direction avec désespoir.

— Jonathan !

D'une façon imprévue, même pour les Samiginas, les yeux de Jonathan, qui regardaient la fausse Zarya, se tournèrent vers la vraie Zarya. Celle-ci se précipita vers lui, le cœur battant. Sans aucune explication rationnelle, l'environnement chimérique se transforma en un lieu luciférien, avec des parois rocheuses dégageant une puanteur à donner la nausée pour l'éternité. Le double de Zarya s'était volatilisé. Abbie et Olivier s'étaient transformés en créatures monstrueuses.

La perception de Jonathan avait changé pour laisser place à cette réalité saisissante.

— Zarya ! s'écria-t-il, enfin lucide. Viens par ici, vite !

L'adolescente courut le plus rapidement possible et sauta en s'agrippant désespérément aux mains de Jonathan qui flottait à deux mètres du sol.

Avec ses bras démesurés, l'un des démons s'accrocha vivement aux jambes de Zarya.

— Tu ne partiras pas d'ici ! aboya-t-il de sa voix rauque.

Les deux jeunes gens s'élevèrent très haut dans cette caverne infernale.

— Ne la laisse pas s'enfuir, cette sale humaine ! hurla l'autre bête luciférienne.

— Accroche-toi, Zarya ! Il ne faut surtout pas lâcher ! cria Jonathan en serrant les dents. Je sens une force qui m'attire en dehors de cet enfer ! Tiens bon, mon amour !

La tête en bas, il vit ses pieds pénétrer dans un vortex. Il tenait sa bien-aimée de toutes ses forces. Le démon était affreusement lourd, mais le jeune homme refusait d'abandonner. Zarya souffrait le martyre : les griffes tranchantes de la bête déchiraient la peau de son corps astral.

— Je ne suis pas capable de tenir plus longtemps, Jonathan !

— Non, Zarya, non ! Je t'en prie, tiens bon, Zarya !

La jeune fille lâcha prise. Jonathan dut faire un effort surhumain pour ne pas lâcher ses poignets devenus moites. Il était maintenant dans le vortex jusqu'à la taille.

— Je suis désolée, Jonathan ! dit-elle d'une voix douce en le regardant au plus profond de ses yeux. Je t'aimerai toujours...

L'un de ses poignets venait de glisser de la main de Jonathan.

— Non, Zarya !

Le Samigina avait saisi l'épaule de la pauvre adolescente et la tirait violemment vers le bas. De sa main libre, Jonathan asséna un coup de poing formidable sur la mâchoire musclée du démon. Celui-ci tomba dans le vide sous la force extraordinaire du jeune Maître Drakar. Le poids de Zarya ainsi allégé, Jonathan, en pénétrant totalement dans le vortex, put attirer sa bien-aimée avec lui sur le chemin du retour.

Épilogue

arya et Jonathan parcoururent le long tunnel noir à une vitesse fulgurante, en s'étreignant passionnément.

Lorsque la jeune fille avait pénétré dans le vortex, ses profondes plaies s'étaient aussitôt refermées. Pour Jonathan, maintenant tout était clair.

— Merci d'être venue me chercher ! dit-il en lui caressant la joue de sa main lumineuse.

— Je me suis beaucoup ennuyée de toi, Jonathan, admit-elle avec tendresse. J'étais prête à combattre tous les démons de l'enfer pour te retrouver...

— C'est exactement ce que tu as fait !

Elle lui sourit.

Il leva les yeux et vit le tunnel défiler rapidement.

— Combien de temps avant d'arriver ?

— Je m'en fous ! s'exclama Zarya en caressant les cheveux de son âme sœur.

Soudain lui revint à l'esprit un souvenir qu'elle aurait préféré oublier : elle se rappela ce que l'oncle d'Elliott lui avait dit.

— Jonathan, est-ce que tu m'aimes ?

— Plus que tout !

— Lorsque nous arriverons... chez nous, dit-elle avec difficulté, sentant une boule lui monter à la gorge, eh bien, tu ne m'aimeras plus...

— C'est impossible, ça ! répliqua aussitôt Jonathan en affichant un demi-sourire. Impossible !

— Les liens qui nous unissent se briseront aussitôt que tu pénétreras dans ton corps. Tu vivras alors un détachement.

— Non, Zarya, fit-il sans savoir. Je te le promets, nous serons toujours ensemble !

— Mes sentiments, par contre, seront intacts.

Jonathan soupira douloureusement. Ses yeux se tournèrent très brièvement vers le bout du tunnel. Il lui sembla distinguer une lumière au bout.

— Si tu as raison, déclara-t-il avec une profonde tristesse dans les yeux, promets-moi de tout faire pour me faire revenir.

— Je te le promets, Jonathan !

Les lèvres du jeune homme se posèrent avec une extrême tendresse sur les lèvres lumineuses de son amoureuse. Celle-ci sentit l'une des larmes de Jonathan lui caresser la joue. Elle n'aurait jamais cru qu'un corps astral puisse pleurer, mais c'était pourtant le cas.

Toujours dans cette délicieuse étreinte, les deux corps sortirent du tunnel, puis pénétrèrent dans l'atmosphère qu'ils connaissaient bien, celle de leur dimension. Au-dessus de leur tête, ils aperçurent des milliers d'étoiles dans la constellation de la terre, qui brillaient dans un éclat éternel au sein même des ténèbres de la nuit.

Brusquement, Jonathan se sentit attiré par son cordon d'argent. Il avait de la difficulté à garder Zarya entre ses bras.

— Tu dois me lâcher, Jonathan, dit-elle avec des larmes brûlantes qui sillonnaient lentement la luminosité astrale de ses joues. Tu dois retrouver ton corps.

— Je veux que tu me reviennes, Zarya ! insista-t-il en la retenant par un bras. Promets-moi de me revenir !

— Je te le jure !

Ils ne se tenaient plus que par un doigt lorsque Jonathan décida de laisser partir sa bien-aimée.

Zarya le vit s'éloigner à toute vitesse et entendit l'écho de sa voix douloureuse qui se prolongea dans les ténèbres de la nuit et qui continua à se répercuter après qu'il eut disparu de son champ de vision :

— Reviens-moi !

◊ ◊ ◊

Une semaine plus tard, à la première journée de cours

— Tu ne l'as pas revu depuis ? demanda Abbie, assise en face de son amie à la bibliothèque du Temple.

— Une seule fois, répondit Zarya sans lever les yeux de son livre.

— Tu n'as pas envie de le revoir ?

— Si, bien sûr ! fit la jeune gothique en déposant son livre sur la table. Mais il doit recevoir des soins de réadaptation. Son corps n'a pas été actif depuis plusieurs mois.

— Tu as raison, je te taquinais.

Abbie jeta un regard sur son livre sans vraiment le lire.

— Et le Grimoire de Trotsky ?

— Comme je te l'ai dit, ma grand-mère et les sorcières l'ont désenvoûté pour enfin libérer les âmes qui y étaient prisonnières depuis longtemps…

— Je sais tout ça ! l'interrompit Abbie en levant les yeux au ciel. Mais qu'en as-tu fait ? L'as-tu vraiment donné à…

— À monsieur Emiliano, oui.

— J'aurais tant aimé voir sa figure lorsque tu le lui as remis.

— Je sais, mais tu étais en vacances avec Olivier à ce moment-là. En fait, je l'ai glissé dans sa boîte aux lettres, je n'ai jamais vu sa réaction, si ça peut te consoler.

— Est-ce que « l'Olivier des limbes » était aussi craquant que mon Olivier ? demanda Abbie avec humour.

Zarya lui sourit.

— Je préfère, et de loin, le tien. Par contre, je dirais que l'Abbie de là-bas…

Abbie lui donna un coup de livre sur l'épaule en riant.

◊ ◊ ◊

Aussitôt que Zarya avait quitté la vallée de la Tour des ombres, Oswald Leskovac était mort après avoir semé autour de lui de la souffrance pendant plus d'un siècle.

Au même instant, son frère jumeau, Ulysse, s'était enfin éteint, dans son doux sommeil. Son domestique, Idris, le vieux Korrigan aux chaussures toutes neuves, était désormais le serviteur « volontaire » du jeune Enzo. Ce dernier en était ravi.

De toute évidence, l'oncle Ewan avait créé une remarquable invention qui allait bouleverser le monde des druides-gaïens. Après avoir remis sa création au gouvernement de cette dimension, il reçut une multitude de prix pour la *pulverem motivus*. Heureux comme il ne l'avait jamais été, le vieux savant retourna dans son laboratoire pour y travailler sur un nouveau projet, assisté par Plumard, son oiseau magique, et par son très cher neveu, Elliott.

◊ ◊ ◊

En posant à son tour son livre sur le bureau, Abbie demanda :

— Tu as vu qu'on va bientôt permettre de nouveau aux mages de franchir l'Arche des druides ?

— Je sais, dans deux semaines, précisa Zarya. Madame Phidias va sûrement être la première à y aller, elle ne parle que de ça.

— Personne ne sait que c'est grâce à toi, tout ce changement !

— Non, et j'y tiens !

— Tu es humble, ma chère, dit Abbie, fière de son amie. Tu as l'intention d'y retourner ?

— Oui, je veux revoir mon ami.

— Elliott ? Je peux venir avec toi ?

— Mais j'espère bien !

— Moi, si ça ne te dérange pas, je préfère y aller à pied, pas par la voie des airs !

— Ah ! ah ! Tu es très drôle !

Abbie s'approcha de Zarya en lui chuchotant :

— As-tu réessayé de te transformer ?

— Non, pas encore, répondit la jeune cryptozoolingus à voix basse. Ma grand-mère m'a spécifié que ça peut prendre des années avant que je contrôle parfaitement mes transformations.

Pendant qu'Abbie se replongeait dans sa lecture, Zarya se tourna vers la fenêtre et examina, sans vraiment les voir, les Maîtres Drakar qui s'entraînaient intensivement dans la cour. Sa tête était ailleurs…

◊ ◊ ◊

Deux jours plus tôt…

— Entre, ma chère Zarya, dit le grand-père avec son sourire habituel.

La jeune fille s'assit devant le bureau du directeur.

— Nous ne nous sommes pas vus beaucoup depuis ton retour de vacances, Zarya.

— Tu as raison, grand-père, approuva-t-elle, désolée. J'avais des devoirs en retard que je dois absolument remettre lundi.

Gabriel lui sourit en allant se rasseoir derrière son bureau. Il prit le *Journal d'Attilia*.

— C'est vraiment extraordinaire ! lança-t-il en lui montrant un article à la une. L'Arche des druides va bientôt rouvrir son accès après un siècle. C'est une excellente nouvelle !

— En effet !

— Il y a un article très surprenant dans le journal, ajouta-t-il, content de pouvoir en parler à sa petite-fille. Il est écrit qu'un jeune druide-gaïen dénommé Elliott Holan aurait démantelé un réseau d'enlèvement de jeunes sorcières qui sévissait depuis plusieurs années. Et le plus incroyable, c'est que le responsable de ces crimes sordides serait nul autre qu'Oswald Leskovac. C'était un homme d'affaires très influent de cette dimension.

— C'était ?

— Oui, il est décédé dans des circonstances étranges, répondit Gabriel. On lui aurait arraché le cœur ! Étonnant !

— Maintenant, on peut confirmer que c'était un homme sans cœur, fit sèchement Zarya, sans sourire de cette blague sarcastique.

— C'est vraiment de circonstance ! dit le vieil homme en s'esclaffant.

Il reprit sa lecture.

— Une jeune sorcière, qui s'appelle Camille, aurait raconté à la presse qu'une adolescente *toute vêtue de noir* serait la vraie héroïne de cette histoire.

— Une héroïne ?! Mais, grand-père, elle a tué un homme en lui arrachant le cœur !

— Je ne crois pas que cette mystérieuse adolescente ait arraché le cœur de qui que ce soit, Zarya, répondit Gabriel en fixant sa petite-fille de son regard profond. Oui, bien sûr, c'est ce qu'on dit dans les journaux à sensation. Cependant, il y a une autre version, tout aussi incroyable, je dois l'avouer, que j'ai entendue au ministère ce matin. Ce Leskovac serait mort de vieillesse. On dit qu'il aurait utilisé un objet ensorcelé par une magie noire, très noire.

— Un objet ? demanda Zarya innocemment.

— Oui, les enquêteurs ont trouvé un socle de pierre qui aurait servi à soutenir l'objet en question, près de son cœur. Et selon la professeure Bignet, cet objet aurait eu la propriété de conserver son cœur jeune et invincible pendant de nombreuses années.

— Ah bon ?!

— Plusieurs centaines de cadavres ont été découverts dans la vallée de la Tour des ombres. En fait, l'héroïne dont a parlé Camille aurait débarrassé le monde des druides-gaïens d'un véritable tueur de la pire espèce, dit-il en s'approchant de sa petite-fille. Oui, pour moi, cette jeune fille *toute vêtue de noir* est incontestablement une héroïne ! conclut-il en lui posant la main sur l'épaule.

Elle lui sourit.

◊ ◊ ◊

— J'ai beaucoup réfléchi à ce que tu m'as dit à propos de ta relation avec Jonathan, commença Abbie.

— Non, n'insiste pas !

— Si tu lui racontes toute l'histoire du début jusqu'à la fin, il comprendra, j'en suis certaine.

— Je tiens mordicus à regagner son amour d'une façon naturelle. Je veux qu'il m'aime pour ce que je suis, et non pour un souvenir qu'il a oublié.

— Il t'a vraiment oubliée ?

— En partie, oui, dit Zarya en regardant par la fenêtre à nouveau.

◊ ◊ ◊

Quelques heures après le retour des limbes…

En pénétrant dans l'infirmerie du Temple, ce jour-là, Zarya remarqua tout de suite que l'ambiance avait changé. La quiétude habituelle avait laissé place à l'euphorie. Alors qu'elle s'approchait de la chambre de Jonathan, la jeune fille fut interceptée par la docteure Drius.

— Mademoiselle Adams ! J'aimerais m'entretenir avec vous quelques instants, si vous le voulez bien…, dit celle-ci avec politesse. Venez par ici, je vous prie.

— Y a-t-il quelque chose qui ne va pas, docteure ?

— Tout va bien, ne vous en faites pas. Il va de soi que vous êtes déjà au courant du retour de votre ami ?

— Oui.

— Il est revenu durant la nuit, expliqua Raïa Drius avec une certaine allégresse dans la voix. Mais je dois vous avertir, mademoiselle Adams, que lorsqu'il s'est réveillé, nous avons remarqué que son état présentait une légère complication…

— Quelle complication ?

— Jonathan souffre d'amnésie lacunaire. Laissez-moi vous expliquer, fit la docteure en voyant le visage inquiet de l'adolescente. Ce n'est pas dangereux, ne vous inquiétez pas. L'amnésie lacunaire est une perte de mémoire concernant une certaine période. Cela peut être causé par exemple par une perte de conscience, ce qui est le plus probable dans son cas, ou encore par un épisode de confusion mentale. Mais, heureusement, votre ami ne présente pas de désorientation spatiotemporelle et sa vigilance est excellente.

— Puis-je aller le voir ?

— Naturellement ! répondit la jeune Hyperboréenne. Je vais en profiter pour discuter avec sa famille dans mon bureau. Vous aurez ainsi le loisir de lui parler en tête-à-tête.

— Je vous remercie !

Un instant plus tard, dans le couloir, Zarya vit monsieur et madame Thomas, accompagnés de Livia, sortir de la chambre de Jonathan pour accompagner la docteure Drius jusqu'à son bureau. Ceux-ci passèrent tout près d'elle. Le regard de Livia croisa celui de la jeune gothique ; elles se sourirent. La sœur de Jonathan était folle de bonheur, ça ne faisait aucun doute pour Zarya.

En arrivant devant la porte, elle eut le réflexe de prendre une profonde inspiration. Puis elle frappa.

— Oui, entrez !

L'adolescente ouvrit doucement et pénétra dans la chambre en essayant de garder son calme. Elle sentit cependant un frisson d'angoisse lui parcourir l'échine. Lentement, elle tourna la tête dans sa direction. Elle était certaine que Jonathan pouvait entendre son cœur battre de l'endroit où il était.

— Bonjour, Zarya ! lança-t-il.

Son cœur explosa en entendant sa douce voix.

— Bonjour, Jonathan !

— C'est très gentil de ta part d'être venue me rendre visite, dit-il en s'asseyant dans son lit.

En s'approchant, Zarya observa ses yeux. Son regard était quelque peu différent de la dernière fois qu'elle l'avait vu. Plus fuyant.

— J'ai pris quelques instants pour venir te souhaiter un prompt rétablissement.

— Merci, c'est une très belle attention, répondit Jonathan en baissant légèrement son regard à la hauteur de son cou.

Zarya le remarqua.

— J'ai croisé une jeune fille dans le couloir, est-ce ta petite sœur ?

— Oui, c'est Livia. Je crois t'en avoir déjà parlé, je pense ? demanda-t-il en plissant ses yeux.

— Oui, une fois ou deux, approuva-t-elle, surprise qu'il se souvienne de ce petit détail.

L'adolescente mourait d'envie de lui raconter toute l'histoire depuis le début, mais elle se mordit la langue.

« Je veux qu'il revienne par lui-même. Je ne veux pas forcer les choses », pensa-t-elle.

Zarya scrutait attentivement les prunelles de Jonathan pour y discerner une flamme, aussi petite soit-elle, mais en vain. Elle avait du mal à saisir pourquoi cette vérité ne lui apparaissait que maintenant, alors qu'elle était au courant de cette conséquence négative. L'angoisse disparut, laissant place à une émotion différente, qu'elle mit d'ailleurs quelques secondes à reconnaître : la tristesse.

— Zarya ?

La jeune fille leva les yeux.

— Oui ?

Jonathan regarda de nouveau son cou. Elle en déduisit qu'il cherchait peut-être la Sphère d'Agapè.

— Euh… je ne suis pas certain, je veux dire… on m'a dit… pour ce qui s'est passé entre nous, à Vonthruff…

— Je sais, Jonathan, je sais, dit-elle en lui souriant le plus naturellement possible.

Assis dans son lit, le garçon resta là, sans être capable de prononcer une parole de plus. Au plus profond de son être, une partie de lui l'aimait passionnément, mais il n'en était pas conscient.

Zarya s'avança vers lui avec lenteur en plongeant son regard dans le sien, comme si elle voulait fusionner son âme avec la sienne. Jonathan la fixa sans ciller des paupières, ce qui était suffisant pour nourrir, dans la tête de son amie, les espoirs les plus déraisonnables.

Elle lui tendit la main ; il la prit.

Sans prononcer une parole, elle le tira doucement ; il s'approcha sans résistance.

Les yeux à demi clos, elle approcha ses lèvres des siennes.

Leurs lèvres s'effleurèrent à peine, juste assez pour que chacun goûte la peau de l'autre.

En reculant, elle vit qu'il avait encore les yeux fermés.

Zarya tourna les talons, ouvrit la porte, jeta un dernier regard à Jonathan, qui était encore sous le choc de son tendre baiser. Elle ferma la porte derrière elle.

◊ ◊ ◊

— Zarya ! Tu es encore dans les limbes ! dit Abbie en riant.

— Oui, oui, je suis désolée.

— Que vas-tu faire maintenant ?

Zarya se contenta de lui sourire...

Quelque part dans une nuit d'un passé très proche... elle se souvenait d'une promesse !

Si je prends le temps nécessaire pour énumérer tout ce que ma petite famille m'apporte de magnifique, il ne me restera plus de temps pour me plaindre !

Nicolas, Mikaël, et ma chère épouse Chantal, je vous remercie d'être là, pour moi !

JP Goyette